INVOCADORES DO MAL

CB130795

Cheryl A. Wicks

com Ed & Lorraine Warren

INVOCADORES DO MAL

Os investigadores de casos sobrenaturais
que inspiraram os filmes
Amityville, Invocação do Mal e *Annabelle*

Tradução

Humberto Moura Neto
Martha Argel

Editora
Pensamento
SÃO PAULO

Título original: *Ghost Tracks.*

Copyright © 2004 Cheryl Wicks

Copyright da edição brasileira © 2016 Editora Pensamento-Cultrix Ltda.

Texto de acordo com as novas regras ortográficas da língua portuguesa.

1ª edição 2016.

2ª reimpressão 2017.

Todos os direitos reservados. Nenhuma parte desta obra pode ser reproduzida ou usada de qualquer forma ou por qualquer meio, eletrônico ou mecânico, inclusive fotocópias, gravações ou sistema de armazenamento em banco de dados, sem permissão por escrito, exceto nos casos de trechos curtos citados em resenhas críticas ou artigos de revistas.

A Editora Pensamento não se responsabiliza por eventuais mudanças ocorridas nos endereços convencionais ou eletrônicos citados neste livro.

Editor: Adilson Silva Ramachandra
Editora de texto: Denise de Carvalho Rocha
Gerente editorial: Roseli de S. Ferraz
Produção editorial: Indiara Faria Kayo
Editoração eletrônica: Join Bureau
Revisão: Vivian Miwa Matsushita

Dados Internacionais de Catalogação na Publicação (CIP)
(Câmara Brasileira do Livro, SP, Brasil)

Wicks, Cheryl A.

Invocadores do mal : os investigadores de casos sobrenaturais que inspiraram os filmes : Amityville, Invocação do mal e Annabelle / Cheryl A. Wicks, com Ed & Lorraine Warren ; tradução Humberto Moura Neto, Martha Argel. – São Paulo : Pensamento, 2016.

Título original: Ghost tracks.
ISBN 978-85-315-1942-0

1. Demonologia 2. Fantasmas 3. Parapsicologia 4. Parapsicologia – Estudo de casos 5. Parapsicologia – Estados Unidos – Biografia 6. Warren, Ed 7. Warren, Lorraine I. Warren, Ed. II. Warren, Lorraine. III. Título.

16-01977 CDD: 133

Índice para catálogo sistemático:
1. Parapsicologia 133

Direitos de tradução para a língua portuguesa adquiridos com exclusividade pela
EDITORA PENSAMENTO-CULTRIX LTDA., que se reserva a
propriedade literária desta tradução.
Rua Dr. Mário Vicente, 368 – 04270-000 – São Paulo, SP
Fone: (11) 2066-9000 – Fax: (11) 2066-9008
http://www.editoracultrix.com.br
E-mail: atendimento@editoracultrix.com.br
Foi feito o depósito legal.

Sumário

SEÇÃO III

SEÇÃO IV

SEÇÃO V

Uma Introdução

Por mais de cinquenta anos, Ed e Lorraine Warren vêm investigando fantasmas e outros fenômenos paranormais ao redor do mundo.* Suas entrevistas e conferências, muito populares, têm permitido a milhares de pessoas compreenderem melhor o sobrenatural. O trabalho digno de crédito dos Warren também serviu como base para algumas adaptações cinematográficas** e, até o momento, dez livros.

Invocadores do Mal reúne cinco décadas de experiência em investigação de campo, juntamente com as perspectivas histórica, científica e religiosa, para revelar que até mesmo o que é considerado paranormal tem padrões de comportamento previsíveis e pode ser mensurado. Tais padrões determinam como os Warren conduzem uma investigação para desvendar o que está acontecendo e por quê.

Os sumários introdutórios e os estudos de casos reais apresentados a seguir demonstram como é vivenciar fenômenos misteriosos e investigá-los. Este material está organizado em cinco seções.

---

* Ed Warren faleceu em 23 de agosto de 2006, após a publicação da versão original deste livro nos Estados Unidos (2004). Lorraine continua em atividade, agora em parceria com seu cunhado, Tony Spera. (N. do E.)

** Até a data da publicação deste livro no Brasil, já houve sete adaptações cinematográficas baseadas nos casos relatados pelo casal Warren: *Horror em Amityville* (*The Amityville Horror,* 1979) *Amityville II: The Possession* (*Amityville II: A Possessão,*1982), *A Casa das Almas Perdidas* (*The Haunting,* 1991), *Evocando Espíritos* (*The Haunting in Connecticut,* 2009); *Invocação do Mal* (*The Conjuring,* 2013), *Annabelle* (2014) e a sequência *Invocação do Mal 2* (*The Conjuring 2, The Enfield Poltergeist,* 2016). (N. do E.)

Na Seção I, os próprios Warren apresentam-se e explicam como se tornaram investigadores parapsíquicos. Ed nos conta o que significa ser um **demonologista**.

A Seção II examina os **fantasmas** e apresenta quatro estudos de caso para ilustrar esse tipo de fenômeno. Veremos como uma investigação com uma médium autêntica pode ser a única forma de solucionar manifestações misteriosas que desafiam qualquer outra explicação científica.

A Seção III analisa as infestações do **mal** e apresenta encontros demoníacos nas palavras das próprias vítimas – incluindo uma atualização dos antigos proprietários da residência onde se passou o famoso caso Amityville, com as fotos correspondentes.

A Seção IV faz uma retrospectiva da realidade dos **mistérios** inexplicáveis que abarcam culturas diversas, ao longo de séculos. Essa seção inclui relatos de avistamentos do Pé Grande e o desafio de identificar fraudes durante uma investigação parapsíquica.

A Seção V aborda o que é dito pela **ciência** moderna a respeito do paranormal. Essa pode ser a revelação mais surpreendente de todas.

Junte-se a nós na busca pelo sobrenatural e nas investigações de casos de fantasmas, para compreender melhor o que desencadeia os estranhos acontecimentos que costumam ocorrer durante a noite.

SEÇÃO I

Conheça os Warren

Quem são os Warren?

"Ed e eu estamos casados faz quase sessenta anos", contou-nos Lorraine à época em que este livro estava sendo escrito. "Temos uma filha e um genro incrível, e também somos avós e bisavós!"

Ed e Lorraine Warren vivem na Nova Inglaterra, em uma casa modesta, um chalé aninhado entre as árvores e os arbustos que eles próprios plantaram, décadas atrás. Dividem seu lar com animais de estimação resgatados e são visitados regularmente por um guaxinim, um peru e um gambá silvestres, que vêm atrás das guloseimas que se acostumaram a receber. O interior da residência é acolhedor, repleto de coleções dos mais variados objetos, que cobrem cada superfície. Anjos e crucifixos de todos os tipos, tamanhos e modelos se encontram em toda parte e se destacam. No porão, Ed e Lorraine têm seus respectivos escritórios, separados pelo Museu do Ocultismo que o casal mantém.

No escritório de Lorraine, os arquivos transbordam com os contratos para conferências, acordos de livros, milhares de palestras proferidas, centenas de programas de televisão e rádio para os quais foram convidados e numerosos artigos em periódicos que abordam o trabalho deles. Vídeos de participações em programas de televisão, de suas próprias investigações parapsíquicas e de seu próprio programa de TV a cabo lotam o pequeno espaço.

O aposento é iluminado por três janelinhas e suavizado por uma profusão diversificada de quadros, almofadas e graciosas criaturinhas de cerâmica. Uma coleção completa do periódico da New England Society for Psychic Research (Sociedade de Pesquisas Psíquicas da Nova Inglaterra) [NESPR] está empilhada a um canto. Correspondência via fax, e-mails impressos e cartas do mundo todo acumulam-se em pilhas indisciplinadas. Cada peça detalha fenômenos que vão de fotografias de fenômenos paranormais a aparições espectrais e infestações do mal.

Do lado de fora do escritório de Lorraine, e ao pé da escada que desce ao porão, há um aposento mal iluminado e sem janelas. Grandes mesas formam um "T". Um grupo eclético de cadeiras rodeia a mesa e espalha-se pelo cômodo. A decoração do local é do tipo "Halloween mal-assombrado". Os artefatos refletem, além dos trabalhos dos Warren, também seu senso de humor. É aqui que muitos curiosos têm sido apresentados ao trabalho dos Warren, alertados quanto a seus perigos e esclarecidos pelas descobertas fascinantes reunidas ao longo de cinquenta anos de investigação paranormal.

Os visitantes mais curiosos do que nervosos vão se aventurar por um longo corredor repleto das dramáticas pinturas a óleo produzidas por Ed, retratando casas mal-assombradas. Na outra ponta desse túnel fica o Museu do Ocultismo dos Warren.

"Dizem que é um dos lugares mais mal-assombrados do mundo", diz Ed a seus convidados. "A maior parte da coleção do museu foi usada para finalidades diabólicas, com efeitos terríveis... resultando em pessoas aleijadas, enlouquecidas ou mortas. Alguns desses artefatos ainda são perigosos."

O salão em forma de L está repleto, do chão ao teto. Os itens vão de crânios, máscaras horrendas, esculturas perturbadoras e um caixão, a objetos de aparência benigna, um órgão e uma boneca de pano não tão inocente, confinada em uma vitrine de vidro. É junto à porta de saída desse aposento que Ed tem seu escritório.

Lá dentro há uma grande escrivaninha, rodeada por estantes que acomodam compêndios sobre o conhecimento ancestral da demonologia. Fotos de Ed com monges e exorcistas de expressão dura pontilham a pequena extensão de parede acima de sua escrivaninha. Gravações de áudio de milhares de entrevistas, feitas durante as investigações parapsíquicas ao redor do mundo, preenchem cada espaço possível. Um velho relógio de capela marca o tempo com um tique-taque forte e badaladas potentes que a cada meia hora reverberam não apenas no escritório de Ed mas também no museu contíguo.

Ainda assim, este não é um local sombrio. Foi aqui que Ed escreveu alguns de seus pensamentos mais pacíficos e inspiradores. É aqui que Ed tenta ajudar o máximo de pessoas que pode, e se esforça para distinguir entre os clientes que estão sendo sinceros e aqueles que são instáveis ou que apenas buscam atenção. Com uma xícara fumegante de café diante de si, ele se recosta em sua cadeira e ouve as fitas várias e várias vezes. É também aqui que Ed reza para pedir orientação e amparo.

Ed é um homem corpulento, de rosto barbeado, cabelo grisalho raleando e alegres olhos verdes. Sua voz grave atrai a atenção de animais de estimação, netos e investigadores assistentes. Seu senso de humor provoca tanto risadinhas nervosas quanto sorrisos. Tem um conhecimento excepcional sobre o oculto, que não decorre apenas de leituras. Sua compreensão vem do estudo e da experiência pessoal com as consequências de tais práticas. Ele também lhe dirá que boa parte de seu conhecimento parece ter origem em algum ponto além de sua experiência humana. Os estudiosos mais eruditos vão admitir que Ed tem percepção e compreensão fora do comum quanto aos fenômenos paranormais.

Lorraine, por outro lado, é uma dama, tanto nos gestos quanto na aparência. Seu cabelo está sempre arrumado num penteado que lhe cai muito bem. Ela parece ter um estoque inesgotável de echarpes e joias que complementam seus trajes sempre combinando. Sente-se à vontade usando saia, meias de náilon e sapatos de salto, mesmo enquanto investiga ruínas mal-assombradas na Inglaterra e na Escócia. Tem preferência pelos *tartans*, padrões quadriculados irlandeses e escoceses, que caem muito bem em sua silhueta esguia e de estatura elevada. Tem uma voz sempre animada e memória fenomenal. Adora fazer novos amigos e sempre foi descrita como uma pessoa extrovertida. Sente uma empatia genuína pelas pessoas e animais silvestres e domésticos. Lorraine é sensitiva. Seus sentimentos são magoados com facilidade... e ela tem o dom de ver aparições espectrais de pessoas mortas.

"Meu nome de batismo é Lorraine Moran. Nasci em 1927, em Bridgeport, Connecticut, em uma família irlandesa amorosa, devotada à alegria, ao estudo e à religião", explica Lorraine. "Minha mediunidade surgiu quando eu tinha 9 anos de idade. Foi enquanto frequentava a Laurelton Hall (uma renomada escola particular em Milford, Connecticut) que descobri que nem todo mundo tinha a mesma capacidade que eu de ver auras e espíritos", ela acrescenta, rindo. "Minhas professoras, as freiras, expressaram horror e assombro quando descrevi as luzes coloridas que eu via delineando o corpo das pessoas. Foi minha primeira experiência com a incompreensão, o medo e a exclusão com que costumo me deparar devido a minha clarividência."

Por sorte, embora Lorraine possa ter sofrido discriminação, ao menos não foi queimada na fogueira. Desde o final do século XIX, os fenômenos de clarividência, telepatia e PES (percepção extrassensorial) foram objeto de estudos sérios ao menos de uma parte da comunidade científica, trabalho que prossegue até os dias de hoje.

Em 1976, Lorraine ficou sabendo que havia na UCLA (Universidade da Califórnia, em Los Angeles) uma câmera Kirlian, de fabricação russa, que podia detectar e fotografar auras. Ela ficou intrigada com tal instrumento que podia registrar as mesmas luzes coloridas que ela conseguia ver, desde criança, ao redor das pessoas. No mesmo ano, ela tomou um avião e foi até essa universidade, logo após a investigação do caso "Pé Grande no Tennessee".

Ao mesmo tempo que Lorraine ficou curiosa com relação à câmera, a dra. Thelma Moss, psicóloga na Escola de Medicina da UCLA, ficou curiosa com Lorraine e sua clarividência. Lorraine foi testada e suas habilidades foram verificadas e identificadas como sendo as de um "médium de transe leve". Diferentemente de um "médium de transe profundo", Lorraine não permite que entidades incorpóreas falem por meio dela, usando suas cordas vocais.

Ed depende de seus sentidos humanos, mais mundanos, para observar o paranormal. Ele nasceu em 1926, apenas quatro meses antes de Lorraine. Sua família morava no andar de cima de uma casa que compartilhava com outra família, na calçada em frente a uma igreja, em Bridgeport, Connecticut. A mãe adorada de Ed passou a maior parte da vida lutando contra o alcoolismo. Não ajudava em nada o fato de que a casa onde Ed morou na infância fosse mal-assombrada.

"Dos 5 aos 12 anos, eu estava convencido de que ouvia passos, e também sons de pancadas e golpes quando ninguém estava em casa. De noite eu via o rosto hostil de uma mulher de idade na escuridão do armário de meu quarto", explica Ed.

"Meu irmão mais velho nunca estava por perto quando eu era criança. Ele sempre dormia na casa dos amigos, em vez de dormir em casa. Foi só quando já éramos ambos homens-feitos que ele admitiu ter medo demais, quando criança, de ficar numa casa repleta de visões e sons inexplicáveis, que nenhum adulto percebia."

"Uma noite, minha irmã gêmea e eu ouvimos passos hesitantes junto com o som de uma bengala, como se nosso avô estivesse subindo as escadas depois do café da manhã de domingo. No entanto, não era manhã de domingo... e nosso avô já tinha morrido! Os sons assustadores pararam quando nossa mãe foi ao nosso quarto, para nos tranquilizar. Mais tarde, porém, soubemos que nossa mãe havia passado a noite toda fora de casa, cuidando de nossa avó, que morreu mais tarde, naquela mesma noite. Então passamos a acreditar que havíamos visto um anjo com a aparência de mamãe."

Essas experiências com certeza pareceram sobrenaturais a Ed e sua irmã, mas o pai deles, um policial, insistia em dizer que deveria haver uma explicação lógica. No entanto, nenhuma causa plausível era sugerida ou encontrada. Em vez disso, os pais dele atribuíam esses estranhos eventos à imaginação infantil. O pai de Ed era um homem extremamente religioso, que frequentava a igreja todos os dias e encorajava Ed a confiar em Deus com base na fé. Ao mesmo tempo, porém, Ed era desestimulado a crer no que seus próprios ouvidos e olhos lhe diziam. A solução de Ed foi crer em ambos.

Lorraine e Ed conheceram-se no cinema Colonial, na Boston Avenue, em Bridgeport, Connecticut. Ed estava trabalhando no local como lanterninha quando Lorraine foi ao cinema com outras garotas do Grupo da Juventude Cristã St. Charles. Ed e Lorraine tinham apenas 16 anos na época.

Enquanto todos estavam no cinema, houve um ataque aéreo, forçando-os a abandonar o edifício. Ed ofereceu-se para levar Lorraine e as amigas para uma lanchonete chamada Rich's, onde o piso e os tampos das mesas eram de mármore, fazendo daquele um lugar seguro em caso de um novo ataque. As amigas de Lorraine pediram refrigerantes de cinco *cents*, mas Lorraine quis uma vaca-preta (preparada com sorvete e Coca-Cola). Ed chamou-a de "aproveitadora".

Apesar disso, Lorraine ficou impressionada com aquele rapaz tão alinhado, asseado e educado.

Mais tarde foram todos juntos para casa, a pé, andando com um pé na calçada e o outro na rua. Chegaram primeiro à casa de Ed. Enquanto o jovem subia de dois em dois os degraus da frente, Lorraine teve uma visão de Ed como adulto. Naquela noite, ela escreveu em seu diário, "Acabei de conhecer Ed. Vou passar o resto de minha vida com ele".

Quando o relacionamento pareceu estar ficando sério, o pai deu a Ed um único conselho: "Veja como ela trata os pais, e será assim que ela tratará você". Lorraine e seus pais eram muito próximos, com uma relação baseada em respeito mútuo e amor – uma relação que ela repetiria em seu casamento.

O garoto durão e a dama de Bridgeport se apaixonaram e noivaram na época em que Ed fez 17 anos e se alistou na Marinha. Ele serviu na guarda armada da Marinha dos Estados Unidos, a bordo de um navio da Marinha Mercante durante a Segunda Guerra Mundial. Em 5 de fevereiro de 1945, o navio de Ed sofreu um ataque inimigo e pegou fogo, enquanto navegava no Mar do Norte. Ed estava a ponto de pular da proa do navio quando alguém gritou seu nome e lhe jogou um colete salva-vidas. Enquanto lutava para manter-se à tona nas águas geladas, outro marinheiro, do Texas, subiu em suas costas.

"Com dificuldade, chegamos a outro barco que também pegou fogo", recorda-se Ed. "Enquanto isso, nós dois corríamos o risco de ser totalmente engolidos pelas chamas, na água repleta de óleo. Pedi a proteção da Santíssima Virgem Maria e, de repente, as labaredas milagrosamente se abriram a nossa volta. Um barco torpedeiro conseguiu se aproximar e resgatar o homem que estava em minhas costas. No entanto, nossos salvadores temiam que o segundo navio estivesse prestes a explodir, e eu os ouvi dizer, 'Vamos deixá-lo'. O homem que eu tinha salvado insistiu para que me salvassem, e senti quando me puxaram pelo braço."

Lorraine interrompe, "Eu, nos Estados Unidos, estava desesperada. Apenas 69 homens, dos dois navios, sobreviveram àquela provação, e a maioria deles sofreu queimaduras graves. Por 24 horas, Ed não figurou na lista de sobreviventes. Mais tarde, descobri que havia sido enviado para o hospital da Marinha em Staten Island, Nova York, para tratar um ferimento na cabeça.

Eu me recuperava de uma cirurgia de apendicite. Pedi para o médico me enfaixar para que eu pudesse visitar Ed".

Enquanto Ed estava de licença do serviço militar, os Warren se casaram, em 1945. Ed retornou ao Teatro de Operações do Pacífico pouco depois. Ele recebeu a notícia do nascimento de sua filha única enquanto estava em Nagoya, no Japão, após Hiroshima.

Quando voltou para casa, Ed ainda estava tão magro que podia se esconder atrás de um poste. Os anos arredondaram-lhe a silhueta, mas nunca diminuíram seu senso de humor, o sorriso caloroso, a abordagem direta e a curiosidade por sua infância incomum e por sua a miraculosa experiência militar. Ele também permaneceu devoto da Santíssima Virgem Maria e convicto do poder da oração.

Os Warren complementam um ao outro, com a força de caráter de Ed e sua astúcia adquirida nas ruas equilibrando a graça sofisticada e o caráter sensitivo de Lorraine. Juntos, ambos partilham um firme senso de propósito e moralidade. Também desfrutam de uma amizade confortável em seu casamento de longa data. Seus constantes embates verbais divertem a todos que entram em contato com o casal.

Ed e Lorraine são devotados católicos romanos e sentem que seu trabalho e suas descobertas apenas fortaleceram suas crenças religiosas. Suas investigações também lhes deram o respeito sincero e a reverência por todas as religiões que encorajam o amor incondicional. Sua única objeção a ateus e agnósticos é a vulnerabilidade em potencial às forças do mal.

"Se inadvertidamente convidam ou encontram uma infestação do mal, eles não têm defesas", explica Ed, que acrescenta, "De fato, o mal visa-os especificamente, por essa razão. Dizem que não existem ateus nas trincheiras. Lorraine e eu podemos lhe garantir que tampouco há muitos ateus em casas mal-assombradas."

Como os Warren se tornaram pesquisadores de fenômenos paranormais

"Depois que dei baixa da Marinha, fiz cursos de artes e passei a pintar paisagens campestres a óleo", começa Ed. "Lorraine dava aulas de arte em uma escola da região. Apesar de precisarmos criar uma filha e ganhar a vida, ambos continuávamos curiosos quanto a nossas experiências paranormais. Enquanto viajávamos pelos portos da costa da Nova Inglaterra, na temporada turística de verão, para vender meus quadros, Lorraine e eu também saíamos em busca de locais assombrados."

Os Warren percorreram a Costa Leste, ano após ano, em seu adorado Chevy Eagle 1933 preto, adquirido por apenas US$ 15 – o carro que batizaram de Daisy. O veículo ainda continua na casa deles, do lado de fora do Museu do Ocultismo, como um carro fúnebre de outra era.

Um dos primeiros desvios que os Warren fizeram em seu trajeto para investigar o oculto foi a casa de "Mary Nascida no Oceano" ("Ocean-born Mary"), em Henniker, New Hampshire. Dizia-se que era para lá que o fantasma de Mary Wallace retornava, em uma carruagem espectral puxada por seis cavalos. Havia também boatos de que o pirata que construiu a casa e convidou Mary para morar lá havia escondido um tesouro sob a lareira. Ed e Lorraine tinham apenas 21 e 20 anos, respectivamente, quando fizeram essa primeira visita.

Ed conta esta história: "Quando o amigo que estava conosco recusou-se a subir, no escuro, até aquela casa imponente, para ver se nos convidariam para entrar, fiz o que me pareceu mais lógico. Coloquei Lorraine para fora do carro e tranquei as portas! Eu sabia que, se havia alguém que poderia nos fazer entrar, era Lorraine. Ninguém conseguia resistir a seu charme irlandês e a sua persistência. Meu amigo e eu ficamos observando, de dentro do carro estacionado, enquanto ela subia pelo caminho sombrio até a porta da frente. Ela bateu, e vimos uma luz em uma janela lá no alto. A luz veio descendo até o térreo e finalmente a porta se abriu. Daí a pouco vimos Lorraine acenando para que nos juntássemos a ela".

Uma vez lá dentro, os Warren conversaram com o então proprietário sobre a reputação da casa, e fizeram um apanhado das ocorrências estranhas que haviam ocorrido desde que ele se mudara para lá. Foi durante essa conversa que Lorraine teve sua primeira experiência fora do corpo. Desde aquela primeira "investigação", os dons parapsíquicos de Lorraine se desenvolveram, juntamente com sua confiança neles. Ela rapidamente aprendeu que não eram só os vivos que eram perturbados e precisavam de ajuda em casas mal-assombradas.

Durante uma visita subsequente à mesma casa, ela e outros presentes viram a aparição de "Mary Nascida no Oceano" flutuando escada abaixo.

O que começou como curiosidade e uma necessidade de confirmação acabou tornando-se uma oportunidade para ajudar outras pessoas a sanar suas próprias preocupações e reafirmar seu senso de sanidade. Para conseguir entrar em outros locais tidos como assombrados – sem ter que colocar Lorraine para fora do carro –, Ed pintava quadros inquietantes de cada casa que queriam investigar. Em seguida, Lorraine oferecia a pintura de graça aos donos do lugar... desde que estivessem dispostos a compartilhar as histórias de fantasmas relacionadas com a casa.

Invariavelmente os moradores se sentiam aliviados e reconfortados em saber que não estavam sozinhos em suas estranhas experiências. Depois de várias entrevistas, os Warren começaram a perceber semelhanças e padrões bem definidos nos eventos estranhos relatados. Também terminaram por perceber que, embora muitos dos fenômenos fossem de natureza benigna, alguns pareciam deliberadamente destrutivos e malignos. Sua coleta de informações passou a ter um objetivo diferente – uma compreensão real, de modo que pudessem fazer algo mais do que simplesmente se solidarizar com as pessoas perturbadas pelos fenômenos.

"Começamos nossas investigações em meados da década de 1940", explica Lorraine. "Fundamos a New England Society for Psychic Research em 1950. No entanto, foi apenas no final dos anos 1960 que nosso trabalho se tornou público. Nossa paróquia estava fazendo um evento beneficente para angariar fundos e os organizadores pediram a Ed que doasse um ou dois quadros para leilão. Ed convidou-os a nossa casa, para que escolhessem os quadros, e quando deu por si estava contando as histórias por trás de sua coleção de pinturas de casas mal-assombradas. Os convidados ficaram tão intrigados que pediram a Ed e a mim que doássemos aqueles quadros, e compartilhássemos nossas histórias."

Na época, os Warren hesitaram, relutantes em serem tachados de malucos ou sacrílegos. Além disso, sendo um pintor, Ed não tinha experiência em falar em público, e sentia-se desconfortável sendo o foco das atenções. O que finalmente os motivou a falar sobre as pinturas que iriam a leilão foi aquilo que sempre os havia motivado. Talvez alguém pudesse beneficiar-se com a experiência e as informações que eles haviam acumulado.

Ed dá uma risadinha.

"Acabou sendo o mais bem-sucedido evento beneficente que a nossa igreja já teve", diz. "A notícia se espalhou, e formou-se uma fila que dava a volta no quarteirão, com gente que queria ouvir o que tínhamos para contar."

O tom objetivo de Ed e Lorraine, seu humor mordaz e a preocupação genuína emprestavam credibilidade a suas experiências e observações. O público tratou seus relatos com respeito e curiosidade, e os ouvintes forneceram suas próprias histórias verossímeis. Desde então os Warren têm seguido esse mesmo formato e mantiveram seu estilo despojado, ao longo de milhares de entrevistas e de conferências, em eventos beneficentes e universidades ao redor do mundo.

Os Warren tornaram-se convidados frequentes e populares em programas de entrevistas da televisão e do rádio, e tiveram seu próprio programa na TV a cabo local, chamado *Seekers of the Supernatural* (Caçadores do Sobrenatural). Fundaram a New England Society for Psychic Research (NESPR), para dar um nome a seu trabalho, e incentivaram a pesquisa e a documentação do paranormal, de forma profissional e fidedigna. Eles ainda produzem o *NESPR Journal*, trimestral, com experiências reais recolhidas ao redor do mundo. Oferecem perspectivas históricas, assim como conselhos e possíveis explicações, baseadas na ciência e em sua própria *expertise*.

Seus rendimentos vêm de conferências e livros. Para manterem-se completamente objetivos, os Warren nunca aceitaram financiamento por parte das muitas instituições que fizeram ofertas. Os clientes devem pagar as despesas dos Warren, inclusive para coibir fraudes. Mas os Warren estão dispostos a ajudar quem não pode arcar com despesas de viagens, caso haja um real motivo de preocupação.

O que torna os Warren únicos em seu campo de atuação?

Durante mais de cinquenta anos, os Warren falaram sobre o paranormal com milhares de testemunhas confiáveis de todas as classes sociais, culturas e religiões. Nenhum outro pesquisador individual ou dupla de pesquisadores teve uma atuação tão extensa até o momento. Os escritórios dos Warren transbordam com os dossiês de mais de 3 mil casos. Eles conduziram mais de 7 mil entrevistas com pessoas relacionadas a tais casos, e testemunharam em pessoa ou organizaram quase 700 exorcismos com líderes religiosos conceituados e respeitados.

Os incomparáveis cinquenta anos de investigações parapsíquicas já levaram os Warren à Austrália, ao Japão, à maior parte da Europa e por quase toda a extensão dos Estados Unidos – a pedido de autoridades governamentais, da Igreja ou de pessoas atormentadas em busca de ajuda com coisas que não fazem sentido em termos físicos. Seja trabalhando com a igreja anglicana ou com budistas no Japão, ou investigando *pubs*, abadias ou túneis assombrados, os Warren têm notado, de forma consistente, padrões confiáveis que não podem ser ignorados no estudo sério de eventos paranormais.

Os dons de clarividência de Lorraine, comprovados pela UCLA, trazem uma perspectiva que muitos outros pesquisadores – leigos ou cientistas – não possuem. Ed já teve suas próprias experiências paranormais, mas também desenvolveu um cabedal de conhecimento singular sobre ocultismo e demonologia, pelo qual é consultado e respeitado, tanto por leigos e forças policiais quanto por líderes religiosos.

"Hoje a ciência está começando a testar, comprovar e quantificar com maior grau de precisão as capacidades de clarividência, e também a reconhecer padrões em fenômenos fora do comum", observa Ed.

"A parapsicologia, no passado uma ciência marginal, aos poucos está ganhando mais aceitação, à medida que os campos mais modernos, aceitáveis e intelectuais da física e da mecânica quânticas se unem na exploração séria da metafísica. Muitas das mentes mais brilhantes dos dias de hoje concordam que há mais coisas no mundo do que os olhos conseguem enxergar... ou que possam ser percebidas pela mais sofisticada tecnologia criada pelo homem."

Enquanto isso, qualquer um que tenha tido uma premonição, ou um "mau pressentimento", que tenha sentido o poder da oração ou se deparado com algo miraculoso ou perturbador e fora do normal também acredita que há mais coisa no mundo do que os olhos físicos conseguem enxergar. Graças a sua reputação confiável e a seu estilo, os Warren continuam a atrair relatos de tais fenômenos, por meio das visitas a seu Museu do Ocultismo, das festas anuais de Halloween, da publicação trimestral e do website. Muitas das histórias a eles contadas vêm de advogados, médicos, cientistas, policiais e outros profissionais de sólida formação. São essas pessoas que respeitam o profissionalismo dos Warren. Se não respeitassem, teriam guardado segredo de suas estranhas histórias.

Ed acrescenta: "Foi a nós que o Channel 5 TV recorreu para que os ajudássemos a investigar o estranho relato de eventos sobrenaturais aterrorizantes em uma casa em Amityville. Lorraine e eu fomos os únicos investigadores parapsíquicos que a família Lutz autorizou a entrar em sua casa depois de fugir de lá. Nós lideramos a única equipe de investigação que esteve na casa imediatamente após a ocorrência dos eventos relatados, e isso nos deu uma perspectiva única desse caso controvertido".

Enquanto Amityville deu origem a livros e uma série de filmes, o trabalho dos Warren foi tema de dez livros e dois filmes, até o momento.* Embora os livros tenham se esgotado, a procura deles ainda é tanta que *The Demonologist*, de autoria de Gerald Brittle e publicado originalmente em 1980, foi recentemente reimpresso e logo se tornou um *best-seller*. Os filmes *Evocando Espíritos* e *A Casa das Almas Perdidas* ainda são populares o suficiente para ser reprisados na TV de madrugada... sempre gerando centenas de pedidos de cópias e dos livros dos Warren.

A credibilidade e o corpo de trabalho incomparável dos Warren também tiveram impacto sobre as leis modernas. Em 1990, uma mulher aterrorizada entrou em contato com eles, pedindo ajuda. Enfermeira e mãe solteira, ela havia alugado uma casa vitoriana em Rockville, Connecticut, com opção de compra. No entanto, desde a primeira noite, seu filho teve medo de ficar sozinho em seu quarto. Ela o estava tranquilizando naquela primeira noite quando ambos ouviram sons estranhos vindos do térreo. Mas não havia mais ninguém na casa.

Lorraine conta: "Durante seis meses, ela e o filho foram atormentados todos os dias por ruídos fortes de golpes, objetos que voavam pelos ares e plantas pendentes que balançavam e se erguiam de seus suportes. O telefone da cozinha foi arrancado da parede diante dos olhos deles. E um dia entraram na cozinha

---

* Foram produzidos onze filmes sobre o caso de Amityville até a data da publicação deste livro, pelo menos os dois primeiros, de 1979 e 1982, foram feitos com base na repercussão do caso investigado pelos Warren. (N. do E.)

e se depararam com uma grande faca ainda vibrando após ter sido cravada no piso. No andar de cima, ficaram aterrorizados ouvindo o som de passos e de algo pesado sendo derrubado, enquanto alguém invisível subia as escadas".

Os próprios Warren testemunharam boa parte desses fenômenos bizarros e registraram um pouco deles em filmagens e gravações de áudio. Eles constataram que algo inconcebível estava acontecendo naquela casa devido a um evento trágico anterior. Quando o senhorio da enfermeira se recusou a deixá-la romper o contrato de *leasing*, os Warren testemunharam na corte em favor da mulher. Ela venceu o caso e um precedente nacional foi estabelecido.

Como resultado, Connecticut e muitos outros estados têm leis que exigem que os proprietários de um imóvel, caso indagados, comuniquem quaisquer ruídos ou atividade não explicados. Mesmo que tudo esteja tranquilo, caso algum cadáver tenha sido encontrado em seu porão, alguém tenha se enforcado em seu sótão ou uma família tenha sido assassinada antes que a casa seja comprada por uma pechincha, o vendedor é legalmente obrigado a informar tais eventos a compradores ou inquilinos potenciais. O não cumprimento dessa obrigação pode tornar nulos contratos de vendas e de locação.

Ao longo dos anos, os Warren passaram a usar cada vez mais, em suas investigações, a ciência da fotografia infravermelha, e tecnologias modernas de áudio e vídeo para capturar imagens e sons sobrenaturais. Ainda assim, Ed e Lorraine nunca ignoraram indícios constatados, só porque não podiam ser vistos ou mensurados com equipamentos feitos pelo ser humano.

Em meio à inevitável controvérsia e às críticas que cercam seu trabalho, os Warren defendem suas observações – que apenas corroboram a experiência de incontáveis outras pessoas.

Os Warren hoje

Quando estavam na casa dos 70 anos, os Warren ainda viajavam pelo mundo e de costa a costa dos Estados Unidos, para dar conferências e investigar casos. Toda semana ministravam cursos para investigadores iniciantes de fenômenos paranormais e apresentavam um programa na televisão a cabo local. Uma vez por ano, ainda organizavam uma festa de Halloween que atraía centenas de pessoas de todos os Estados Unidos e às vezes de outros países.

Ainda, a cada primavera os Warren levavam um grupo de investigadores para um *tour* fantasmagórico pela Escócia. Essa viagem permitia a Ed e Lorraine visitarem um de seus lugares favoritos no mundo – a ilha de Skye. Em sua casa, em Connecticut, os Warren continuavam a oferecer visitas guiadas por seu Museu do Ocultismo, para centenas de grupos. Os Warren continuavam sendo procurados para programas de entrevistas, artigos de revistas e jornais, filmes e livros, no mundo todo. Enquanto isso, Ed ainda pintava e vendia seus quadros.

Na manhã de 26 de março de 2001, com 74 anos de idade, Ed Warren caiu em casa, ao chamar para dentro o gato Coon. Apesar do consenso médico em contrário, ele sobreviveu àquela noite e permaneceu em coma por cinco meses. Os médicos recomendaram à família que todos os aparelhos fossem desligados. Lorraine recusou-se a fazer isso. Contra todas as probabilidades, Ed saiu do coma e começou a recuperação. Ele passou mais de um ano entrando e saindo de hospitais e de centros de reabilitação. Lorraine preparou a casa para acomodar sua cadeira de rodas, e ele finalmente retornou ao lar, para ficar sob os cuidados da esposa e de um batalhão de cuidadores profissionais.

Em certa ocasião durante esse período, Ed estava em uma clínica, mal saído do coma, quando agarrou a correntinha que uma jovem auxiliar de enfermagem tinha ao pescoço e berrou, "Saia daqui!". Mais tarde, Lorraine pediu desculpas à jovem e examinou a corrente que havia causado o rompante de Ed. Ela trazia um pingente de pentagrama – para ele, um símbolo de magia negra. Embora Ed ainda estivesse debilitado naquela época, ainda exercia o cargo de um dos poucos demonologistas leigos do mundo.

Lorraine acrescenta: "Em 10 de setembro, enquanto estava no consultório de seu urologista, Ed de repente agarrou uma revista de notícias e recusou-se a soltá-la. Fui forçada a perguntar se podíamos levar a revista conosco. Ao chegarmos em casa, coloquei de lado a revista e me esqueci dela. Na manhã seguinte, ouvi as notícias trágicas sobre os ataques terroristas enquanto preparava Ed para o dia. Mais tarde, quando olhei a revista que Ed pegara, vi que as Torres Gêmeas de Nova York estavam na capa".

Meses antes da queda de Ed e dos ataques terroristas de 11 de Setembro, Ed compilou uma fita de áudio com música suave e as seguintes palavras:

> "Recorde o que Santa Teresa de Ávila nos disse: 'Nada te perturbe, nada te amedronte. Tudo passa. Só Deus não muda. A paciência tudo alcança. A quem tem Deus, nada falta. Só Deus basta".

Lorraine sempre diz às pessoas que cuidar de Ed em tempo integral é o melhor trabalho que já teve. Mas esse trabalho exige muito de seu tempo e de sua atenção. Ela ainda concede entrevistas por telefone e aconselha clientes com respeito aos muitos casos que continua a receber. Com a ajuda da filha, do genro e de muitos voluntários dedicados, ela ainda mantém um website, publica trimestralmente o *NESPR Journal*, promove a festa anual de Halloween, agenda visitas ao Museu do Ocultismo e faz algumas conferências em locais situados a não mais do que um dia de viagem de carro de sua casa.

O amor inabalável dos Warren e o apoio mútuo refletem a integridade que demonstram em tudo que fazem. Seu trabalho inusitado de toda a vida sempre foi o de procurar a verdade a despeito do quanto possa parecer bizarra. Apesar de sua fama e de sua reputação crescentes, permaneceram dedicados a ajudar os outros a alcançar paz de espírito, a compreender as coisas estranhas que podem estar acontecendo a eles e a aprender o que pode ser feito para minimizar ou evitar os eventos sobrenaturais mais assustadores.

Ed Warren: demonologista leigo

Ed Warren nos conta, com suas próprias palavras, como se tornou um dos únicos sete demonologistas nos Estados Unidos e um dos poucos "demonologistas leigos" do mundo.

Algumas pessoas temem os "demonologistas", achando que gostamos de ficar na companhia de demônios ou, ainda pior, que os incentivamos e veneramos. Nada pode estar mais distante da verdade. Os demonologistas estudam os demônios para desencorajar a prática do ocultismo e para ajudar aqueles que se veem vítimas de tais práticas.

As pessoas não costumam chamar a polícia se acham que "Gasparzinho" mora em seu guarda-roupa ou que a presença reconfortante de um parente querido, mas morto, ronda a sala de estar. Elas chamam a polícia quando forças invisíveis se tornam tão violentas e ameaçadoras que não têm mais a quem recorrer. Os policiais são especialistas em crimes, mas isso não os torna criminosos. Eu me tornei um especialista em forças sombrias invisíveis, mas isso não faz de mim um adorador do diabo.

Os demonologistas são, na maioria das vezes, "religiosos", no sentido de que são padres, ministros e outros líderes devotos de religiões organizadas que dedicam a vida a sua religião. Ninguém me tomaria por um padre. Assim, sou considerado um "demonologista leigo". No entanto, correndo o risco de confundir você, também me considero um demonologista religioso... pois acredito piamente que Deus é o único poder superior às forças do mal.

Um demonologista não é a mesma coisa que um exorcista. Somente uma pessoa religiosa extremamente devota, com um treinamento cuidadoso, pode desempenhar tal função. É um trabalho muito perigoso. Mas há muita gente que afirma poder exorcizar, assim como há muita gente que afirma poder predizer seu futuro. Como disse um padre certa vez, "O demônio não é um maldito idiota, mas é um anjo maldito, e pode fazer de você um maldito idiota". Ele pode fazer coisas piores do que isso. Ele pode matar você e controlar sua alma. O exorcismo não é uma responsabilidade que pode ser dada a amadores. A primeira pista quanto ao grau de capacidade de um suposto exorcista é se ele lhe entregar uma tabela de preços para os seus serviços.

De qualquer modo, quando as pessoas veem alguns de nossos casos terríveis, tema de tantas entrevistas na televisão e em revistas, livros e até alguns filmes, têm a ideia equivocada de que esse trabalho é o segredo para a fama e a fortuna. Mais uma vez, isso não poderia estar mais distante da verdade. E ainda assim, muitas, muitas vezes as pessoas vieram até mim depois de uma conferência e perguntaram, "O que preciso fazer para me tornar demonologista? Quero ser demonologista como você".

Bom, a verdade é esta: eu nunca me *tornei* demonologista. Eu *nasci* demonologista. O que isso significa? Essa não é uma carreira que planejei ou que escolhi. Ela me escolheu. Embora muita coisa possa ser aprendida com os livros e a experiência, cada um tem mais afinidade por certas coisas em comparação com as outras pessoas. As circunstâncias de vida de alguém e as oportunidades que aparecem para essa pessoa contribuem para os interesses, habilidades e oportunidades que se desenvolvem.

Olhando para trás, sinto que nasci com uma certa percepção e tive a possibilidade de reunir mais conhecimento naquela área. Quando eu não dispunha do conhecimento de que necessitava, ele sempre pareceu vir até mim... talvez na forma de uma inspiração, de outra pessoa ou de um livro, mas ele sempre vinha até mim quando eu precisava.

Não acordei um dia e disse, "Quero ser demonologista". Ainda assim, tornei-me um especialista respeitado nesse campo, sem diploma em teologia ou psicologia, nem cursos de parapsicologia. E depois de 25 a 30 anos de pesquisa de fenômenos paranormais, muitos clérigos e líderes em todo tipo de religião descobriram que de algum modo eu entendia melhor o sobrenatural e sabia mais sobre ele do que até mesmo seus estudiosos mais eruditos.

João, 15:16-17: *"Não foram vocês que Me escolheram, mas eu que os escolhi, e vocês devem ir e frutificar, e que seu fruto permaneça, de modo que tudo que pedirem ao Pai em Meu nome, Ele lhes conceda".*

Atraídos pela vida pública empolgante que parecemos levar, muitas pessoas pensam que tudo o que precisam fazer é visitar locais assombrados e assim vão se tornar tão renomados quanto Lorraine e eu. Para nós, isso levou mais de cinquenta anos – cinquenta longos anos de nossa vida dedicados a viajar sem descanso por muitas centenas de milhares de quilômetros, e incansavelmente passar as noites acordados enquanto trabalhávamos nas investigações em lugares estranhos. Também há riscos físicos e emocionais.

Felizmente, Lorraine e eu estamos bem fundamentados em nossa religião e nossa fé é inabalável. Nossos motivos sempre foram compreender e ajudar, e não enriquecer (ainda não somos ricos) ou ser famosos (só enquanto dura a manchete do dia). A humildade é essencial em nossa capacidade de reconhecer e respeitar poderes maiores do que nós... e de invocar os poderes divinos de que regularmente necessitamos. Também reconhecemos os benefícios de um bom senso de humor. Esse *é* um ramo de atividade bem estranho.

Treinamento de toda a vida

Desde muito novo, eu me interessei por histórias de fantasmas. "Não tem nada de estranho nisso", você poderia dizer. No entanto, quando a maioria dos garotos estaria interessada em beisebol ou em futebol americano, eu praticava esportes só até certo ponto. Meu interesse pendia mais para antropologia, história, geografia e a ciência do sobrenatural... o inexplicável.

Eu não era o que se poderia chamar de bom aluno. De fato, talvez fosse um dos maus alunos – daqueles que estão sempre no fundo da classe soprando bolinhas de papel com canudinhos e criando problemas. Mas eu também sabia tudo sobre o que é ter problemas. Desde pequeno eu sabia muito bem como era o lado negro da vida, porque eu havia nascido naquela vida.

2 Coríntios 1:4: *"Ele nos ajuda em todos nossos problemas, para que possamos ajudar outros que têm todo tipo de problemas, e possamos lhes dar a mesma ajuda que nós mesmos recebemos de Deus".*

Minha mãe era alcoólatra. Mas eu não a trocaria por mãe nenhuma. Tive momentos constrangedores quando garoto, pois não compreendia o motivo pelo qual ela bebia daquela maneira. Mas sempre a amei e respeitei.

Sempre tive muito orgulho de meu pai – um homem excepcional. Meu pai era um sujeito durão, rude... policial, boxeador, serviu na Marinha e lutou na Primeira Guerra Mundial. Eu queria ser como ele. Meu pai nunca fumou nem bebeu. Eu também não. Embora eu tenha tido muita chance e às vezes quisesse fazer essas coisas, conscientemente escolhi *não* fazê-las. Sou grato a minha mãe e a meu pai por terem me ensinado que eu podia escolher. Isso foi muito útil para mim como demonologista.

O "livre-arbítrio" é uma das maiores dádivas que recebemos. Ceder à pressão alheia, a videntes ou à dependência de drogas e álcool é um perigo e um tremendo desperdício. Como veterano de guerra, marido, pai e demonologista, acredito que a grande batalha, neste mundo, é por controle. Há aqueles que protegem seu livre-arbítrio e o respeitam nos outros. Mas há quem deseja controlar os outros por meio de manipulação, mentiras e ameaças. Fanáticos e déspotas, bem como demônios, caem nessa última categoria. Eles querem controle absoluto... a qualquer preço.

Lorraine tem sido muito importante e fundamental em minha vida. Estamos casados faz quase sessenta anos. Sua experiência de infância foi com uma família saudável e afetuosa. Ela me mostrou as melhores coisas da vida, coisas que eu não tinha visto ou compreendido antes de conhecê-la.

A vizinhança onde cresci era barra-pesada. Eu tinha que ser durão para sobreviver. Como se isso não fosse assustador o bastante, dos 5 aos 12 anos morei em uma casa mal-assombrada. Coisas apavorantes aconteceram comigo nessa casa. Minha irmã gêmea e eu víamos imagens dentro no armário do quarto. Juntos, ouvimos passos, acompanhados pelo som de uma bengala, subindo as escadas. E até mesmo tivemos um contato imediato do tipo miraculoso quando pensamos que nossa mãe estava nos reconfortando. Mais tarde, soubemos que nossa mãe estivera fora de casa o tempo todo.

Essas experiências assustadoras foram tão necessárias para que eu me tornasse um demonologista quanto ter um pai forte, uma mãe sofredora, uma vizinhança violenta e uma esposa carinhosa e sensitiva. Aos 18 ou 19 anos, eu sabia o que eram fenômenos sobrenaturais porque havia convivido com eles. Quando Lorraine e eu começamos a investigar casas mal-assombradas, eu sabia como aquelas pessoas estavam assustadas... e que aquelas experiências podiam ser "reais".

E sabia como as pessoas podiam ficar assustadas com um simples barulho num aposento escuro em uma casa mal-assombrada. Eu compreendia como era aterrorizante pensar que você tinha que entrar sozinho naquela casa e talvez dormir sozinho lá à noite. Eu compreendia, porque havia vivido isso. Existe um velho ditado: "Você pode ler sobre fazer uma coisa, mas, até que a faça de fato, não sabe como ela é de verdade".

O que me motivava era compreender as coisas assustadoras que haviam acontecido comigo quando criança... e ajudar os outros que também estavam assustados com aquelas coisas. As experiências e circunstâncias de minha infância levantavam questões que ninguém parecia ser capaz de responder. No entanto, essas mesmas experiências e circunstâncias me deram a força e a fé para encarar aquelas coisas assustadoras. Lorraine entendeu minha curiosidade e preocupação porque, quando criança, havia descoberto seus dons de clarividente, os quais não tinham sido compreendidos pelos outros.

Qualquer que seja sua vocação – atleta, artista, executivo ou policial – os "bons instintos" vêm de algum lugar que não é a educação formal. E eles com frequência fazem a diferença entre o sucesso e o fracasso. Eu acredito que o "instinto" não é mais do que uma percepção sutil de sinais tanto espirituais quanto físicos que todos nós recebemos. Ao longo das décadas, passei a respeitar mais e mais esses instintos. Isso com certeza me ajudou a autenticar os casos demoníacos.

A vida de um demonologista

Um demonologista não tem vida fácil. Às vezes você é amado. Muitas vezes é amaldiçoado, elogiado e insultado. E isso só no que se refere às pessoas. Os demônios são piores – muito piores. A forma como as pessoas reagem a meu trabalho depende da opinião delas e do que sabem sobre mim e sobre meu trabalho. Tem muita gente que tenta me derrubar, que tenta me diminuir, que me insulta, que mente a meu respeito.

Como a maioria das agressões, essas críticas são baseadas em medo, ignorância e na necessidade de controle. As pessoas temem o desconhecido, confundem meu trabalho com culto ao demônio e preferem não saber que a ciência não lhes dá um controle completo sobre seu mundo. A demonologia não é um assunto que todo mundo aceite. As pessoas têm suas opiniões, que eu respeito.

João 15:18-19: *"Se o mundo os odeia, saibam que ele antes odiou a mim. Se pertencessem ao mundo, ele os amaria como se fossem dele. Mas vocês não lhe pertencem. Eu os escolhi, tirando-os do mundo, e por isso o mundo os odeia".*

Dizem que não existem ateus nas trincheiras, e posso afirmar que não existem céticos sob um ataque demoníaco. A despeito do que você acreditava ou deixava de acreditar antes, não há nada como um evento misterioso violento, que ameaça sua vida e dilacera sua alma, para provocar certas dúvidas. Se puder ajudar, eu o farei. Enquanto isso, demônios, diabos e espíritos malignos tentarão todos seus truques sujos para me desacreditar ou revidar. Às vezes digo a mim mesmo, "Por que estou fazendo isto? Não preciso. Eu podia ganhar a vida de forma confortável, dedicando-me a minha arte. Não preciso sair por aí atrás de problemas".

É isso que um demonologista faz. Sai atrás de problemas, dos seres de natureza não humana que causam problemas aos outros. Os demonologistas são como a polícia do sobrenatural, levando os culpados maléficos não humanos e sobrenaturais a um exorcista em vez de levá-los a um juiz.

Lembra-se de que eu desejava ser como meu pai? Como policial, ele não queria pôr fim a brigas, lidar com gente malvada ou ver pessoas sofrendo, mas era esse o trabalho dele. Eu ponho fim a brigas que envolvem o "livre-arbítrio", e para fazer isso tenho que lidar com o mal e com pessoas que sofrem. Em vez de envolver advogados, envolvo líderes religiosos devotos, de todos os credos.

Para aqueles que têm interesse em fazer o que faço, dou um alerta, "Se você quer se meter com sujeitos durões, é melhor que seja tão durão quanto eles". Eles não hesitarão um instante sequer em derrubar você. Quando jogam sujo, é melhor que você esteja preparado para jogar sujo. Em vez de oferecer a outra face... se alguém me dá um tapa, retribuo com outro tapa. Se me chuta, eu o chuto duas vezes. Às vezes, um bom policial deve usar sua arma para ferir ou até para matar alguém. Isso às vezes é necessário para evitar que outros saiam feridos. Às vezes, para evitar ser morto.

Ao olho não treinado, o exorcismo em si pode parecer pior do que permitir que o mal mantenha o controle, ou do que olhar para o outro lado. No entanto, a dor que a vítima evidencia durante um exorcismo é apenas um exemplo do que aquele indivíduo já vinha sofrendo fazia tempo, no interior de seu corpo e por trás de portas fechadas. Durante um exorcismo, nenhum ser humano toca a pessoa possuída. O tormento infligido provém apenas do ser inumano ao qual é pedido que se retire. Ao longo desse processo, tal entidade é forçada a revelar sua presença hedionda, cruel e vil. Fingir que ela não existe não faz com que isso não seja real.

Se você não gosta de ver sangue, não deve se tornar cirurgião. Se não gosta de dor, não deve ser um médico que restaura ossos. Se teme enfrentar um demônio com toda força que puder reunir, e enfrentar as consequências, não deve ser um demonologista.

É por isso que digo, "Quando os espíritos maléficos e demoníacos jogam sujo, você tem que estar preparado para fazer o mesmo". Aquilo com que você lida quando é demonologista não é humano. Não é um inimigo humano que você deva perdoar. Não é um vizinho que você precise amar. Razão e misericórdia são duas possibilidades inúteis. Imagine o mais terrível, implacável, frio e ardiloso assassino psicótico, e saiba que o mal puro é ainda pior.

Não creio que "os mansos herdarão a Terra". Creio que sobreviverão aqueles fortes o suficiente para proteger seu livre-arbítrio e o livre-arbítrio dos demais. Creio que você deve ser alguém de mente, fé e espírito fortes para fazer frente aos terroristas – tanto humanos quanto inumanos.

Conserve a humildade

Quando me deito a cada noite, agradeço a Deus por tudo que me deu e por tudo que me dará. Peço a Deus que proteja àqueles que amo e a mim contra o mal que Lorraine e eu combatemos o tempo todo. A despeito de minha força interior, sei que *somente* Deus, os anjos e santos podem nos proteger do mal.

Ser humano algum pode se opor sozinho ao diabo ou a um demônio. Como católicos, Lorraine e eu pedimos a São Miguel Arcanjo, Jesus Cristo, os santos e os mártires. Necessitamos que tudo o que for sagrado nos proteja e nos faça vitoriosos ante qualquer espírito do mal. Nunca seja tolo o bastante para pensar que tem poderes que podem vencer o mal. Você pode ter conhecimento; independentemente de suas crenças religiosas, porém, o *poder* vem do divino. Nunca, jamais, esqueça disso!

Efésios 6:11: *"Vistam toda a armadura de Deus, para poderem ficar firmes ante os ardis do diabo"*.

Assim, se Deus é poderoso, porque permite que diabos e demônios possuam pessoas? Bem, para começo de conversa, os seres humanos têm livre-arbítrio, e são eles que abrem a porta para as infestações malignas e as possessões. Mas, até certo ponto, Deus permite que isso ocorra, pois através do exorcismo Deus nos recorda que Ele sempre é mais poderoso do que qualquer espírito do mal.

Outra coisa importante que deve sempre ser lembrada nessa linha de trabalho é que *existe um único Deus.* Podemos dar a esse Deus muitos nomes diferentes, e podemos louvá-lo de vários modos e por meio de muitas religiões diferentes, mas existe apenas um Deus. Não importa como oremos ou quais sejam as nossas crenças religiosas; desde que sejam fundamentadas e baseadas em uma fundação sólida de amor por esse Deus e amor pelo próximo – é uma boa religião. Sempre estamos dispostos a trabalhar com um imã muçulmano, um sacerdote xintoísta, um pastor batista ou evangélico, um monge budista ou um clérigo de *qualquer* fé... inclusive rabinos.

As pessoas perguntam, "Rabinos? Rabinos não acreditam em diabos e demônios".

O maior exorcista que já pisou na face da Terra era um rabino. Lembra-se de seu nome? Jesus. E existem rabinos nos dias de hoje que exorcizam espíritos do mal das pessoas. Eles não o fazem da mesma forma que um padre católico. São igualmente eficientes, porém, porque apelam ao mesmo Deus que um padre católico.

Lorraine e eu não cremos que Deus seja todo-poderoso só porque Jesus disse isso. Ao contrário, cremos que Jesus e os profetas e mártires através dos tempos disseram isso porque é verdade. Qualquer um que creia nisso pode pedir a ajuda de Deus ao se defrontar com o desconhecido. É por isso que trabalho com pessoas de todos os credos e níveis de veneração. O demônio não faz nenhuma distinção, tampouco eu.

Então você quer se tornar um demonologista?

Às vezes dou um sorriso quando as pessoas dizem, depois de apenas seis meses de aulas sobre investigação parapsíquica, que estão decididas a ser demonologistas. No entanto, sempre as encorajo, pois é possível que este seja mesmo o destino delas. Só o tempo dirá. Só você sabe o que o inspira – o que o impulsiona para seguir em frente. Ninguém mais pode saber o que há em seu coração – salvo o diabo e Deus.

Assegure-se de não estar vulnerável. Olhe para trás, para sua vida, e veja quando foi que decidiu fazer esse trabalho. Quando era muito jovem, você tinha interesses e experiências semelhantes às que tive? Com o passar do tempo, aprendeu lições de vida que o tornaram forte, mas humilde e agradecido o suficiente para pedir ajuda enquanto tentava ajudar os outros? Olhe para trás, para os passos que deu na vida. O que o guiou até aqui, hoje? O que é que você deseja obter com esse trabalho?

Deseja glória? Quer ser famoso? Que ser rico? Se são esses seus objetivos, são os objetivos errados. Há compensações nesse ramo de atividade, mas a maioria delas não é financeira. Haverá muita gente que não pode de forma alguma pagar por seus serviços. Quando tais pessoas vêm até você, ajude-as. Haverá outros que compensarão por elas. É assim que Deus age.

Mateus 16:24-25: *"E então Jesus disse a seus discípulos: 'Se alguém quiser me seguir, negue a si mesmo, tome sua cruz e me acompanhe. Pois se quiser salvar sua vida vai perdê-la; mas quem perder sua vida por amor a mim, vai encontrá-la".*

Se você sabe que as pessoas têm condições de pagar seus gastos, peça que o façam. Se desejarem doar algo em troca de seu trabalho, aceite com alegria e gratidão. Tem gente que vai criticá-lo por aceitar um pagamento. Isso acontece porque essas pessoas não atuam nesse ramo. Isso acontece porque recebem um salário todo mês. Isso acontece porque têm uma renda, ou são amparados por doações regulares.

Lembre-se de que você não precisa ser um demonologista para ajudar quem de algum modo está sendo afetado pelo mal. Ensine as pessoas a evitar hábitos e atividades autodestrutivos, que atraem e convidam o mal. Ajude as crianças, pais ou cônjuges vítimas de abusos, pessoas com vícios ou com outros problemas, a superarem os obstáculos e reconquistar o controle sobre suas vidas. Encoraje as pessoas a assumir a responsabilidade por sua felicidade, seu comportamento e suas escolhas. Seja um bom exemplo e não tolere comportamentos agressivos. Não olhe simplesmente para o outro lado.

O que assusta mais?

O que é mais assustador em meu ramo de atividade? O que mais me assusta é o poder e a inteligência do mal, e a forma como ele consegue ter impacto sobre tanta gente. Seu real poder, no entanto, é nossa ignorância. Ela a usa para dissimular-se e para criar medo e confusão.

Ele é como um *serial killer* que finge ser seu amigo. Quando você percebe o que está acontecendo, é tarde demais para se proteger. Ele já isolou você e possivelmente sua família.

Meu maior desafio como demonologista é ensinar às pessoas sem alarmá-las. Proteja seu livre-arbítrio. Não confie sua felicidade, sua vida ou seu futuro a cartas de tarô ou cartomantes. Não deixe que outras pessoas lhe digam como você deve levar sua vida. Não tolere fanatismos só porque você por acaso tem a cor, a cultura, a religião ou o saldo bancário corretos.

Mantenha a porta de sua espiritualidade trancada para estranhos. Não flerte com o oculto, não brinque com tabuleiros Ouija nem participe de sessões de contato com espíritos. Evite pessoas que fazem isso.

Saiba como se proteger quando estiver em cemitérios, casas assombradas ou locais onde houve terror e violência. Peça ajuda. Coisas ruins podem acontecer com pessoas boas, e perturbações estranhas podem não ser imaginação sua.

Os recursos normais aos quais as pessoas apelam – amigos, família, forças da lei e líderes religiosos – com frequência dão as costas ao que não conhecem. Mesmo que acreditem, não sabem como ajudar. Tenho a esperança de que, por meio da informação, os problemas possam ser evitados.

Também tenho a esperança de que mais profissionais como psiquiatras, assistentes sociais e agentes de combate ao crime sejam capazes de distinguir entre uma mente perturbada e uma alma oprimida ou possuída... entre influências maléficas e influências sociais. Além disso, tenho a esperança de que mais demonologistas legítimos e os clérigos de todas as fés possam ser treinados de forma adequada, sejam mais fáceis de encontrar e estejam mais dispostos a ajudar aqueles desesperados pela ajuda que apenas esses especialistas podem prestar.

Efésios 6:12: *"Pois nossa luta não é contra carne e sangue, mas contra os dominadores, contra os poderes, contra as forças mundanas destas trevas, contra as forças espirituais da maldade nos lugares celestiais".*

Meu trabalho como demonologista não tem sido fácil, mas nunca foi tedioso, para dizer o mínimo. Mas à medida que Lorraine e eu envelhecemos, ficamos dia a dia um pouco mais cansados. Um dia acordamos, descobrimos que estávamos com 70 anos e ficamos preocupados com o que iria acontecer com todo o conhecimento que adquirimos... assim como com a "percepção" que aparentemente trouxemos ao mundo junto conosco. Se somos bem-sucedidos em fazer com que as pessoas questionem e pensem um pouco sobre fenômenos sobrenaturais, evitando-os, isso é bom. Se podemos incentivar alguém, de forma realista, a ser um demonologista dedicado, isso também é algo bom.

"Para que o mal triunfe, só é necessário
que os homens bons não façam nada."
Edmund Burke

SEÇÃO II

Fantasmas: fato ou ficção? Inofensivos ou perigosos?

Ed e Lorraine Warren sentaram-se com seus alunos, todos eles pesquisadores de fenômenos paranormais, para começar a palestra daquela noite. O assunto eram os fantasmas. A maioria dos presentes já tivera algum tipo de experiência sobrenatural. Eram homens e mulheres de idade variando dos 20 e poucos aos 60 anos. Havia universitários, donas de casa, comerciantes, executivos, médicos e outros profissionais com doutorado. O grupo incluía também policiais e detetives. No estacionamento havia picapes velhas e carros econômicos já bem rodados, lado a lado com veículos luxuosos e caros.

Lorraine Warren apresentou-se aos membros mais recentes do grupo.

"Não somos teólogos, cientistas ou filósofos. Somos apenas duas pessoas que confiam em seus sentidos – todos os seis. Meus dons de clarividência foram comprovados na Universidade da Califórnia, em Los Angeles (UCLA). Ed é um demonologista respeitado. Há mais de cinquenta anos temos explorado fenômenos paranormais no mundo todo, descobrindo certos padrões de comportamento paranormais que não podem ser ignorados."

Ed fez uma introdução ao assunto:

"Os fantasmas na verdade são almas perdidas. Sua existência frequentemente é negada, e eles não são reconhecidos nem pela comunidade religiosa, nem pela ciência. Ainda que haja religiões que encorajam a crença numa vida após a morte, elas não imaginam seus seguidores passando a eternidade como fantasmas e assombrando escadas. Em termos históricos, as ciências físicas descartaram totalmente a noção dos espíritos.

"No entanto, desde Einstein, os cientistas descobriram que as bases de nossa existência são mais etéreas do que reais. A mecânica quântica agora teoriza que a energia e a matéria são expressões de uma realidade mais profunda em que partículas, campos energéticos e até o tempo se misturam. Levou 2530 anos, mas a física contemporânea finalmente abandonou a filosofia materialista grega, segundo a qual, se você não pode ver ou tocar alguma coisa, então ela não existe.

"Por outro lado, a interpretação antiga da Bíblia afirma que existem dois lados na equação da existência. Um dos lados lida com o mundo material, e o outro com o espiritual. Platão comparou nossa percepção da vida a observarmos sombras projetadas numa parede, sem termos consciência da realidade muito maior que produz as sombras."[1]

"Ainda assim, muita gente talvez concorde com Ebenezer Scrooge,* que a princípio achava que os fantasmas provinham muito mais de uma ceia indigesta do que dos túmulos".[2] Mas, no final, até Scrooge passou a crer que os fantasmas não se deviam apenas à indigestão. Desde as primeiras palavras escritas e faladas, a humanidade vem relatando encontros com fantasmas. Isso continua até os dias de hoje, apesar do amplo acesso à educação, da redução da superstição e de flutuações na popularidade da religião institucionalizada. Um número grande demais de relatos apareceu em todas as culturas e classes sociais ao longo das eras para ser ignorado."

Ed levantou-se e caminhou pela sala enquanto prosseguia:

"Há também uma certeza científica crescente de que existem dimensões e forças que estão além de nossos sentidos físicos e da capacidade de nossos equipamentos tecnológicos modernos. Nos dias de hoje, a telepatia, a telecinese, a clarividência e a psicometria são estudadas em laboratórios no mundo todo. A ciência também sabe que 'algo' mantém unidas as partículas de um átomo, mas ainda não consegue ver ou isolar tais forças. A ciência já sabe que existe mais energia do que matéria em todos os objetos físicos – inclusive em nós. Hoje podemos fotografar auras... e fantasmas."

* Personagem principal do livro *Um Conto de Natal* (1843), de Charles Dickens. (N. dos T.)

Lorraine pôs-se de pé para dizer:

"Ed e eu damos risada quando, depois de cada palestra que apresentamos, alguém se levanta e invariavelmente pergunta, 'Vocês acreditam mesmo em fantasmas?'. Sim, acreditamos, mas crença tem muito pouco a ver com isso!"

"Os fantasmas também são gente", disse Ed, com uma risadinha. "No entanto, nem todos os supostos fantasmas são fantasmas de fato. E nem todas as casas mal-assombradas têm fantasmas. Elas podem ter algo mais mundano, ou podem ter algo pior. Bem pior.

"O que Lorraine e eu vamos tentar fazer hoje é ensinar a vocês como interpretar fenômenos espectrais. Vamos explicar que tipo de coisa procuramos e como distinguimos um tipo de manifestação de outro. Vocês também vão aprender por que é tão improvável achar um pinguim nos trópicos quanto ser seguido por um fantasma de verdade durante as férias. Existe também uma grande diferença entre um aspirante a médium e um clarividente legítimo, capaz de descrever uma imagem de forma tão vívida que um artista pode fazer um desenho que coincida com uma fotografia histórica. E falando nisso, passo a palavra a Lorraine."

Ed sentou-se e Lorraine começou a andar pela sala enquanto falava.

"Muito poucos relatos de avistamentos de fantasmas envolvem de fato fantasmas. Os parapsicólogos concordam conosco nisso. Fora as fraudes, as ocorrências mais observadas costumam ser resultantes de uma 'impressão parapsíquica'. Essa é uma marca emocional deixada por uma entidade que já esteve viva, tanto humana quanto animal.

"A probabilidade de serem deixadas impressões parapsíquicas é maior onde ocorreram muitas emoções fortes, incluindo sofrimento, medo, ira, depressão e até alegria e amor. Campos de batalha, prisões e hospitais são locais frequentes para esses fenômenos. Lugares onde ocorreu um assassinato, suicídio ou acidente trágico também podem desencadear uma 'reprise parapsíquica'. Em alguns casos, impressões parapsíquicas são o resultado de um comportamento humano repetitivo ou frequente, como ir até um poço, trabalhar no jardim, crianças brincando ou até o hábito de pendurar o chapéu ao chegar em casa."

"Sob as circunstâncias corretas, uma experiência emocional constante ou forte se repete como uma gravação parapsíquica. Como uma foto, essas impressões precisam das condições certas para se revelar. Ainda assim, é o tipo de fenômeno paranormal que se apresenta para a maioria das pessoas. Embora apareça para pessoas diferentes em diferentes momentos, ele ocorre sempre no mesmo lugar, sempre com a mesma imagem ou evento."

Lorraine fez uma pausa para pedir água e depois prosseguiu.

"Em seguida, temos os espíritos humanos incorpóreos de fato. Ed, eu e alguns profissionais da área fazemos distinção entre fantasmas e aparições. Um 'fantasma' verdadeiro, no nosso modo de ver, é um espírito incorpóreo que não é reconhecido pela pessoa que o vê. Uma 'aparição' é o espírito de alguém conhecido. Os encontros mais frequentes com fantasmas verdadeiros são o que chamamos de 'aparições de transição'. Essas entidades com frequência buscam entes queridos para informá-los de que estão mortos e que a vida continua após sua morte física."

"O que torna essas aparições 'assustadoras' é que o ente querido não descobre que a pessoa está morta até algum tempo depois do evento paranormal", observou Ed. "Ainda, essas aparições normalmente surgem como estavam no momento da morte, que pode ter ocorrido em um acidente de carro, um assassinato ou numa batalha. Assim, essas aparições são sempre inesperadas e às vezes horríveis de ver. É isso que dá aos 'fantasmas' sua má reputação."

Lorraine assentiu com a cabeça, tomou um gole de água e continuou.

"O segundo tipo mais avistado de fantasmas verdadeiros é o que chamamos de 'aparição de crise'. Nesses casos, em geral um ente querido falecido retorna para confortar ou guiar aquele a quem visita. Às vezes o falecido volta para compartilhar uma celebração em família ou para dar as boas-vindas a um bebê recém-nascido. A perturbação a alguma coisa que a aparição amava em vida, e à qual dava valor, também pode provocar uma visitação. De um modo ou de outro, a entidade vem do 'lado de lá'.

"Essas aparições causam menos espanto e em geral são reconfortantes. Não é surpresa que estejam mortas, e sempre aparecem como imagens saudáveis ou às vezes mais jovens do que a idade com que morreram. Tanto aparições de transição quanto de crise podem aparecer em qualquer lugar e a qualquer hora, mas raramente aparecem para outras pessoas e têm menos chance de voltar a aparecer depois que a crise passou."

"Existe outro tipo de espíritos de crise, que frequentemente são chamados de anjos", disse Ed, do outro lado da sala, e prosseguiu, "Lorraine e eu consideramos que qualquer entidade que não foi humana antes pode ser chamada de 'espírito'. Há espíritos bons e espíritos maus. Já houve muitos relatos de espíritos bons – muitas vezes em forma humana sólida – surgindo em locais de acidentes, hospitais ou leitos de morte. Tais indivíduos trazem conforto ou salvam vidas, e depois se descobre que ninguém os conhecia, antes ou depois do evento."

"É verdade", disse Lorraine. "Ed e eu fomos abençoados com alguns encontros desses ao longo de nossas vidas. No entanto, quando a maioria das pessoas pensa em fantasmas, pensa em um ser invisível ou etéreo, que assombra o mesmo lugar há eras. Esse tipo de fantasma real é o mais raro, mas é o que tem maior probabilidade de ser o protagonista das melhores histórias de fantasmas. Os fantasmas presos à Terra não viajam, podem existir por séculos e com frequência ficam dormentes por longos períodos. Os fatores que desencadeiam sua manifestação estão ficando mais fáceis de prever, e muitas vezes fazem sentido depois de uma investigação parapsíquica cuidadosa.

"A razão mais comum para esses espíritos ficarem presos a nosso mundo é que eles realmente não sabem que estão mortos. Isso pode resultar de um acidente ou de um assassinato em que a morte foi totalmente inesperada. Fantasmas desse tipo podem permanecer no lugar onde o espírito deixou o corpo, ir para algum lugar familiar, ou ficar no local onde o corpo foi preparado ou enterrado."

"É por isso que se encontram fantasmas num local onde ocorreu um assassinato ou acidente trágico", acrescentou Ed. "Outros locais comuns são hospitais, onde pessoas estão doentes e morrem, ou em funerárias, para onde muitos corpos são levados. Ainda, se alguém morreu em um acidente em outro local, o fantasma confuso pode muito bem aparecer em sua casa, por ser o lugar para onde ia no momento da morte."

"Há outras razões pelas quais os fantasmas permanecem presos na Terra", prosseguiu Lorraine. "Alguns sentem que têm negócios pendentes aqui e não podem descansar até concluí-los. Outros simplesmente se recusam a fazer a passagem, por sentir que não merecem aquilo que é prometido. Alguns simplesmente são teimosos, determinados a nunca deixar seu lar ou algum outro lugar."

"O interessante é que nunca encontramos um fantasma que buscava vingança ou corrigir uma injustiça", acrescentou Ed. "Muitos estão tentando entender o que lhes aconteceu, e por quê. Alguns estão de fato tentando comunicar o perdão a seu assassino. Nesses casos, é a culpa do assassino que não permite que esses espíritos descansem.

"Os próprios fantasmas foram atribuídos à superstição, mas, para complicar as coisas, fenômenos espectrais estimulam ainda mais superstições em todas as culturas. O folclore europeu, por exemplo, supõe que fantasmas só podem ser vistos à noite, moram principalmente em cemitérios e não podem cruzar água corrente.

"Os fantasmas são vistos de noite e de dia. O etéreo, porém, é mais visível de noite. Além disso, as pessoas tendem a perceber mais os fenômenos durante a noite, quando estão menos distraídas. Embora os cemitérios sejam lugares com atividade paranormal garantida, encontros com fantasmas podem ocorrer praticamente em qualquer lugar. Aparições de transição e de crise e todos os espíritos não humanos – tanto bons quanto maus – são capazes de se deslocar no espaço e com certeza o fazem, e até cruzam a água. Alguns fantasmas humanos chegam a residir na água, onde podem ter morrido.

"Ainda, para essas entidades incorpóreas se manifestarem como algo que podemos ver, sentir, ouvir ou pressentir, a energia é frequentemente extraída do ambiente. Os recursos incluem tempestades – como a famosa 'noite escura e tempestuosa' –, aparelhos eletrônicos e eletricidade, vida vegetal, ou mesmo o calor corporal. Se nosso calor corporal for usado, sentiremos que o aposento está frio, embora a temperatura ambiente não mude de fato."

"Muita gente acha que todos os fantasmas são transparentes. No entanto, alguns avistamentos envolvem manifestações sólidas. Por exemplo, numa noite de inverno de 1992, um transformador estourou do lado de fora de um cemitério em Monroe, no estado de Connecticut. Um caminhão de bombeiros que foi até o local não pôde desviar de uma mulher que pareceu se materializar do nada.Testemunhas no caminhão e no carro que vinha logo atrás afirmam ter visto 'uma mulher de branco' logo antes de o caminhão atingi-la.

Apesar dessas testemunhas fidedignas e do dano significativo sofrido pelo caminhão, nenhuma mulher foi encontrada."[3]

"Fantasmas presos à Terra também estão mais propensos a serem vistos por crianças, animais e clarividentes", disse Lorraine. "Como mostra o filme *O Sexto Sentido*, os clarividentes, em sua maioria, ficam tão confusos e assustados com o que 'veem' com os olhos da mente quanto ficaria qualquer um que visse a mesma coisa com os olhos físicos. Crianças muito pequenas e clarividentes muitas vezes encaram tais visões com naturalidade... no início. Mas, quando se dão conta de que as outras pessoas não veem as mesmas coisas, e que ficam com medo do que é revelado, essas crianças clarividentes ficam tão assustadas quanto elas."

"Quando era pequena, Lorraine aterrorizou algumas freiras com suas visões", comentou Ed, fazendo os estudantes rirem. "Bem como acontece no filme *O Sexto Sentido*, às vezes fitas magnéticas e filmes podem registrar vozes e imagens que não são audíveis ou visíveis a nossos ouvidos e olhos. Lorraine tem conseguido descrever imagens que depois apareceram em fotos tiradas na mesma ocasião. No entanto, nenhuma outra pessoa presente na mesma sala e na mesma hora viu tais vultos. É por isso que todo bom investigador parapsíquico deve levar consigo um bom médium. Eu achei uma que também me mantém bem alimentado."

De novo, todos riram.

"Mas falando sério", Ed interrompeu, "em geral os próprios fantasmas estão assustados e confusos. Essas entidades têm consciência de si mesmas, mas em geral não estão conscientes de sua morte física. Não sofrem dor física, mas a capacidade de sofrer dores emocionais permanece. Ironicamente, são essas questões emocionais, não físicas, que as mantêm presas a nosso mundo físico. Também têm um sentido diferente do tempo. Para elas, cem anos atrás são como ontem."

"Em se tratando de fenômenos paranormais, ainda mais raro é o 'poltergeist', um fantasma barulhento ou travesso", retomou Lorraine. "Perturbações devidas a poltergeists vêm desde a Roma Antiga e aparecem em registros médicos encontrados na Alemanha, na China e no País de Gales. Casos documentados incluem arremesso de pedras e terra, objetos que voam, móveis que se mexem, batidas, ruídos altos e guinchos... e até mesmo mordidas, cusparadas, apertões, socos e abuso sexual. Antes do século XIX, atribuía-se essas atividades a demônios invisíveis, diabos, bruxas mortas ou fantasmas perturbados."

"Estudos feitos nas décadas de 1920 e 1930 teorizaram que os fenômenos eram causados por conflitos e tensão sexuais presentes na puberdade. Nas décadas de 1940 e 1950, os cientistas aventaram a teoria de que a hostilidade e a raiva reprimidas produziam, inconscientemente, energia telecinética capaz de causar essas atividades. A essa altura a telecinese – habilidade da mente de mover a matéria – já havia sido provada em laboratório."

"Em seu livro de 1972, *The Poltergeist*, William G. Roll resumiu suas observações após estudar 47 casos ocorridos antes de 1958. Ele descobriu que frequentemente havia uma situação de estresse na casa onde ocorria a atividade paranormal e um agente aparente para ela. O agente costumava ser uma criança ou adolescente cheio de raiva ou com saúde mental ou física ruim. Psicólogos individuais encontravam ansiedade, histeria, fobias, mania, obsessões, alienação ou esquizofrenia.[4] Em muitos casos, a psicoterapia eliminava os fenômenos estranhos.

"Entretanto, Roll observou que havia alguns casos em que tanto a saúde física quanto a mental do 'agente' eram estáveis, assim como o ambiente. Nesses casos, a psicoterapia não funcionou. Mesmo nos casos em que alguma psicose parecia estar presente, a psicoterapia nem sempre ajudava."

"Pouco tempo depois, os pesquisadores britânicos Alan Gauld e A. D. Cornell fizeram uma análise por computador de 500 dos casos mundiais de poltergeist relatados entre 1800 e o fim dos anos 1970, e observaram que 64% envolviam o movimento de pequenos objetos. Outros 36% envolviam o movimento de móveis grandes. Eles descobriram que 58% eram mais ativos à noite, e que 24% duravam mais de um ano. Só 12% dos casos envolviam o abrir e fechar de portas e janelas.[5]

"Gauld e Cornell também concluíram que 16% dos casos de poltergeist envolviam algum tipo de comunicação entre uma entidade invisível e um 'agente' humano (normalmente do sexo feminino, e com menos de 20 anos). Do total, 9% acabaram por estar relacionados a fantasmas presos à Terra. Somente 7% estavam ligados à prática de feitiçaria, e 2% foram considerados resultado da ação de espíritos inteligentes e malévolos ou demônios."[6]

"O psiquiatra e parapsicólogo Ian Stevenson posteriormente concordou com esses achados. Ele achava que havia dois tipos de atividade de poltergeist – humana e não humana. Os eventos desencadeados não intencionalmente por pessoas vivas envolviam batidinhas inexpressivas, movimento aleatório de pequenos objetos, trajetórias curtas e simples e muitas coisas sendo quebradas. Tudo isso acontecia ao redor de pessoas com menos de 20 anos, e a psicoterapia proporcionava alívio."[7]

"Stevenson observou, porém, que outros casos de poltergeist envolviam um movimento proposital de objetos grandes e pesados, trajetórias longas e complexas, poucas coisas sendo quebradas, batidinhas que respondiam a perguntas, e apenas às vezes focavam uma pessoa. A solução só vinha após intercessão, exorcismo ou apaziguamento."

"Nossos cinquenta anos de pesquisas de campo, que vão da década de 1950 à de 1990 e se estendem ao novo milênio, nos levaram às mesmas conclusões", disse Ed. "Testemunhamos muitos casos em que os chamados catalisadores humanos não estavam por perto quando a atividade de poltergeist acontecia. Concordamos que crianças e adolescentes muitas vezes fornecem sem querer a energia adicional necessária para essa atividade física, mas nem sempre são a causa direta. Após descartar os distúrbios psicológicos e sua influência, Lorraine fazia uma investigação para detectar a presença de outras forças. Muitas vezes, eram fantasmas presos à Terra, inquietos mas inofensivos. Mas às vezes o elemento demoníaco estava presente."

"As trevas profundas são a especialidade de Ed", interveio Lorraine. "Deixo por conta dele detectar o demoníaco. O evento paranormal mais raro, mas que mais merece atenção da mídia, é aquele em ocorre a infestação e a possessão por demônios. Elas serão tema de outra palestra. Esse tipo de fenômeno ainda é o que mais causa dúvidas e controvérsias. Exceto por alguns psiquiatras e criminalistas, a ciência descarta por completo o conceito do mal como entidade independente. Mesmo as religiões atuais tendem a negar sua existência ou varrê-la para debaixo do tapete. Gostaríamos de poder fazer o mesmo.

"No entanto, muitas crenças religiosas envolvem algum tipo de 'alma'. O que acontece à alma depois da morte varia de uma crença para outra. Essa 'vida pós-morte' pode ser num mundo subterrâneo, sob a água, do outro lado do oceano, acima do céu ou no oeste, onde o sol se põe. Nativos da Melanésia acreditavam que, depois da morte, a alma se dividia em dois fantasmas – um, a parte ruim, e o outro, a parte boa. Muitos desses ilhéus acreditavam que a parte ruim terminava por morrer, enquanto a boa desfrutava da vida eterna."[8]

"Os chineses também acreditam em partes superiores e inferiores da alma, juntamente com uma possível terceira parte que é o vinculo ancestral que atravessa as gerações. Os egípcios acreditavam em BA e KA – alma individual e energia vital, respectivamente.[9] No ocidente cristão, espera-se que, depois da morte, a alma parta para o céu, para o inferno ou para o purgatório. Praticamente todas as religiões professam algum tipo de pós-vida ou continuação."

Olhando para Lorraine com um risinho, Ed acrescentou:

"Não faz tanto tempo, os clarividentes eram queimados como bruxas. Desde meados do século XX, no entanto, experimentos científicos provaram a existência mais benigna dessas capacidades parapsíquicas. Nesse meio-tempo, Einstein teorizou – e desde então experimentos provaram – a realidade totalmente bizarra e ilógica de que cada partícula que existe é composta de energia ou provém dela. Em vez de a matéria emitir energia, a energia na verdade cria a matéria. A sabedoria celta sempre afirmou que o espírito abriga o corpo, e não o contrário. Essa sabedoria ancestral pode muito bem explicar as auras, a telepatia... e a existência de fantasmas.

"Hoje em dia, alguns físicos e a mecânica quântica nos dizem que 'a mente pode ser nossa única ligação com a realidade da metafísica' – as misteriosas forças que criam a vida, desenvolvem-na e a mantêm coesa.[10] Em outras palavras, ciência e religião agora concordam que há mais em nossa existência do que o que pode ser apreendido pelos olhos, ouvidos, nariz, mãos... e instrumentos."

Lorraine sintetizou a palestra da noite:

"Os fenômenos paranormais raramente se manifestam de forma direta, mas eles exibem padrões e deixam pistas ou "rastros espectrais" que podemos seguir. Selecionamos quatro casos para ilustrar como investigamos e como determinamos o que pode estar acontecendo em casas consideradas assombradas."

- **Estudo de Caso Nº 1** – O caseiro fantasma do comandante
Um comandante da Marinha e sua família parecem ter um hóspede invisível. Pesquisas de clarividentes revelam a razão para essa aparição, e um crânio encontrado lança mais luz sobre o mistério.

- **Estudo de Caso Nº 2** – A inquietação de um garoto assassinado
Um menino é assassinado de forma horrível do lado de fora de um conjunto habitacional. A polícia que desvendou o assassinato pede aos Warren para investigar aparições fantasmagóricas subsequentes para trazer paz à comunidade... e ao espírito inquieto da criança.

- **Estudo de Caso Nº 3** – Uma entrevista espectral
A interpretação equivocada que um homem faz de uma aparição causa-lhe angústia tanto em vida quanto depois da morte. Um médium em transe profundo é usado para ajudar esse espírito a superar mais de um século de hostilidade e medo.

- **Estudo de Caso Nº 4** – O poltergeist da água
A dificuldade de se determinar se um fantasma brincalhão é demoníaco é ilustrada neste caso incomum. Três lares e gerações são atormentados simultaneamente por manifestações estranhas na água. A solução é surpreendente.

Estudo de Caso Nº 1

O caseiro fantasma do comandante

Todos os nomes e lugares desta história real foram trocados ou alterados para proteger a privacidade dos clientes. Ed Warren descreve o caso.

O início

Um dia, quando Lorraine e eu estávamos saindo às pressas para tomar o café da manhã, recebemos uma ligação de um comandante de submarino chamado Carroll. Aparentemente, ele havia ouvido falar de nós e de nosso trabalho de investigação paranormal por meio de uma história recente veiculada pela agência de notícias Associated Press. O comandante explicou que ele e a família haviam testemunhado algumas atividades estranhas em sua casa. Ele estava preocupado por deixar a esposa e três crianças sozinhas na casa quando tivesse que passar vários meses no mar.

O que ele me contou em seguida com certeza prendeu minha atenção. Objetos haviam sido derrubados ou tinham sido vistos movendo-se sem meios visíveis por ele e pela esposa, coisas estranhas aconteciam em um dos quartos e seu filho tinha visto um fantasma. Eu podia entender sua preocupação. Concordamos em fazer uma investigação, marcamos a data, e anotamos instruções de como chegar à casa.

Consegui recrutar alguns pesquisadores e, uma semana depois, nos enfiamos em meu carro para explorar o mistério do Comandante. Em um dia frio e luminoso de fevereiro, subimos ao longo da costa do estado de Connecticut rumo a New London. Como ex-integrante da Marinha, eu sempre apreciava a oportunidade de voltar a visitar essa parte do estado.

New London e Groton ficam de frente uma para a outra, em lados opostos do rio Thames. Ali, a navegação marinha não é apenas parte do passado, mas também do presente. A Academia da Guarda Costeira dos Estados Unidos tem um campus à beira do rio, em New London. A Marinha norte-americana tem uma base de submarinos ativa em Groton. Neste lugar, há mais linhas de *ferryboats* do que em qualquer outra parte de Connecticut – para Long Island, Fishers Island e Block Island. O primeiro farol na costa de Connecticut foi construído em New London em 1670, para orientar o intenso tráfego marinho.

A Electric Boat Company ainda gera muitos empregos em Groton. Essa companhia construiu e lançou 75 submarinos durante a Segunda Guerra. Em 1954, lançaram o primeiro submarino nuclear, o *Nautilus*. O *Nautilus* atualmente está no Museu da Força Submarina de Groton, o único museu de submarinos administrado pela Marinha. O museu abriga a melhor coleção do mundo de artefatos submarinos, documentos e fotos. Sua biblioteca inclui 5 mil volumes só sobre a história dos submarinos norte-americanos.

Em meados do século XIX, New London perdia apenas para New Bedford, Massachusetts, em termos do tamanho da indústria baleeira. O veleiro *Morgan* está atracado no vizinho Mystic Seaport, às margens do rio Mystic. Construído em 1840, o Morgan é o último navio baleeiro de madeira construído nos Estados Unidos que resta. O porto em si recriava um vilarejo de baleeiros do século XIX. O conjunto de prédios históricos, oficinas e navios antigos o tornam o principal museu marítimo do país.

Com tanta história na região, não me surpreendia que houvesse alguns fantasmas. No carro, levava comigo três pessoas que sabiam tudo sobre fantasmas. Assim como Lorraine, Mary e Steve eram médiuns de transe leve, o que significa que podiam ver os espíritos presos do lado de cá e se comunicar com eles. Mary era uma mulher de meia-idade baixa, magra, com bastos cabelos escuros e a habilidade incomum de conseguir falar tanto quanto Lorraine. Steve era um indivíduo jovem, alto e esguio, com cabelo castanho-claro e um rosto comprido. Quando conseguia se fazer ouvir na conversa, em geral era com algum comentário ponderado. Todos havíamos trabalhado juntos em outros casos, e trocávamos piadas enquanto viajávamos de manhã bem cedo para o norte. Desde que evitassem qualquer comentário sobre minha figura volumosa ao volante, eu continuaria de ótimo humor.

As instruções meticulosas do comandante nos levaram a um bairro de casas modestas junto à orla, nos arredores de New London. Nosso destino era um pequeno sobrado azul, espremido entre outros sobrados parecidos. Não havia árvores e tampouco muita privacidade, mas o belo estuário de Long Island brilhava além dos quintais congelados. A casa do comandante estava bem conservada, e a propriedade era cuidada. Eu não esperaria menos de um oficial da Marinha, mas as aparências dizem muito a Lorraine e a mim quanto ao tipo de fenômeno que é atraído para um dado lugar.

Estacionei o carro junto ao meio-fio e todos descemos. Depois de esticar músculos relutantes e meu joelho recalcitrante, começamos a juntar nossa parafernália, que incluía bolsas, gravadores, fitas e o equipamento fotográfico de Steve. Aproximamo-nos da casa como se fôssemos invadi-la. Como de costume, Lorraine ia à frente.

Fazendo as apresentações

Antes que alguém pudesse tocar a campainha, a porta se abriu. Um homem muito alto, esguio e atlético com um corte militar apareceu na soleira.

“Sou o comandante Carroll. Por favor, entrem”, anunciou.

Me espremi para passar pela porta com meu equipamento e me perguntei como alguém que mal tinha deixado as fraldas poderia ser um comandante naval. Algum dia eu tinha sido tão jovem ou tão magro? Lorraine tinha fotos para provar, mas não era por isso que eu estava ali. Apresentei minha equipe e o comandante Carroll apresentou a dele.

“Essa é minha esposa Lucy, e meu filho, Donald”, disse, indicando uma morena bonita e delicada de pé ao lado de um menino esperto, com uns 10 anos de idade e grandes olhos castanhos. “O bebê está dormindo e nossa filha Grace está na casa de uma amiga”, explicou.

Nos cumprimentamos e o comandante Caroll foi direto ao ponto.

“Como é o esquema? O que vocês gostariam de fazer primeiro?”, perguntou.

"O que eu gostaria de fazer", respondi, aprumando um pouco o corpo, "é ir para a cozinha e me sentar com você, sua esposa e seu filho ao redor do gravador. Enquanto entrevisto vocês, nossos investigadores parapsíquicos – Lorraine, Mary e Steve – gostariam de sua permissão para explorar o resto da casa, sem incomodar o bebê. É importante que eles façam seu trabalho sem serem influenciados por nada que você possa nos contar. Tudo bem para você?"

"Perfeito", disse nosso anfitrião. "A cozinha é por aqui, a sala de televisão fica ali e os quartos e o banheiro ficam no andar de cima."

Segui os Carroll até a cozinha entulhada mas limpa, enquanto os outros iam para o andar superior. Sentei-me em uma das cadeiras de madeira e preparei o gravador. O comandante, sua esposa e o filho sentaram-se em três outras cadeiras ao redor da mesa retangular. Pedi permissão para gravar nossa entrevista e usar qualquer informação obtida; eles concordaram.

A entrevista

"O que o levou a nos chamar depois de ler sobre o nosso trabalho?"

"Creio que o que realmente nos fez acreditar que havia alguma coisa aqui", disse o comandante, "foi meu filho ter visto algo quando estava na escada. Isso foi no mês passado, janeiro. Ficamos em dúvida de se devíamos nos preocupar ou não... especialmente com as crianças."

"Entendo perfeitamente, comandante", eu disse. "Alguém poderia relatar esse incidente, para registro?"

"Posso fazer isso", ofereceu-se Lucy Carroll. "Uma noite, na primeira quinzena de janeiro deste ano, eu estava na sala de televisão, lendo. Eram umas dez da noite. Donald deveria estar na cama. Ele gritou lá de cima pedindo para descer e pegar uma coisa da qual precisava de verdade, e então ele subiria de novo e dormiria. Respondi que tudo bem."

"Eu o ouvi descer até metade da escada, e então houve um silêncio total. Minutos depois, ele entrou correndo na sala de televisão, com os olhos arregalados e disse, 'vi um homem no vestíbulo'."

"Fiquei apavorada, achando que havia um intruso na casa. 'Como assim, você viu um homem no vestíbulo?', perguntei. Donald respondeu que estava descendo as escadas quando viu a metade de cima de um homem com um terno marrom e cabelos grisalhos parado no hall. Os dois se entreolharam por cerca de um minuto, e então o homem desapareceu."

"Isso é notável", eu disse, virando-me para o menino. "Donald, poderia contar com suas próprias palavras o que aconteceu? Não precisa ficar nervoso, apenas conte-me o mesmo que contou à sua mãe."

Encorajado pelos acenos de cabeça dos pais, Donald começou:

"Eu não estava acostumado com ele, porque nunca tinha visto ele antes."

"Como era o aspecto dele?", perguntei.

"Ele usava uma daquelas gravatas-borboleta engraçadas, terno marrom e cabelo grisalho. Só vi a metade de cima dele, e aí me abaixei para ele não poder mais me ver."

"Ele estava olhando para você, Donald?"

"Estava."

"Parecia calmo ou parecia ter raiva?"

Donald se animou e exclamou:

"Calmo! E simpático."

"Muito bem, Donald. Só mais uma coisa: ele era sólido assim como eu?"

"Não dá muito bem pra dizer... dava meio que para ver através dele, como uma janela suja ou algo assim."

"Obrigado, Donald."

O que Donald descrevera muito provavelmente era um fantasma preso à Terra. Entidades como essas pertencem a um local, não estão ligadas a pessoas específicas. No entanto, pessoas e circunstâncias específicas podem desencadear a aparição do fantasma ou outras manifestações. As próprias crianças poderiam ser a atração ou o gatilho para esses fenômenos. Elas tendem a ter mente mais aberta e serem mais sensíveis. Assim como as pessoas, os fantasmas se sentem solitários ou desejam atenção. Eles querem ser vistos por aqueles que sabem ter a capacidade de vê-los. A disposição óbvia e espontânea de Donald para descrever como amistoso quem ou o que havia visto era um sinal promissor de que essa aparição não era maléfica. Ainda assim, havia alguns aspectos perturbadores no caso.

"Na verdade, a coisa mais assustadora que aconteceu foi a primeira", observou Lucy. "Uns dois meses depois de nos mudarmos para cá, minha irmã, o marido e as crianças passaram o fim de semana conosco. Uma das crianças estava no andar de baixo, na sala de televisão. As outras estavam por aí. Os adultos estavam conversando na sala de estar."

"Ouvimos um tremendo estrondo. Corremos para a sala de televisão e encontramos a TV caída no chão, de cabeça para baixo. A parte de trás do suporte estava quebrada, embora o suporte em si fosse muito resistente. A TV é bem pesada; precisou de duas pessoas para erguê-la e colocá-la de volta no suporte."

"Não havia nada de errado com o aparelho; funcionava perfeitamente. A criança disse que estava longe da televisão quando ela caiu. Ela disse que a televisão se ergueu do suporte e virou de cabeça para baixo sozinha. A menina não poderia ter empurrado o aparelho, porque ele estava encostado na parede. Apesar do barulho terrível, a televisão estava funcionando muito bem e não sofreu nenhum dano."

O que Lucy descreveu é clássica atividade poltergeist. O "barulho terrível" que ela ouviu, sem que nada se quebrasse, provavelmente deveu-se ao fato de o som ser telepático. Um espírito com energia suficiente para se materializar fisicamente pode mover objetos. Ele extrai sua energia do estoque abundante que as crianças parecem ter, sobretudo na puberdade. Para confirmar minha teoria, perguntei:

"Que idade tinha a criança que estava no aposento quando isso aconteceu?"

"Minha sobrinha tinha 10 ou 11 anos naquela época", informou Lucy.

O comandante se inclinou devagar e disse:

"Uma das coisas mais perturbadoras que aconteceu aqui envolveu nosso gato siamês, Jake."

Lucy assentiu com a cabeça e começou a narrar a história seguinte.

"Uma noite, eu estava sentada no sofá, quando, de canto do olho, notei algo sendo jogado escada abaixo. Ouvi um baque e, quando virei, vi o pobre gato endireitando-se, sacudindo a cabeça e depois sair andando. Como as crianças estavam no térreo, concluí que o gato devia de alguma forma ter caído. Mas, várias semanas depois, estava preparando o jantar quando minha filha Grace me disse, 'Você devia ter visto o que o Jake fez!'. Ela contou que viu o Jake sair do alto da escada, dar uma pirueta no ar e cair de costas."

"O interessante", o comandante acrescentou, "é que na época tínhamos dois gatos. O outro gato nunca teve nenhum problema. O gato tigrado subia e descia as escadas à vontade, para usar a caixa de areia que fica no banheiro de cima. Mas o pobre Jake ficava sentado, olhando para a escada com a cauda se mexendo, nervosa. Ele ficava esperando até não aguentar mais, então corria escada acima, ia direto para o banheiro e descia as escadas o mais rápido que podia. Temíamos que o fantasma estivesse fazendo algo a nosso gato siamês."

"Vocês ainda têm o Jake?", perguntei.

"Não. No inverno passado ele demorou demais lá fora e morreu congelado. Os siameses não conseguem resistir ao frio por muito tempo", explicou o comandante.

Aparentemente, o pobre bichano tinha medo demais de ficar não só no andar de cima, mas dentro da casa e isso, claro, no fim o levou à morte. Mudando de assunto, consultei as anotações que fiz durante nossa primeira conversa por telefone e perguntei:

"Não havia também algum problema com um dos quartos da casa?"

"Sim", respondeu Lucy. "Era o que usávamos como quarto de hóspedes antes de o bebê nascer. Quando nos mudamos para esta casa, tentei transformá-lo no quarto de uma das crianças, mas por alguma razão ninguém quis. Depois que nos ajeitamos, às vezes uma delas decidia que gostaria de dormir lá, mas nunca conseguia ficar até o fim da noite. Sempre ficavam assustadas. Nossa filha, Grace, chamou uma amiga para dormir aqui e preparei duas camas naquele quarto. As duas foram dormir, e em menos de uma hora saíram de lá. Disseram ter ouvido portas se abrindo, rangidos e coisas assim."

Mal parando para tomar fôlego, Lucy continuou:

"Em outra ocasião, minha irmã estava aqui com seu filho de 7 anos. Ela lhe disse para dormir na cama junto à parede. Ele queria dormir perto da porta. No final, ela cedeu e o deixou dormir na cama perto da porta. Toda noite ele caía da cama. Na casa dele, nunca havia caído de sua cama. A única noite em que não caiu da cama aqui foi quando dormiu na cama junto à parede – onde minha irmã de início lhe dissera para dormir."

"Ele insistia em dizer que algo o estava assustando no quarto à noite. Ele chamou minha filha, na época com 9 anos, para ir ver uma nuvem no quarto. Ela disse que os dois viram uma nuvem lá. Ficaram apavorados."

Achei significativo as duas crianças relatarem ter visto a mesma coisa. Ainda, orbes parapsíquicos e fiapos de energia muitas vezes são descritos por crianças como "nuvens". Em geral, tais imagens dificilmente são vistas por olhos adultos e só são registradas por câmeras.

"Um outro garoto de 9 ou 10 anos que ficou conosco era bem maduro para a idade", prosseguiu Lucy. "No entanto, ele se recusou a dormir naquele quarto sem uma luz acesa. Por alguma razão, as crianças não querem ficar naquele quarto... menos o bebê. O bebê fica bem lá."

"Um dia, Donald e seu amigo Sam estavam brincando naquele quarto, quando eu ouvi os dois gritando. Subi correndo para lhes dizer que não fizessem barulho. Eles disseram que não conseguiam abrir a porta e começaram a entrar em pânico. Abri a porta sem problemas pelo lado de fora. Tentei de novo de ambos os lados, sem nenhum problema. Mas, por alguma razão, momentos antes eles não conseguiam abrir a porta.

"Outro incidente envolveu o brinco de minha irmã. Ela e o marido passaram a noite aqui. Quando ela entrou no quarto de hóspedes para dormir, sentiu um dos brincos de pressão cair, mas não o ouviu bater no chão. Então algo lhe disse: 'Você deveria furar as orelhas!'. Ela disse que foi quase como se uma voz dentro da cabeça dela dissesse isso. Ela falou, 'Tudo bem, se foi um fantasma que pegou meu brinco, quero ele de volta amanhã de manhã'. Tirou a roupa e foi para a cama.

"Na manhã seguinte, pediu ao marido para ter cuidado quando levantasse, porque achava que tinha deixado o brinco cair de noite. Os dois se levantaram e ficaram olhando sem conseguir acreditar. O brinco estava sobre as roupas dela, em cima do berço."

"Isso é de fato interessante", concordei. "Aconteceram outras coisas estranhas desde que vocês se mudaram para cá há três anos?"

"Lembro-me de algo", disse o comandante. "Uma noite eu estava sentado na sala de estar quando Lucy disse, 'Olha isso'. O candelabro sobre a mesa estava fazendo movimentos circulares. Levantei-me e o fiz parar, e brinquei, 'deve ser o poltergeist'. Voltei para a sala de estar para ler. Dali a pouco, olhei e vi o candelabro fazendo aquilo de novo. Àquela altura eu já estava ficando interessado."

"O bebê estava dormindo e as crianças estavam fora. Não havia ninguém por perto para fazer tremer o chão. As janelas estavam fechadas e as espigas secas de milho penduradas ali perto estavam totalmente imóveis. Levantei e fiz o candelabro parar de novo. Instantes depois, ele começou de novo. Quando coloquei feltro por baixo, ele parou e desde então não fez mais isso."

Lucy quis acrescentar mais uma história:

"Várias semanas depois do incidente com a televisão, acordei no meio da noite com um ruído que não consegui identificar. Levantei para dar uma olhada. Quando acendi a luz da sala de jantar, vi que uma grande gravura com uma cena de caçada havia caído e estava apoiada na parede. O quadro não estava quebrado. Supus que o prego tivesse se soltado da parede, e voltei para a cama.

"No dia seguinte, descobri que o prego continuava firme na parede e que o arame na parte de trás do quadro estava intacto. Pendurei o quadro de volta, e continua no mesmo lugar até hoje."

Às vezes os fantasmas perturbam coisas específicas por uma determinada razão. Quando perguntei à senhora Carroll sobre o quadro que caiu, ela o descreveu como uma cena de um cavalo com cães de caça – uma antiga gravura de caça inglesa comprada por seu avô.

Impressões parapsíquicas

Eu podia ouvir nossos investigadores conversando fora da cozinha e convidei-os para entrar. Eles acabavam de descer do andar de cima e não tinham ouvido nada do que os Carroll e eu havíamos discutido. Pedi a todos que se acomodassem. Mary era uma clarividente comprovada, mas não participara de tantos casos quanto Lorraine. Steve também era um bom clarividente, mas com menos experiência, especializado na captura de manifestações espectrais em filme. Ambos estavam entusiasmados com o que aparentemente tinham descoberto. Lorraine deixou Mary falar.

"Vi mediunicamente algo totalmente inesperado", Mary exclamou, mal me dando tempo de colocar uma fita nova no gravador. "Eu esperava algo relacionado aos antigos proprietários da casa, mas o que vi era mais tipo um hóspede. Mas não era ninguém da família, nem amigo da família. Ele foi um marinheiro inglês. Soube que era inglês porque tentou me confundir com seu linguajar, usando expressões típicas da Inglaterra, mas não deu certo."

Os fantasmas muitas vezes falam de um jeito difícil de entender, de propósito. Tentando colocar Mary de volta ao assunto, perguntei:

"Qual era a relação desse homem com a casa?"

"Ele trabalhava para o capitão que era dono da casa. Havia algo errado com o braço esquerdo dele. Tinha algum tipo de ferimento, e o homem já não podia mais trabalhar a bordo de um navio. O capitão o chamou para que tomasse conta de sua família enquanto estivesse no mar."

"Como era sua aparência?", perguntei.

"Era um homem antiquado. Vestia um terno marrom e uma gravata-borboleta engraçada. Ele me lembrou aquela expressão 'os meninos viram homens, mas as meninas sempre serão meninas'. Gostava de cavalos e cachorros. Não gostava de gatos, especialmente de gatos que não se parecem com gatos, como os siameses. Talvez tivesse aceitado um gato com aparência de gato. Mas um siamês não se parece com um gato, parece mais um rato ou coisa assim. Olhos oblíquos... Era um tipo de gato estranho para ele."

Em seu relato breve, mas intempestivo, Mary tocara em alguns dos mistérios que atormentavam os Carroll. Primeiro, ela descreveu o mesmo fantasma que o menino tinha visto ao pé da escada. Aparentemente, era inglês e tinha uma afinidade por cavalos e cachorros. Pensei na gravura de cena de caça removida da parede. Além disso, sem o gato estar na casa, Mary havia descrito a confusão do fantasma com o gato siamês dos Carroll e sua animosidade contra ele.

Segundo Lorraine, a informação parapsíquica tende a jorrar de uma vez, como nesse caso. É quase como se os fantasmas tivessem tanto a contar que não conseguissem fazê-lo rápido o bastante ao encontrarem alguém que pode ouvi-los. Perguntei a Steve o que tinha captado com a sua mediunidade.

"Era um homem de uns 45 anos, com cabelos grisalhos. Parecia estar vagando perdido. Havia paredes ou algo assim que não estavam no mesmo lugar. As coisas não eram exatamente como tinham sido antes. Quando lhe perguntei,

'O que está fazendo aqui?', ficou um pouco irritado e disse, 'Estou tomando conta da casa, naturalmente, o que mais estaria fazendo?'... ou algo do gênero. Quando Mary perguntou-lhe o nome, ela captou 'William Rogers'."

"O nome poderia estar invertido, 'Roger Williams', como o famoso reverendo batista", sugeriu Mary. "Parecia familiar. Receei estar tirando esse nome do subconsciente. Fiquei rejeitando-o e invertendo-o. A palavra 'Bristol' também ficava aparecendo. Não sei se o homem era de lá ou se era o nome do navio de seu capitão.

"Minha impressão geral é que ele serviu sob o comando do capitão, e como era um homem valioso que já não podia trabalhar a bordo, recebeu a incumbência de tomar conta da casa do capitão quando este estivesse fora. Ele voltou porque não terminou seu trabalho aqui. Está procurando alguma coisa."

"O que era o recipiente quadrado de metal com cilindros se projetando?", perguntou Steve.

"Não sei", respondeu Mary. "Parecia uma caixa de metal quadrada com vários pequenos bastões redondos de pé, projetando-se para fora. E ainda, a parte traseira da casa era diferente? Havia um quarto com muitas janelas com vidros pequenos? Em algum momento houve uma estufa no quintal?"

O comandante admitiu:

"A parte de trás da casa já foi diferente, mas não sei nada quanto a vidros pequenos ou uma estufa."

"Era diferente", disse Mary, com segurança. "A parte onde o piso é de tijolos costumava ser uma varanda, e o cômodo junto aos três degraus externos era a estrebaria. Correto?"

"Correto", concordou o comandante Carroll, "de acordo com a planta original que vimos, é isso mesmo."

"Ótimo!", disse Mary. "De qualquer forma, ele sabe onde está. O lugar onde ficava a varanda é por onde ele costumava entrar e sair da casa."

Lorraine acrescentou que o aposento do homem era aquele onde agora ficava o quarto do bebê – o mesmo quarto do qual as outras crianças não gostavam. Mary sugeriu que talvez o tal caseiro tivesse saído de sua aposentadoria espectral devido à presença do "novo" comandante naval e de sua família na casa.

A casa e a história de família

"Desde o início, esta casa sempre pareceu ter uma personalidade bem definida", afirmou o comandante. "Tanto Lucy quanto eu sentimos isso quando viemos vê-la pela primeira vez. Era calorosa, alegre e acolhedora. Quando Lucy começou a me contar sobre as coisas estranhas que estavam acontecendo, não me surpreendi. E, por alguma razão, sempre senti que havia uma presença masculina protetora na casa."

"É verdade, ele sentia isso mesmo", confirmou Lucy. "Foi por isso que não ficamos surpresos quando o que Donald viu foi um homem. Mas foi um pouco perturbador mesmo assim, especialmente com a queda de uma TV tão pesada e o gato sendo jogado escada abaixo."

"Comandante, você sente que tem algum grau de clarividência?", perguntou Lorraine.

O homem alto e severo deu uma risada.

"Bom, na verdade... Quando era criança, tinha sensações de *déjà-vu* com frequência. Até hoje tenho, de vez em quando. Acho que, quando envelhecemos, ficamos menos sensíveis a essas coisas."

"É verdade", Lorraine assentiu com a cabeça.

"Ainda tenho muitos pressentimentos", o Comandante acrescentou. "Tenho pressentimentos quanto a navios, maquinário, pessoas, carros e outras coisas. É quase como se as coisas tivessem alma ou personalidade."

"Comandante, como se sente a respeito dessa presença masculina em sua casa?", perguntou Mary. "O senhor acredita que ele seja um sujeito decente?"

O comandante riu mais uma vez.

"Não, com certeza não... não mesmo. Deve ter sido um velho marinheiro durão e safado."

Mary sorriu, concordando, e o resto de nós riu.

"Sra. Carroll", perguntei, "a senhora alguma vez sentiu medo enquanto estava sozinha nesta casa? Já sentiu estar sendo observada?"

"Não", ela respondeu, "nunca senti medo. Sempre me senti muito, muito segura. Mesmo David ficou mais surpreso do que assustado com a imagem do homem. Ele disse que o homem parecia muito simpático."

"Isso é bom", eu disse. "Parece que seu fantasma sente-se responsável pela proteção de vocês. Ele pode estar apenas chamando atenção para si ou expressando sua opinião sobre televisão, gatos, brincos, crianças obedecerem aos pais quanto à cama em que devem dormir e candelabros que podem arranhar a mesa. Provavelmente, estava brincando com os meninos quando eles não conseguiram abrir a porta do quarto. Tudo isso parece se encaixar com sua 'personalidade' protetora e ao mesmo tempo durona."

"Mas por que ele está aqui? Por que não fez a passagem?", perguntou Lucy.

"A história da casa talvez lance alguma luz sobre tais questões e sobre esse personagem", sugeriu Lorraine.

Lucy concordou.

"Não sei se ajuda, mas fizemos algumas pesquisas quando essas coisas começaram a acontecer", disse. "A casa foi construída em 1745, por William Wadsworth, para sua filha, que se casou com um tal Douglas. A residência permaneceu na família Douglas até 1938."

"Alguma informação sobre um capitão naval?", perguntou Mary.

"Não que tenhamos encontrado", respondeu Lucy. "Também não vimos qualquer menção a 'Williams' ou 'Rogers'. Mas eu não estava procurando nada específico, só informação geral. Não sei no que Wadsworth ou Douglas trabalhavam."

"Havia alguém de nome 'Rogers' ou 'Williams' na família de vocês?", quis saber Mary.

"Não", responderam os Carroll, em uníssono, balançando a cabeça.

"Mas a família de Lucy estava no ramo da navegação", informou o comandante. "Os antepassados dela eram capitães de navios e alguns tios-avós bem afastados morreram no mar. Poderia esse fantasma ser um de seus antepassados ou alguém atraído pelo histórico familiar dela?"

"Um parente falecido que fez a passagem tem a capacidade de ir a qualquer lugar, em qualquer momento. Mas tais entidades não costumam ficar por perto e derrubar televisões ou provocar crianças. O mais provável é aparecerem numa situação de crise e depois sumirem. Mas conte-me um pouco sobre sua família, Lucy."

"Eram donos de uma linha de navios a vela", ela disse. "Construíram clíperes e paquetes depois de migrar para cá vindos das Ilhas Virgens, em 1848."

"Teria sido algum tempo depois de o homem ter morrido, em 1842, se minha impressão parapsíquica da data estiver correta", comentou Mary. "O ano que captei para a morte do homem foi 1842. Teria sido 97 anos depois da construção da casa."

Lorraine e Steve concordaram com essa informação adicional.

"Pelo menos agora temos alguns nomes, datas e ideias específicas para investigar", eu disse, começando a recolher minhas coisas. Já fazia várias horas desde nossa parada para comer *donuts*, na viagem para a casa do comandante. Uma pessoa pode morrer de fome enquanto discute possibilidades históricas.

"Vamos investigar", concordou o comandante. "Muito obrigado. Ficamos gratos a vocês por virem até aqui nos ajudar a solucionar a situação."

"É bom saber que não estamos malucos", acrescentou Lucy. "E é tranquilizador saber que as crianças não correm perigo."

"Vocês não estão malucos", confirmei. "Lorraine e eu já vimos esse fenômeno talvez milhares de vezes. Mas fizeram bem em nos chamar para constatarmos que é inofensivo. Agora, somente pesquisas adicionais poderão responder a nossas últimas perguntas."

Despedimo-nos, pegamos nossas coisas e fomos para o carro, ainda discutindo o caso. Os assentos estavam frios, e dei partida para começar a aquecer o motor. À medida que as janelas degelavam, o único mistério que ocupava minha mente era quando e onde comeríamos.

Descobertas posteriores

Como tinham prometido, os Carroll fizeram mais pesquisas e em um fim de semana nos ligaram, ansiosos, com informações. Um ex-marinheiro originário de Bristol, Inglaterra, chamado Chester Hubbard, tinha servido sob as ordens do capitão que era dono da casa. Fora chamado para cuidar da família do capitão depois que um ferimento o incapacitou como marinheiro. Deprimido por não poder voltar para o mar, em 1842 ele se explodiu com três bananas de dinamite amarradas ao corpo. Sua cabeça nunca foi encontrada.

Os nomes "William Rogers" ou "Roger Williams" nunca apareceram. Isso significa que podem muito bem ter vindo do subconsciente de Mary, como ela pensou a princípio. No entanto, "a misteriosa caixa de metal com cilindros em pé dentro" provavelmente era a caixa que continha a dinamite usada por Chester. E havia outra coisa. O navio em que Chester serviu no início do século XIX chamava-se *Polaris* – o mesmo nome da classe de submarinos na qual o comandante Carroll servia.

Mas isso não foi tudo. Quase dois anos depois, o comandante voltou a comunicar-se comigo. Aparentemente, seu filho Donald estava brincando com amigos no quintal quando desenterraram um crânio humano. A polícia e os especialistas forenses afirmaram que a caveira datava de meados do século XIX.

"Poderia ser isso o que nosso fantasma procurava?", perguntou o comandante.

"É possível", concordei. "Ao longo da história, particularmente na Inglaterra, existem relatos de gritos e outras perturbações em lugares onde um esqueleto não foi enterrado de modo apropriado. Esse fenômeno pode ter sido o que manteve o seu fantasma preso à Terra."

O comandante riu e admitiu:

"Todas as peças se encaixam. É difícil crer que estamos lidando com algo tão... tão intangível."

"Os fantasmas fazem todo o sentido...", disse Lorraine, na extensão do telefone, "... depois que você os entende. Pode ser muito frustrante para ambas as partes quando tentamos descobrir do que necessitam e o que estão tentando nos dizer."

"O que recomendam que façamos agora?", perguntou o comandante.

"Tentem fazer com que esse pobre homem descanse em paz. O crânio deve ser enterrado em solo consagrado ou então cremado e 'enterrado no mar'. De um jeito ou de outro, façam uma oração... desejando a paz eterna ao crânio e ao fantasma."

"Sim, entendo como isso poderia ajudar, e vamos providenciar", concordou o comandante. "Mas acho que vamos sentir falta do bom e velho grosseirão."

"Ele sempre será capaz de voltar, como um espírito guia", disse Lorraine, "mas ao menos agora ele pode finalmente deixar para trás sua antiga vida na Terra."

"Sim, sim, entendo. Vamos dar um bom destino ao crânio do senhor Hubbard", prometeu o comandante. "Obrigado por toda a ajuda."

Depois de trocarmos mais algumas gentilezas, por fim nos despedimos do comandante, de sua família... e de seu caseiro fantasma.

Estudo de Caso Nº 2

A inquietação de um garoto assassinado

Todos os nomes e locais desta história real foram trocados ou alterados para proteger a privacidade dos clientes. Ed Warren descreve o caso.

Um pedido de ajuda

Uma noite, Lorraine e eu havíamos acabado de nos sentar para descansar, lendo um jornal depois do jantar, quando o telefone tocou. Era o policial David, de um departamento de polícia em Massachusetts. Um capitão do departamento nos havia indicado a ele.

Ocasionalmente, Lorraine e eu recebíamos pedidos de ajuda da polícia na solução de algum assassinato ou na interpretação de algum crime que talvez tivesse bases em algo aparentemente sobrenatural. Não são casos divertidos ou agradáveis, mas se podemos ajudar a sempre atarefada força policial a fornecer aos familiares de uma vítima uma conclusão definitiva, estamos dispostos a dar assistência. Mas só ajudamos quando as autoridades pedem. Lorraine e eu não precisamos de fama, e com certeza não dá para enriquecer com isso.

O policial David não acreditava no sobrenatural, mas tinha uma preocupação sincera quanto às famílias em um determinado conjunto de edifícios residenciais em sua jurisdição. Ao longo dos anos, estabelecera um vínculo com os moradores de lá – primeiro com as crianças, e depois com os pais. Essas pessoas estavam sendo incomodadas por algo com que o policial sentia não ser capaz de lidar.

O policial expressara suas preocupações e sua frustração ao capitão, que já havia trabalhado conosco. Quando David demonstrou dúvidas sobre nosso trabalho, o capitão riu e disse que no passado também tinha duvidado. Em seguida o policial experiente tranquilizou o mais jovem:

"Se for histeria em massa ou algum tipo de fraude, os Warren dirão isso. Se não for, vão dizer que não é. E também lhe dirão o que fazer. E, quando der certo, você e suas dúvidas só precisarão se adequar aos fatos."

Ao telefone, o charme irlandês de Lorraine foi provavelmente muito mais eficiente do que as palavras do capitão para conquistar o policial. Adotei uma abordagem mais direta. Meu pai foi da polícia, e eu sabia que não era um trabalho fácil.

"Você diz que os moradores estão relatando aparições fantasmagóricas. Já aconteceu alguma violência nesse local?", perguntei.

"Já", admitiu o policial David. "Cerca de um ano atrás, um garotinho foi encontrado assassinado nos fundos desses prédios. Foi um assassinato particularmente brutal, cometido por outros garotos. Eles foram presos e condenados e atualmente cumprem pena."

"E quanto tempo transcorreu entre a morte do garoto e o início dos problemas dos moradores?", perguntei.

"Um ou dois meses, eu diria", respondeu o policial. "Eu parava a viatura no estacionamento do conjunto habitacional e os garotos vinham e ficavam rondando. Primeiro começaram a me contar sobre fatos estranhos que andavam acontecendo. Então os adultos passaram a me contar as mesmas coisas."

"Que tipo de fatos?", perguntei.

"Diziam ver o espectro de um garoto de 8 ou 10 anos nas escadas do conjunto residencial ou em algum corredor, e que todo tipo de coisa doida acontecia. No começo achei que estavam brincando comigo, mas parece que estão mesmo com medo. Esse pessoal é durão. Eles não se assustam com facilidade, mas uma senhora em particular está aterrorizada. Ela se mudou para o conjunto há pouco tempo, e nem sabia do assassinato, até..."

"Até o quê?", encorajei-o.

"Bom, sei que pode parecer absurdo", continuou o policial, "mas ela disse que ficou sabendo do assassinato ao usar um tabuleiro Ouija. Ela acredita que o garoto morto está assombrando o apartamento dela."

"Infelizmente, não parece absurdo para nós", eu disse. "E se há um tabuleiro Ouija envolvido, ela pode ter toda razão em estar assustada. Quando podemos nos encontrar e visitar essa mulher?"

Concordamos em nos encontrar no fim da tarde, dali a dois dias. David nos recordou como chegar ao distrito policial e desligamos. Lorraine e eu nos entreolhamos, preocupados. Poderia haver mais do que um espírito humano assombrando aquele conjunto de edifícios residenciais. O telefonema e as notícias vespertinas podiam ser deprimentes, mas uma fatia de torta talvez me animasse.

"Que temos de sobremesa?", perguntei.

Ruas da pesada

Anoitecia quando chegamos ao distrito policial, dois dias depois, numa noite sombria de outubro. O capitão, sabíamos, já havia ido para casa. Não o censuro. A redondeza era barra-pesada. Eu estava aliviado por deixar nosso carro na delegacia, mas ainda assim tinha minhas dúvidas de que voltaríamos a vê-lo.

O sargento da recepção nos indicou um jovem de seus 37 anos, ruivo, sardento, e de expressão franca, que mais parecia um policial de cidadezinha fictícia de série de TV. David era alto, e ainda teria pela frente alguns anos antes de aparecerem os efeitos da dieta de doces e *fast food* que certamente consumia durante o serviço. Estendeu sua mão enorme, cumprimentando-nos, e a seguir detalhou seu plano para a noite.

"Gostaria de dar uma voltinha com vocês pela vizinhança", disse. "Assim podem sentir um pouco o lugar e as pessoas que moram por aqui, como pediram. Depois vou levá-los ao conjunto habitacional onde ocorreu o assassinato... e onde supostamente estão acontecendo todas as coisas estranhas. Vocês vão conhecer Juanita. É a pessoa que tem certeza de que o garoto falou com ela por meio do tabuleiro Ouija e que está assombrando seu apartamento."

"Parece um bom plano", eu disse, "mas não nos conte mais nada sobre o histórico do menino, o assassinato ou o que as pessoas do conjunto estão relatando."

Expliquei que queríamos evitar que nosso conhecimento contaminasse o que Lorraine pudesse captar. É bem difícil interpretar dados parapsíquicos, ainda mais se informações externas forem dadas. Além do mais, seria muito mais fidedigno se Lorraine descobrisse tudo por conta própria.

"Tudo bem, sem problema", o policial concordou. "Mais tarde posso contar tudo o que quiserem saber. Vamos lá."

Embora o policial ainda tivesse dúvidas sobre o que estava acontecendo e como poderíamos ajudar, provavelmente havia esperado que os "caça-fantasmas" mais parecessem malucos do que vovó e vovô. Seguimos David até a viatura, entramos pelas portas traseiras e nos acomodamos, por trás da grade metálica, nas depressões do banco causadas pelo uso, permitindo que nosso "chofer uniformizado" nos conduzisse através da noite cada vez mais escura.

O sol desaparecera e a lua cheia ocultava-se por trás de nuvens densas. O asfalto ainda estava molhado por conta de uma chuva recente. Havia mais lixo do que folhas nas ruas malcuidadas que percorríamos. Ao passarmos por uma lanchonete de quinta categoria, em um decadente centro comercial a céu aberto, Lorraine pediu ao policial que encostasse o carro.

"Foi aqui", ela disse. "Foi aqui que os garotos tiveram a discussão que levou à morte do menino."

"Uma discussão?", perguntou o policial, num tom meio cínico, enquanto parava o carro junto ao meio-fio.

"Foi aqui", repetiu Lorraine. "Aquele garoto não era totalmente bom da cabeça. Tinha algum problema mental. O outro menino era de outro conjunto habitacional. O menino assassinado insultou a mãe do outro. Ele a chamou de bêbada e de prostituta, o que ela de fato era. Algumas semanas depois, o garoto ofendido viu a chance de se vingar. Ele e um amigo...", ela hesitou. "Eles mataram o garoto." Lorraine pareceu se sacudir para sair de um pesadelo.

"Podemos ir agora", disse eu ao policial.

"Como quiser, chefe", respondeu ele por cima do ombro, engatando a marcha.

Eu estava gostando cada vez mais daquele cara. Minutos depois, o carro entrou em um estacionamento rústico com três prédios residenciais maltratados, dispostos ao redor do asfalto rachado. O lixo se acumulava nos cantos para onde o vento o soprara, mas a maioria das janelas estava intacta. Estava frio e úmido demais para que qualquer um perambulasse do lado de fora.

Estacionamos no lado sul do conjunto. Lorraine e eu saltamos do banco de trás da forma mais elegante que conseguimos. Eu levava meu gravador, e Lorraine segurava a bolsa com força. Seguimos o policial através de uma porta decrépita e por um corredor escuro e úmido, até chegarmos à porta de metal de um apartamento. Ele bateu e anunciou nossa presença. Segundos depois, a porta foi aberta por uma mulher latina jovem e miúda, com olhos brilhantes tão escuros quanto o cabelo longo e liso. Por trás dela havia um homem atarracado, na casa dos 30 anos, com olhos castanho-escuros e cabelo crespo escuro, cortado bem rente.

O policial fez as apresentações, e Juanita nos apresentou a Carlos, seu marido. Então entramos no apartamento de dois andares, pequeno e apertado. A sala de estar e a cozinha ficavam no andar de baixo, e o banheiro e os quartos no de cima. Um aroma floral de velas perfumadas enchia o ar. Havia estátuas e quadros religiosos. Tranquilizei-me ao constatar que não eram adoradores de Satanás.

Expliquei que desejávamos saber o que andava acontecendo, e que gostaria de gravar a entrevista. Em geral, nesse ponto Lorraine e eu costumávamos nos separar, mas este caso era diferente. Como um tabuleiro Ouija havia sido usado, temíamos que uma entidade hostil e potencialmente perigosa pudesse estar envolvida. Lorraine não queria encarar tal risco sozinha, e nem eu permitiria. Assim, ela permaneceu comigo para descobrir o que havia causado o alarme.

Encontros sinistros

Juanita e o marido tiraram tudo que estava sobre a mesa da cozinha e se sentaram com Lorraine e comigo. Preparei o gravador sobre a mesa de fórmica. O policial ficou de pé num canto, apoiado na geladeira. Juanita e Carlos nos autorizaram a usar as informações como estudo de caso em nossas palestras, livros e programas de entrevistas. Estávamos prontos para começar.

"E então, Juanita, quantas pessoas vivem neste apartamento com você?"

"Seis, incluindo meu marido", ela respondeu. "Somos meu marido e eu, e nossos quatro filhos. No momento estão na casa de um vizinho."

"Muito bem", eu disse, indo direto ao ponto, "pelo que entendi, um tabuleiro Ouija foi usado aqui. O que levou você a usá-lo?"

Eu estava buscando um motivo. Pessoas que possuem dons de clarividência legítimos às vezes usam um tabuleiro Ouija, cartas de tarô ou uma bola de cristal para focar sua atenção. No entanto, muitas vezes as pessoas subestimam suas próprias habilidades inatas de percepção extrassensorial, não têm um foco direcionado e se tornam vulneráveis a espíritos à espera de alguma boa oportunidade.

Lorraine e eu descobrimos que os tabuleiros Ouija podem ser particularmente perigosos. Muitos dos piores casos que investigamos envolveram mau uso de um tabuleiro Ouija. Por exemplo, o filme e o livro *O Exorcista* foram baseados em um caso real que começou com um tabuleiro Ouija. Infelizmente, espíritos malignos frequentemente se fazem passar por inofensivos ou por algum conhecido seu para fazer com que você os convide para entrar em sua vida. Uma vez que você faça isso, eles começam a tomar o controle.

"É, eu usei o tabuleiro", disse Juanita, "para descobrir o que estava causando as coisas estranhas nesta casa. Os armários abriam sozinhos. Eu tinha a sensação de que alguém estava me seguindo."

Tentei colocar isso de forma mais clara:

"Você usou o tabuleiro Ouija porque pensou que poderia haver fantasmas na casa, foi isso?"

"Foi, eu queria descobrir", ela disse.

Isso era encorajador por dois motivos. Primeiro, os fenômenos sobrenaturais já ocorriam antes que o tabuleiro fosse usado. Isso queria dizer que não foi o uso do tabuleiro que desencadeou os fenômenos. Segundo, a intenção dela era identificar e resolver um problema específico. Não estava apenas brincando para ver o que ia acontecer, nem mexendo com magia negra. Estava focada em uma intenção positiva.

Porém, isso não significava que o espírito que já estivesse causando as perturbações não fosse maligno. E tampouco poderiam as boas intenções dela necessariamente evitar que "algo", com intuitos mais malignos, tirasse vantagem da situação. Eu precisava saber mais.

"Além dos armários se abrindo e da sensação de estar sendo observada, que outras coisas despertaram a sua preocupação?", perguntei.

"Às vezes ouvia passos me seguindo", disse Juanita. "E, uma vez, o abajur da sala de estar estava se movendo sozinho."

"Conte exatamente o que aconteceu com o abajur", incentivei-a.

"Certo. Um dia eu estava sentada no sofá. Depois, fui para o andar de cima. Quando desci de novo para a sala, o abajur esta se mexendo com muita força, sem ninguém lá. A cúpula se mexia para a frente e para trás... com muita força", ela contou.

Fantasmas humanos têm a tendência de mover coisas leves. De acordo com Juanita, só a cúpula se mexia... e não o abajur inteiro. Os fantasmas às vezes fazem isso para chamar a atenção. Ainda assim, espíritos malévolos também são trapaceiros e podem começar a agir de propósito como fantasmas brincalhões.

"Por quanto tempo a cúpula ficou se mexendo sozinha?", perguntei.

"Por um ou dois minutos, acho", ela respondeu.

"E o que você fez enquanto isso acontecia?"

"Fiquei sentada no sofá. Não quis me mexer. Olha, eu estava com muito medo."

"Aconteceu mais alguma coisa na sala de estar?", perguntei.

"Muitas coisas", ela disse. "Uma vez, as luzes estavam acesas. Saí, e elas se apagaram sozinhas. Mas a pior experiência foi às três da madrugada. Meu marido e eu estávamos dormindo. A TV ligou sozinha. Eu desci para desligá-la, mas ela ligou de novo!"

O que me chamou a atenção foi a hora. As horas entre 9 da noite e 6 da manhã são consideradas como as "horas parapsíquicas". Nesse período normalmente está escuro, e no escuro os fantasmas e espíritos têm mais facilidade em recolher a energia de que precisam para se materializar, mover objetos ou produzir sons. As horas entre 3 e 6 da manhã são consideradas as que apresentam mais fenômenos paranormais, porque normalmente são as mais escuras. Espíritos demoníacos em particular evitarão a luz divina e considerarão qualquer coisa em múltiplos de três um insulto à Santíssima Trindade.

"O seu marido também notou essas coisas acontecendo?", perguntei.

Carlos, com expressão séria, assentiu com a cabeça. Mas foi Juanita que respondeu:

"Sim, ele viu que eram três da manhã. Sem ninguém na sala, a televisão ficava ligando e desligando, ligando e desligando. Ela ligava, e nós íamos lá desligar."

"Como você desligava a TV?", perguntei.

"No início, com o controle remoto", ela disse. "Depois Carlos disse que, com o controle, ela não desligava. Então guardamos o controle remoto... para ter certeza de que não era ele que estava causando o problema. Mas a TV continuou ligando sozinha."

"Quantas vezes isso aconteceu?"

"Cinco vezes. E era uma TV nova em folha."

A atividade que ela descreveu poderia ser mais uma brincadeira irritante do que algo intencionalmente assustador. Às vezes um novo eletrodoméstico ou utilidade doméstica pode fascinar um fantasma humano. Na época, a televisão era nova em folha. Ainda havia uma boa chance de que, o que quer que estivesse causando esses eventos, fosse perturbador mas inofensivo.

"Algo mais aconteceu na sala de estar?", perguntei.

"Sim, e isso eu preciso contar", Juanita começou. "Lembra-se do desenho animado, *O Rei Leão*? Nós o alugamos e todo mundo, até o bebê, estava sentado na sala assistindo. Então todos nós ouvimos alguém descendo as escadas. Todos viramos a cabeça ao mesmo tempo para ver quem era. Não havia ninguém."

Carlos falou pela primeira vez:

"Aquilo desceu toda a escada e chegou até o primeiro degrau!", disse, com voz rouca. "Eram passos bem pesados, desse jeito assim...", disse, pisando com força no chão da cozinha. "Mas não havia ninguém lá."

"Quantas pessoas estavam na sala quando isso ocorreu?", perguntei.

"Oito crianças, minha mulher e eu, e nossos vizinhos... quatro adultos e os filhos", Carlos respondeu.

"Quando isso aconteceu, o que vocês fizeram?", perguntei.

"Eu comecei a rir", respondeu Juanita. "Antes disso acontecer, todos estavam começando a achar que eu via coisas. Depois que aconteceu com todo mundo aqui, ninguém pôde dizer que era minha imaginação. 'Isso *não* é minha imaginação', eu disse."

Tanto Juanita quanto Carlos tinham visto o que acontecera com a televisão. Uma sala cheia de gente testemunhou as misteriosas passadas pesadas na escada. Esses fatos davam credibilidade tanto à história quanto à possibilidade de haver um espírito humano na casa. Os espíritos demoníacos tendem a isolar as vítimas. Frequentemente só aparecem para uma pessoa ou se manifestam de formas diferentes para cada pessoa. É assim que geram dúvida, medo e confusão. É assim que ganham controle.

Neste caso em particular, no entanto, eu tinha razões para crer que esses acontecimentos eram mais típicos de um fantasma humano tentando chamar atenção. Havia um tom infantil nos fenômenos. Mas eu precisava investigar mais a fundo essa possibilidade.

"Aconteceu alguma coisa que realmente apavorou vocês, em vez de apenas surpreender ou assustar?", perguntei.

"Ah, sim, na cama", Juanita respondeu, arregalando os olhos. "Carlos e eu estávamos juntos na cama quando tive a sensação de que alguém estava colocando algo em volta da minha garganta. Eu disse, 'Pare!', e ele respondeu, 'Não estou fazendo nada'. 'Você está machucando meu pescoço', eu disse, e ele respondeu, 'Não fiz nada. Não toquei em você'. Eu gritei 'Ai, meu Deus', pulei da cama e corri para fora do quarto. A sensação é de que havia alguém na cama.

"Você se lembra do incidente na cama que ela acaba de contar?", perguntei a Carlos. "Pode me contar com suas próprias palavras?"

Carlos se endireitou na cadeira, parecendo desconfortável. Olhou para baixo enquanto esfregava as palmas das mãos e disse:

"Sim. Quando ela começou a me acusar, pensei que estava brincando. Então ela mostrou que estava mesmo com medo. Quando levantou... outra coisa aconteceu. Era totalmente... estava se movendo! Era como se alguém estivesse sentado do meu lado na cama, tipo, se mexendo."

Havia medo em seus olhos e preocupação no tom de voz quando ele narrou o evento. Era óbvio que falar sobre isso incomodava a ambos. Era assustador e perturbador. Seria um fantasma brincalhão que foi longe demais, ou havia algo mais "brincando", ali?

"Você testemunhou algum outro evento estranho aqui?", perguntei a Carlos.

Ele relaxou um pouco e disse:

"Sim, uma vez senti algo me seguindo enquanto descia a escada. Tinha subido para apanhar uma camisa e, quando a segurei, senti que alguém estava olhando para mim. Peguei a camisa e comecei a descer. Ouvi passos e, quando me virei, não havia ninguém. Então senti alguém segurar os pilares da balaustrada atrás de mim. Tipo assim, os pilares balançaram. Pensei que alguém estava vindo atrás de mim, ou me perseguindo. Acho que meu cabelo ficou todo de pé. Depois Juanita e eu conversamos sobre isso."

"Eu costumava chorar", Juanita admitiu. "Quando ficava aqui sozinha com as crianças, costumava chorar."

"Você tinha medo?", perguntei, da forma mais gentil que pude.

"Tinha", ela admitiu, assentindo devagar com a cabeça.

Tive a impressão de que Juanita e o marido agora confiavam o suficiente em mim para compartilhar seu medo genuíno. Eu ainda tinha esperança de que se tratava de um fantasma humano, carente ou desesperado por atenção. Alguns de seus métodos poderiam simplesmente não ser adequados, como uma criança que não sabe a hora certa de parar. Mas, claro, eu não tinha certeza disso.

Olhei para Lorraine, meu barômetro parapsíquico. Estávamos casados e trabalhando juntos havia tantas décadas, e investigamos tantos casos, que eu não precisava de seus dons telepáticos para entender o que estava pensando. Seria isso uma fraude? Caso contrário, seria um fantasma ou seria outra coisa? Um olhar de relance foi suficiente para ver que Lorraine sentia algo ali, mas era algo confuso e frustrado, e não maligno. Ao mesmo tempo, nós dois compreendíamos o medo terrível que essas pessoas sentiam.

"Aconteceu mais alguma coisa fora do comum aqui sobre a qual queiram falar?", perguntei.

"Bom", disse Juanita, "vimos grama no chão da sala de estar. Havia uns três ou quatro pedaços de grama. As portas e janelas estavam fechadas. A grama parecia ter vindo do nada."

Isso bem poderia ser verdade. A "teletransportação" desmaterializa um objeto e depois o materializa em outro lugar. Parece loucura? As viagens espaciais também pareciam, não faz tanto tempo. Se teorias científicas recentes estiverem corretas, então a essência de todas as partículas muda de energia para matéria, e de volta para energia, continuamente! Tudo o que Lorraine e eu sabemos é o que testemunhamos por conta própria. A teletransportação acontece.

Quanto maiores e mais pesados os itens movidos, maior a probabilidade de algo desagradável estar envolvido. A grama, claro, é extremamente leve. Se aquela grama não tivesse na verdade vindo grudada no sapato de alguém, pode ter sido uma pista deixada pelo fantasma. Se fosse o caso, haveria algo simples, triste e solitário nesse gesto débil.

"Você tem dons parapsíquicos? É médium?", Lorraine perguntou a Juanita.

"Não sei se entendi."

"Você é clarividente?"

"Não que eu saiba", respondeu Juanita.

"Todos esses anos, ela mostrou algum tipo de dom", interrompeu Carlos. "Tudo que ela diz que vai acontecer, acontece. Tudo o que acontece aqui, acontece quando ela está presente."

Mais uma vez, Lorraine e eu estávamos pensando a mesma coisa. Um espírito humano aflito pode pressentir alguém capaz de senti-lo. Essa pessoa se torna o alvo de suas tentativas de conseguir atenção e ajuda. O filme *O Sexto Sentido* mostra bem essa frustração por parte do fantasma, e a confusão e o medo por parte dos clarividentes relutantes.

Apesar de tudo o que Juanita e Carlos já haviam descrito, foi outra coisa que levou essa mulher a chamar a polícia. Era hora de investigar isso.

Uso do tabuleiro Ouija

"Quanto tempo depois do início das ocorrências estranhas você usou o tabuleiro Ouija?", perguntei.

"Ah... nove meses", respondeu Juanita.

"Você já tinha usado um tabuleiro Ouija antes?"

"Não, nunca."

"Algum dos eventos que vocês descreveram aconteceu depois de usar o tabuleiro Ouija?"

"Não. Todos aconteceram antes. Depois que usamos o tabuleiro, eu falei com o policial David e ele trouxe vocês até nós."

"Quem lhe deu o tabuleiro Ouija?"

"Minha filha o comprou e o trouxe para cá."

"Onde está o tabuleiro agora?", interrompeu Lorraine.

"No armário", disse Juanita.

"Você não acha que seria melhor tirá-lo da casa?", perguntou Lorraine, preocupada com a possibilidade de que as crianças ficassem tentadas a brincar com ele.

"Ninguém tem permissão para mexer nele", Juanita garantiu.

"Conte o que aconteceu quando você usou o tabuleiro Ouija", eu disse.

"Certo. O tabuleiro me disse que houve um assassinato aqui, coisa que eu não sabia, porque na época éramos novos aqui. Ele me disse o nome da vítima", disse Juanita, as palavras saindo rápidas.

"Quem estava com você?", perguntei.

"Minha filha... ela tem 14 anos, e Steve... um garoto chinês mais ou menos da idade dela."

"O que aconteceu quando você começou a usar o tabuleiro?"

"O tabuleiro Ouija mandou Steve sair da casa, com uma linguagem muito feia", disse Juanita.

Precisávamos saber se a linguagem em questão era blasfêmia demoníaca ou só linguajar sujo de rua. Lorraine a encorajou:

"Conte-nos a linguagem exata, querida."

Juanita hesitou e respondeu:

"Ele disse, 'Sai desta casa, comedor de cu. Não gosto de você. Alguém tem que sair'. Então eu disse, 'Quem e por quê?' E ele soletrou o sobrenome de Steve e 'Filho da puta se manda'. Foi aí que pedimos a Steve para ir embora, porque queríamos continuar."

Fazia um bom tempo desde que eu frequentara as ruas barras-pesadas de Bridgeport, mas para mim essas palavras soavam como linguajar de rua.

"O que aconteceu depois que Steve se foi?", perguntei.

"Minha filha e eu acendemos uma vela, apagamos as luzes, e fiz mais perguntas", Juanita disse. "Queria saber quem ele era e por que estava aqui. Ele disse que era um garoto, e que fora assassinado. Eu perguntei, 'Por quê? Você era um traficante ou uma má pessoa?', e ele disse, 'Não, eles me assassinaram'. Continuei perguntando por que o mataram, e ele respondia, 'Por nada'. Perguntei, 'O que você quer que eu faça? Por que você veio até mim?'. Ele disse, 'Porque eu quero que você me faça um favor'. Perguntei, 'Por quê?', mas ele não disse. Então perguntei, 'Que favor?', e ele respondeu, 'Chame a polícia'. Eu disse, 'Chamar a polícia, por que eu faria isso?'. Ele disse, 'Porque eles me mataram'. Ficava dizendo, 'Socorro, socorro'."

"Você tinha conhecimento desse assassinato?", perguntei a Juanita.

"Não", respondeu ela. "E também pensei que mais ninguém sabia, e era por isso que ele estava me perturbando."

"Você perguntou ao tabuleiro se era o fantasma do menino que causava toda a perturbação em sua casa?", perguntei.

"Sim, perguntei", respondeu Juanita. "Ele disse que fez isso para chamar atenção, porque, quando estava aqui e antes de morrer, muita gente o viu e ninguém fez nada."

"Eles o viram ser atacado e não fizeram nada?", perguntei.

"Não. Eles o viram depois. Fecharam as janelas e trancaram as portas. Ele gritava alto, pedindo socorro. Todas as vezes que usei o tabuleiro Ouija, ele dizia 'Socorro, socorro, socorro!'."

"O que você fez depois disso?"

"No dia seguinte contei ao policial David sobre o assassinato", Juanita disse. "Foi então que ele me disse que um garoto tinha sido assassinado nos fundos de nosso prédio. Eles sabiam disso e tinham prendido e condenado os assassinos. Eu disse que esse garoto ainda estava transtornado, e estava me incomodando. O policial deve ter achado que eu estava doida, mas disse que ia ver se podia ajudar. Então trouxe vocês."

"É, e vamos ajudar se for possível", garanti, enquanto olhava para David, que me parecia mais pálido do que antes. "Aconteceu mais alguma coisa desde então?"

"Depois que fiquei sabendo do assassinato, falei com mais vizinhos. Eles admitiram o que aconteceu. Alguns disseram que viram a imagem do garoto aqui no conjunto depois do acontecido. Uma vizinha achou que o viu sentado numa cadeira em sua sala de estar!"

Bom, pelo visto Juanita havia conduzido sua própria investigação parapsíquica e talvez já tivesse algumas respostas. Era hora de confirmá-las com as autoridades e averiguar o que podíamos fazer para ajudar.

Agradecemos a Juanita e a seu marido Carlos pelas informações. Prometemos que Lorraine e eu, ou o policial David, voltaríamos a falar com eles.

A perspectiva da polícia

Pegamos nossos casacos, voltamos ao corredor úmido e entramos de novo na viatura do policial David. Ele concordou em nos falar mais sobre o caso quando chegássemos ao distrito policial, e depois ficou em silêncio. Era óbvio que estava pensando por conta própria durante o curto trajeto.

Quando voltamos ao prédio principal, sentamo-nos ao redor de uma mesa de conferências de madeira já bem marcada pela idade, munidos de canecas de café e de chá que pegamos emprestadas. Era bom ter entre as mãos algo quente e bebericar o líquido morno. David pousou sua caneca sobre a mesa, ofereceu-nos adoçante e creme para o café, e nos deixou por alguns minutos. Regressou com uma pasta de arquivo manchada e surrada.

"Muito bem, o que querem saber?", disse.

"Você parece perturbado", observou Lorraine. "Aconteceu algo esta noite que perturbou você?"

"Ela nunca havia me contado tudo aquilo antes. Como ela poderia saber? Ela nem estava por aqui, e ninguém mais lhe diria nada."

Lorraine o sondou gentilmente:

"Ela não sabia o quê?"

David deu um suspiro longo e resignado e começou a contar a história.

"Há cerca de um ano, um garoto foi encontrado morto no córrego gelado que corre nos fundos do conjunto habitacional do qual viemos há pouco. O relatório da autópsia mostrou que ele morreu por hipotermia e perda de sangue.

"Havia sido espancado, despido e sofreu cortes feitos com a ponta afiada de um pequeno abridor de garrafas ou de latas. Foi deixado para morrer no riacho numa noite muito fria. Em suas mãos encontramos grama, que ele deve ter agarrado na tentativa de sair do riacho. Aqui estão as fotos do crime, se tiverem estômago para olhar", disse o policial David, ao empurrar a pasta na minha direção. Eu a abri. Lorraine relanceou os olhos pelas fotos e desviou o olhar. As imagens eram tão terríveis quanto o policial dissera.

"Por quê?", perguntei.

"Parece que esse pobre menino insultou a mãe do outro garoto. Você tinha razão, Lorraine, ele tinha uma deficiência mental. Algumas semanas depois do insulto, o garoto insultado enganou o menino que o ofendeu, atraindo-o para o conjunto habitacional, onde um amigo estava esperando. Levaram o garoto até uma ravina rasa atrás do conjunto, atacaram-no, espancaram-no, tiraram-lhe as roupas, cortaram-no e o abandonaram no riacho para morrer. Encontramos a arma, e muitas impressões digitais. Eles confessaram em troca de uma sentença mais leve."

"O que foi que Juanita disse hoje que perturbou você?", Lorraine perguntou outra vez. "Você tem alguma ideia de por que essa alma está tão atormentada?"

"Acho que sei a resposta", disse o policial, ainda de pé e com os punhos cerrados. "Segundo o relatório, o menino demorou bastante para morrer. Tentou sair da água gelada. Deve ter ficado pedindo socorro repetidamente. No estacionamento, dá para se ouvir conversas particulares através das paredes. Com certeza alguém deve ter ouvido alguma coisa. E no entanto ninguém admite ter ouvido nada. Eles devem ter fechado as janelas, portas e corações e deixado esse menino sangrar até morrer."

"É horrível!", disse Lorraine, com lágrimas nos olhos. "O pobre garoto provavelmente não sabia por que fizeram aquilo. Estava tão machucado... não podia entender por que ninguém ajudou."

"Só posso dizer...", disse o policial David com os lábios cerrados, "que, se fosse eu, também estaria assombrando algumas pessoas."

"Mas ele não está fazendo isso para punir ninguém", disse Lorraine. "Senão, por que estaria incomodando essa mulher que nem estava aqui quando essa coisa horrível aconteceu? Não, ele ainda está confuso e lutando para conseguir ajuda e atenção. Não sabe que pode seguir adiante. Seu retardo mental quando vivo e a confusão ao morrer o estão mantendo preso."

"Você acredita mesmo em todas aquelas outras coisas que ela disse?", perguntou o policial David.

"Acredito, sim", Lorraine respondeu. "Senti a presença dele lá, do mesmo modo que senti na lanchonete. Durante a sessão com o tabuleiro Ouija, ele estava tentando proteger seu novo território, do mesmo modo que tentava proteger seu território na lanchonete."

"Ele provavelmente estava brincando com a lâmpada para chamar atenção, e com a TV porque era nova", acrescentei. "Andar batendo o pé, seguir Juanita e Carlos, brincar com as luzes e outras coisas é o que uma criança imatura faria. Não tenho bem certeza do que aconteceu no quarto, mas talvez ele estivesse tentando abraçar Juanita e começou a machucá-la, o que, claro, terminou por aterrorizar o casal."

"Os pedaços de grama que Juanita encontrou na sala de estar pareceram significativos para ela e para mim. Você acaba de nos contar que esse pobre garoto agarrou a grama na tentativa desesperada de sair do riacho, antes de sucumbir à perda de sangue e ao frio."

"Vocês sabem que é difícil para mim acreditar em todo esse negócio de fantasmas", admitiu o policial. "Mas de que outra forma explicar tudo isso? Supondo que seja isso mesmo, o que fazemos agora?"

"Você é religioso?", perguntou Lorraine.

"Bem, sim, acho que sou. Para exercer essa profissão, tenho que acreditar em alguma coisa", respondeu o policial.

"Bom. Isso é muito bom", disse Lorraine. "É importante acreditar em alguma coisa além desse mundo. Aposto que, no seu trabalho, o tempo todo você vê coisas em que as pessoas não acreditariam."

O policial assentiu com a cabeça.

"Bem, o mesmo acontece comigo e com Ed."

O policial David riu e finalmente deu um sorriso.

"Bom, aí você me pegou. Então, o que fazemos agora?"

"Precisamos tentar nos comunicar com essa pobre alma", disse Lorraine. "Precisamos convencê-lo a deixar este mundo doloroso para trás e fazer a passagem. Há algum capelão na delegacia que possa fazer uma oração no local do assassinato?"

"Sim, há", respondeu o policial.

"Ótimo", intercedi. "Vamos providenciar isso."

"Mais uma coisa, policial", disse Lorraine. "Acertei quanto ao local onde a primeira discussão ocorreu... ao lado da lanchonete perto do centro comercial?"

"Sim", admitiu o policial. "Acho que essa informação nunca chegou a entrar no relatório policial. É algo que eu sei por ter entrevistado os animais que assassinaram aquele garoto de forma tão brutal."

Nossas bebidas haviam esfriado. Depois de olhar os relatórios da autópsia, todos tínhamos perdido o apetite – o que, no meu caso, é dizer muito. As pesadas cadeiras de madeira arranharam o velho assoalho de linóleo xadrez quando nos levantamos para partir. O policial precisava terminar uns relatórios antes do fim de seu turno. Lorraine e eu tínhamos um longo trajeto pela frente, e animais de estimação famintos para alimentar.

Nós nos despedimos e pegamos a estrada.

Epílogo

Quando consultamos nossa agenda, descobrimos que estava abarrotada, com palestras em universidades em várias partes do país. Em termos de palestras, outubro é sempre nossa época mais ocupada. Conseguimos mandar alguns de nossos investigadores parapsíquicos de volta ao local para resolver o caso o mais rápido possível. Seu objetivo era estabelecer contato com a entidade em questão, confirmar sua identidade e ajudar a lhe dar descanso.

Embora não recomendemos esse procedimento, eles usaram um tabuleiro Ouija para fazer contato, já que foi assim que o menino parece ter se comunicado antes. Sendo alunos nossos, eles sabiam como pedir proteção antes de usar esse instrumento perigoso. Ao mesmo tempo, graças aos esforços do policial David, um capelão da polícia também esteve presente para ajudar a garantir a segurança dos investigadores e conduzir a alma atormentada ao descanso.

O contato foi estabelecido. O fantasma confirmou sua identidade humana como sendo a do menino assassinado ao descrever exatamente onde havia morado. Devido a seus problemas de aprendizado, porém, ele foi incapaz de dar um endereço exato. Os investigadores reconfortaram o espírito preso à Terra e o encorajaram a seguir viagem. O capelão da polícia abençoou o local e rezou pela alma inquieta do menino. Desde então, ninguém viu o menino ou teve notícias dele... mas de vez em quando temos alguma notícia de parte do policial, atualmente tenente David.

Estudo de Caso Nº 3

Uma entrevista espectral

Todos os nomes e locais desta história real foram trocados ou alterados para proteger a privacidade dos clientes. Ed Warren descreve o caso.

Uma história de fantasmas

Nosso livro *The Demonologist* havia acabado de ser lançado e gerou um telefonema de uma família do estado de Nova York, bem perto da divisa com Connecticut. A família consistia no marido, na esposa, em três crianças e um cachorro. A residência deles era um imóvel grande de três andares que, na época, tinha quase 200 anos. Eles adoravam a casa, mas o local tinha sua dose de problemas fantasmagóricos.

Pouco depois de se mudarem para a casa, o marido passou a ser continuamente empurrado para fora da cama, coisas eram jogadas contra ele e ele era empurrado por uma força invisível. Algumas vezes ouvia uma voz celta em sua cabeça que parecia gritar "*Tool, tool!*" ("ferramenta", em inglês). Ele não tinha a menor ideia do que esse fantasma estava tentando lhe dizer, se é que era um fantasma. Preocupado com a própria sanidade e desesperado por uma noite bem dormida, ele e a mulher chamaram um parapsicólogo famoso.

Essa aparição fantasmagórica foi solucionada, mas a partir de então a família começou a ver, de vez em quando, a imagem etérea de uma mulher jovem na escada. Em outras ocasiões, a família e seus hóspedes ouviam passos, uma bola quicando, ou alguém caindo pela mesma escada íngreme. Quando investigavam, nunca havia nada visível.

Comparado a seu último fantasma, era fácil viver com esse. No entanto, eles haviam lido nosso livro sobre manifestações maléficas e estavam preocupados com a possibilidade de que o misterioso residente talvez não fosse assim tão inofensivo. Com base no que ouvimos pelo telefone, e dado que a família se sentia confortável com seu fantasma, Lorraine e eu acreditávamos não haver motivo para alarme. Entretanto, concordamos em ir até a casa para ver se conseguíamos descobrir a causa dessa nova aparição.

Fomos até lá de carro em um fim de tarde de verão, para que o marido pudesse se encontrar conosco depois do trabalho. A casa era uma estrutura marrom imponente, rodeada por um extenso gramado e com um bosque cerrado nos fundos. Entrando pela porta da frente, havia uma escada íngreme que de imediato nos chamou a atenção. A escada parecia subir até o céu. Ela levava aos quartos e continuava até o sótão.

Para nós não é nenhuma surpresa que uma casa com mais de cem anos seja assombrada. A razão é que, cem anos atrás, as pessoas frequentemente morriam em casa, de velhice ou outras causas naturais. E cem anos é um período de tempo que fornece amplas oportunidades para que alguém morra subitamente em casa como resultado de um acidente, assassinato ou suicídio. Qualquer um desses eventos pode criar "fantasmas". Os próprios eventos podem deixar "impressões parapsíquicas", que reencenam repetidamente o profundo trauma emocional e físico. Pessoas que morrem subitamente ou de surpresa podem não saber que estão mortas... ou com frequência têm algum assunto pendente neste mundo. No caso de um suicídio, o indivíduo pode acreditar que não "tem permissão" para fazer a passagem, ou seu estado mental agitado pode persistir depois da morte física.

Lorraine e eu constatamos que são os aspectos emocionais que mantêm os espíritos aprisionados em nosso plano terrestre. Para nós é irônico que a ciência da parapsicologia, o estudo do paranormal, tenha começado como um ramo da psicologia. Na época se pensava – e muitos céticos ainda concordam – que todas as manifestações misteriosas eram delírios ou então que eram controladas pela mente. No entanto, o eminente doutor Freud ficou fascinado com a parapsicologia no final de sua carreira e levou a percepção extrassensorial muito a sério. Lorraine e eu já encontramos muitos fantasmas que poderiam ter sido ajudados pelo bom doutor.

De fato, a entidade que primeiro assombrou a casa de nosso cliente era um desses fantasmas. Estávamos curiosos quanto à primeira aparição, porque às vezes as condições que atraem um fantasma fazem outros espíritos também se sentirem confortáveis. Alguns pesquisadores acreditam que deva existir alguma espécie de vórtice que permite aos espíritos fácil acesso para nosso mundo físico e para fora dele, em lugares específicos.

O que sabemos é que "semelhantes se atraem". Às vezes uma pessoa viva pode compartilhar com o fantasma características físicas, emocionais ou de comportamento. As circunstâncias podem ser parecidas. Alguma pessoa viva pode ser confundida com alguém no passado do fantasma. Ou alguma perturbação desencadeia a memória e a angústia da entidade. Também sabemos que o mau comportamento gera o mal, e às vezes os fantasmas simplesmente atraem outros fantasmas.

Na casa do cliente, Lorraine investigou a escada. Usando a mediunidade de transe leve, ela relatou verbalmente o que estava vendo, ouvindo e entendendo telepaticamente.

"É o espírito de uma mulher jovem", Lorraine disse. "Ela se suicidou jogando-se do alto desta escada. Seu pai era um reverendo, e ela engravidou quando era solteira. Ela se matou para proteger sua reputação e a do pai."

"Ela se sente terrivelmente culpada por ter se matado e matado o bebê, e principalmente por ter ficado grávida", explicou Lorraine.

Dirigindo-se ao espírito em voz alta, Lorraine disse:

"Você já pode fazer a passagem. Tudo está perdoado. Seu pai a está esperando do outro lado. Não está com raiva. Só quer que você esteja com ele." Ela repetiu palavras como essas por alguns minutos. Finalmente, Lorraine sorriu e disse:

"Ela fez a passagem para o outro lado."

De repente o ar no saguão de entrada pareceu mais leve e mais fresco. Cada um de nós comentou tal fato, e todos sorrimos. O marido de repente sorriu e disse:

"Bem, parece que tenho que pesquisar um pouco mais."

Ele explicou que, depois da visita do parapsicólogo, vários anos antes, ele havia pesquisado a história da casa e da comunidade, em busca de dados fidedignos que corroborassem o que fora revelado pela médium de transe profundo.

Médiuns de transe profundo permitem que o espírito fale através deles. Algumas pessoas chamam isso de "canalização". Outros chamam de picaretagem.

Lorraine e eu começamos nosso trabalho paranormal simplesmente ouvindo as histórias de fantasma de outras pessoas. Ficamos curiosos a respeito dessa. Os donos da casa concordaram em compartilhá-la conosco, e a esposa foi buscar a gravação em áudio que tinha sido feita. Depois de ouvi-la, ficamos tão fascinados com o que ela revelou a respeito da natureza dos fantasmas, que pedimos uma cópia e permissão para partilhá-la com nossos alunos e leitores.

O fantasma

A primeira vez que ouvimos essa fita foi na casa do cliente. Depois de dar uma solução rápida a sua aparição sobrenatural mais recente, todos passamos para a confortável sala de estar repleta de antiguidades. Os donos da casa nos ofereceram limonada enquanto preparavam o gravador. Nós nos acomodamos em cadeiras macias e nos preparamos para escutar.

Eles nos recordaram que a investigação foi desencadeada pelo assédio invisível ao marido e as palavras misteriosas, "*Tool, tool!*". Nossos anfitriões também explicaram que, na fita, o parapsicólogo estava conduzindo a entrevista. Embora a voz que respondia fosse grave, com um forte sotaque escocês, fomos informados de que a médium era uma mulher que normalmente tinha uma voz suave e aguda.

Nossos clientes explicaram que, quando a médium começou a entrar em transe, passou a murmurar algo sobre um filho que havia sido morto na guerra e sobre alguém chamado Maddie.

"Quem é Maddie?", perguntou o entrevistador.

A reposta veio com um forte sotaque escocês:

"A minha amada. Agora ela também vem aqui."

Pelo visto, o entrevistador supôs que "a amada" era uma esposa, porque em seguida perguntou:

"Qual era seu nome de solteira?"

"Ela diz 'Vá, vá, vá!' toda vez que vem aqui agora", a voz respondeu.

"Qual era o nome de solteira dela quando você a desposou?", persistiu o entrevistador.

"Benedict, Benedict é meu nome", o fantasma respondeu.

Percebendo que o fantasma não havia entendido, o parapsicólogo insistiu:

"Mas, antes, quando você a conheceu... qual era o nome do pai dela?"

A voz passou de um estado quase sonhador a um de irritação.

"Ela está comigo desde o ano quinze, ela é como eu, uma Benedict. Quem é você?"

"Fui mandado para ajudar você", respondeu o entrevistador.

"O'Toole?", perguntou o fantasma.

"Não", disse o entrevistador. "Quem é O'Toole? O que ele fez? No que trabalhava? Ele trabalhava para você?"

"Não, não, não!", berrou o fantasma.

"Ele veio aqui depois?"

"Não conheço *algo* como ele", o fantasma disse com desprezo. As palavras soaram quase como se tivessem sido cuspidas.

"Mas quem era ele? Você pode me contar mais a respeito, para que eu possa reconhecê-lo?", perguntou o parapsicólogo.

Ouvimos quatro batidas e então o fantasma perguntou com suavidade:

"Você não é ele?"

"Não, eu gostaria de ajudar você a encontrá-lo", explicou o entrevistador.

"Ele... não aqui. Agora sei. Mas você é novo", respondeu o fantasma, com resignação e começando a compreender.

"Sou novo", o parapsicólogo concordou. "Sou um amigo tentando ajudar você a colocar ordem nas coisas."

Com um tom cansado, a voz escocesa disse:

"Os ossos velhos de alguém como eu ficam tão decompostos, não é muito bom encontrá-los de novo, mas os jovens ossos do neto que sempre esteve comigo... me ajude a encontrá-los."

Concordando em ajudar, o parapsicólogo disse:

"Vamos tentar encontrar os ossos de seu neto. Diga-me, eles foram consagrados pela igreja? Você era membro de alguma igreja?"

"Todas as coisas consagradas, ha, ha!", disse o fantasma, com uma risada sarcástica. "Consagradas!", rosnou, e em seguida riu longamente.

Então ouvimos:

"Nunca veio a mim, embora consagrado. Ho, ho, consagrada!"

"Sei o que quer dizer. Mas pode me dizer o nome de sua igreja?", insistiu o cientista.

O fantasma foi igualmente teimoso.

"Consagrado o quê? É algo de que já não gosto", disse, com desprezo.

"Mesmo assim... Você lembra qual era a igreja?"

"Não! Não vou me lembrar do que eu já não gosto!", berrou o fantasma.

Voltando a algo que o fantasma parecia ter murmurado quando começou o contato, o entrevistador perguntou, com voz calma, "Seu filho está com você?".

Ouvimos duas batidas lentas, e então as palavras suaves e tristes:

"Ah, você me traz tristeza... Você me traz tristeza." A isso seguiu-se um gemido longo e infeliz.

"Qual o nome completo de seu filho?", perguntou o entrevistador, ainda buscando dados verificáveis.

"Steven", disse a voz, e então sussurrou: "Ajude-me, ajude-me". Em voz muito mais potente, o fantasma disse: "Ah, não me faça lembrar, não me faça lembrar. Ohhh..." As palavras se transformaram em gemidos, que pareciam carregar uma tristeza e uma angústia seculares.

"O seu filho serviu no exército?", perguntou o entrevistador, aproveitando a referência à guerra feita no início do transe da médium.

"Ohhh! Ele deu a vida. Ele deu uma perna. Ele deu os ossos. Ohhh."

"Você se lembra em qual regimento ele serviu? Quem foi seu comandante?"

"Não, não me lembro. Não me lembro."

Tentando obter dados que pudessem ser verificados, o entrevistador insistiu:

"É importante. Em que regimento ele serviu? Sob qual general, sob qual comandante ele serviu? Você se lembra quem era o comandante?"

"Ohhhh", disse o fantasma, e em seguida deu mais uma série de gemidos cheios de tristeza.

"Você também serviu no exército?"

O fantasma pareceu dar uma risadinha e disse, "Não – só meu filho".

"Você se lembra em que regimento ele serviu? Era cavalaria ou infantaria? Ele estava a pé?"

"Pé", disse abruptamente o fantasma.

"Qual o número do regimento, você se lembra?"

"Um... seis."

"Onde estava servindo?"

"Norte."

"Onde ao norte, em que cidade?"

"Ah, não sei", disse o fantasma, ficando irritado de novo.

Ainda assim o parapsicólogo persistiu:

"Qual era o posto dele?"

"Não lembro."

"Era soldado ou oficial?"

Finalmente o fantasma explodiu.

"Sangue jovem, sangue jovem! Quem é você? Quem vem acabar com minha paz?"

Para impedir o fantasma de romper o contato, o parapsicólogo mudou de abordagem.

"Você terá sua paz. E terá tudo o que quiser", prometeu. "A casa agora pertence a outra pessoa, que cuida muito bem dela para você."

"Não interessa. Estou aqui. Estou aqui para sempre", afirmou o fantasma. Depois de uma breve pausa, disse, "O'Toole?".

"Não, não sei quem é O'Toole. Mas posso ajudá-lo a encontrar os ossos de seu neto, se tiver paciência", respondeu o entrevistador.

"Terei minha vingança,", disse a voz, com suavidade.

"Você não precisa disso", aconselhou o entrevistador.

"Ohhhh, não!", discordou o fantasma.

"Muito tempo já se passou", o entrevistador disse, com voz tranquilizadora.

"Tempo?"

"Anos... muitos anos se passaram."

"São quinze para as seis", disse o fantasma.

"Por que quinze para as seis? O que aconteceu às quinze para as seis? Da manhã?"

"Sim, estava amanhecendo", a voz sussurrou.

"E o que aconteceu?"

"O'Toole... o demônio O'Toole veio. O'Toole vem aqui!" Depois de gritar, o fantasma de repente sussurrou, "Ah, ele veio aqui".

"E o que aconteceu então? O que aconteceu com você?"

"Não comigo... com meu neto", o fantasma disse em voz suave. E erguendo a voz, "Ele desenterrou os ossos. Ele perturbou o túmulo de meu neto".

"Mas já se passou muito tempo desde então. Você entende isso?", perguntou o entrevistador.

"Ah, o que poderíamos fazer?", disse o fantasma, novamente sussurrando.

"Nada", disse o parapsicólogo.

Ainda sussurrando e soando perdido e sem esperanças, o fantasma se lamentou:

"Nada... certo... nunca."

"Você deve aceitar isso", o cientista tentou convencê-lo. "Quero que aceite essas coisas."

Mas o rancor do fantasma não era apenas contra o homem chamado O'Toole.

Uma história de fantasmas de um fantasma

O parapsicólogo havia incentivando o fantasma a abrir mão da raiva quando a voz pareceu mudar de assunto de novo.

"Chega, chega, chega!", ouvimos. "Preciso de Steven! Eu o vejo, sem a perna, ensanguentado. Nós o vemos. Nós o vemos. E eles não o aceitaram."

Desligamos o gravador para discutir o que havíamos acabado de ouvir. Essas últimas palavras pareciam indicar que, em vida, o fantasma e sua esposa talvez tivessem visto a aparição de seu filho quando ele fez a passagem ao morrer no campo de batalha. O pai interpretou a visão de forma equivocada, como prova de que a alma de seu filho não tivera permissão para entrar no céu.

Voltamos a ligar o gravador.

"Você deve rezar por ele", disse o entrevistador ao fantasma. "Deve pedir que ele seja aceito, da mesma forma que você foi. E você deve pedir isso acreditando ou não numa igreja. Ao pedir, você receberá."

"Nós o vimos. Nós o vimos", o fantasma repetiu.

"Acredito em você", disse o entrevistador, entendendo o fenômeno.

"Nós o vimos, mas ele não estava aqui em pessoa", explicou o fantasma.

"Eu compreendo", disse o entrevistador com sinceridade.

"E Maddie chorou quando o vimos sem a perna, ensanguentado. Oh, onde ele está?"

Paramos o gravador de novo para discutir essa curiosa reviravolta. A pobre alma era um fantasma porque não acreditava em fantasmas! "Espíritos de transição" são o segundo fenômeno espectral mais comum relatado. Obviamente, esse homem ignorava isso quando era vivo. Em vez disso, ele supôs que sua visão significava que o filho não conseguira ir para o lado de lá. Em consequência, esse homem também não foi. Ele se recusava a ir para um lugar onde achava que não queriam seu filho.

Adeus, fantasma

O entrevistador agora encarava o desafio de tentar convencer o fantasma de que seu filho havia feito a passagem e estava esperando do outro lado. Isso era algo que o fantasma precisava querer. O livre-arbítrio humano é mais poderoso do que a maioria das pessoas imagina.

Ao ligar de novo o gravador, ouvimos o parapsicólogo dizer, "Quero que escute o que vou dizer, e você terá ajuda. Mas é preciso que ouça com muita atenção agora. Repita depois de mim... 'Peço que eu seja levado para junto dos meus entes queridos...'."

"O'Toole?", disse a voz.

"Não, vou cuidar de O'Toole para você", disse o entrevistador, muito sério. "Vou tentar encontrar os ossos de seu neto. Quero que repita depois de mim..."

"Eu terei vingança!", o fantasma gritou, voltando a crer que o entrevistador era O'Toole. É difícil mudar os hábitos centenários de um fantasma de agarrar-se ao passado e à raiva.

"Isso não é necessário, eu juro para...", começou o entrevistador, ignorando-o

"Você é O'Toole!", insistiu o fantasma.

Agora foi o entrevistador quem perdeu a paciência.

"Não! Escute, vamos procurar os ossos. Se forem encontrados, serão enterrados. Mas muito tempo se passou, mais de 150 anos. Você entende isso? Já não tem importância."

O fantasma perguntou, agora de forma suave:

"Maddie?" Um instante depois, a voz exclamou alegremente, "Maddie!".

Talvez ela tivesse vindo do outro lado para ajudá-lo a fazer a passagem. O parapsicólogo pensou a mesma coisa, porque disse:

"Ela está com você. Peça-lhe que venha. Chame-a."

"Maddie, oh, Maddie!" Havia um deleite real na voz do fantasma canalizada pela médium. Ouvindo-a, era possível imaginar quanto deveria se sentir solitário.

"Muito bom!", o entrevistador disse. "Agora, você vai chamar o seu filho? Chame seu filho, por favor."

"Maddie?" A voz foi sumindo aos poucos, do mesmo modo que Maddie talvez tivesse desaparecido.

"Peça que seu filho venha da forma como era", insistiu o entrevistador. "Você quer vê-lo como ele era. Chame-o como era antes de ser ferido."

"Ele vai estar ensanguentado! Maddie vai chorar!", censurou a voz.

"Não! Ele não vai mais vir ensanguentado. Chame por seu filho, como ele era antes da guerra. Peça que venha como era.

Então ouvimos uma voz, muito irritada e carregando mais de um século de dor e pesar, gritar:

"Ohhh... se houver um Deus no céu, que meu filho venha, com a perna inteira, sem sangue!"

"Muito bom! Agora peça que venha seu neto", o entrevistador disse.

"Oohh!", o fantasma gemeu.

"*Peça que ele venha. Peça que ele venha. Agora, agora!*"

A isso se seguiu apenas o silêncio. O entrevistador disse, com uma voz menos nervosa, tranquilizadora:

"Muito bem, agora mantenha esses pensamentos sobre sua família. Mantenha-os! Muito bom."

De súbito o fantasma exclamou, "Oh, meu filho!" Havia tanta alegria genuína em sua voz que ficamos arrepiados e com os olhos cheios de lágrimas.

"Ele está com você, ele agora está com você", disse o entrevistador, exausto. "Leve-os para o outro lado, faça a passagem com eles."

"Oh...", disse o fantasma, como se finalmente estivesse em paz.

E aqui terminou a fita, mas não a história.

Epílogo

O marido nunca mais foi perturbado. Aparentemente, o fantasma havia confundido todos os homens daquela casa com O'Toole, que havia perturbado o túmulo de seu neto. Os donos da casa nos contaram ter descoberto algo muito interessante quando pesquisaram a história da casa. De acordo com registros da cidade, um John Benedict de fato foi dono da casa – uns 150 anos antes. Ele e sua mulher Maddie tiveram um filho, Steven, que se casou e teve um filho. Durante a Guerra da Independência dos Estados Unidos, Steven foi atingido em cheio na perna por uma bala de canhão. Ele sangrou até morrer no campo de batalha.

Também descobriram que, depois de uma vida plena, o filho de Steven foi enterrado em um cemitério comunitário que mais tarde foi transferido para dar lugar a uma rodovia de quatro pistas. O nome do engenheiro principal desse projeto era O'Toole.

Essa é uma das melhores histórias reais de fantasma que já ouvimos, entre as tantas que Lorraine e conhecemos no decorrer dos últimos cinquenta anos. Agradecemos a nossos anfitriões por nos dar uma cópia da fita, juntamente com a permissão de compartilhá-la com outras pessoas. Eles nos agradeceram por confirmar que a mulher nas escadas era inofensiva, e por dar o descanso final a ela.

Oferecemos nossa ajuda caso houvesse recorrência dessa atividade, ou se acontecesse qualquer outra. Nunca mais o casal entrou em contato conosco. Como sabemos que continuam morando na mesma casa, só podemos concluir que ela está finalmente livre de fantasmas.

Estudo de Caso Nº 4

O poltergeist da água

Todos os nomes e locais desta história real foram trocados ou alterados para proteger a privacidade dos clientes. Ed Warren descreve o caso.

Precisa-se de guarda-chuvas

Haviam se passado alguns dias desde que déramos uma palestra em uma universidade na Pensilvânia quando recebemos um telefonema de uma mulher que estivera na plateia. Sua voz soava tanto cautelosa quanto cansada. Contou que ela e sua família vinham enfrentando episódios em que ocorria a aparição misteriosa de água em lugares improváveis. Algo em seu tom de voz me impediu de encaminhá-la a um encanador ou alguém que consertasse telhados. Lorraine e eu havíamos investigado outros casos que envolviam manifestações estranhas de água. Este bem podia ser mais um caso assim.

O que de imediato tornou fora do comum este caso foi a afirmação da mulher de que os estranhos acontecimentos tinham começado na casa de seu sogro, seguiram-no até a casa da filha dele e chegaram a ocorrer até mesmo do lado de fora. Também houve episódios cada vez mais sérios de danos físicos como janelas e luzes quebradas e mobília derrubada. Do ponto de vista de um demonologista, isso não soava nada bem. Mil perguntas me vieram à mente, mas teriam de esperar até a investigação.

Tentei não parecer muito preocupado quando disse à mulher que, graças ao cancelamento recente de uma palestra, poderíamos visitar a casa de seu sogro no dia seguinte. Ela ficou tão agradecida que nem estranhou a brecha incomum em nosso cronograma. Ela explicou como chegar de carro, e concordamos em nos encontrar por volta das 11 da manhã. Depois de desligar o telefone, chamei dois de nossos investigadores, pedindo que se juntassem a nós, e disse a Lorraine que estava pronto para o almoço.

"Que bom, querido!", foi tudo o que respondeu.

Na manhã seguinte, os pesquisadores apareceram em nossa casa com todo seu equipamento, justo quando Lorraine e eu terminávamos o café. Carregamos câmeras, equipamento de vídeo e outros sensores na parte de trás de nossa van. Meu gravador, fitas e algumas pilhas extras para o gravador foram no banco da frente. Lorraine levava no colo o mapa e as indicações do caminho. E assim partimos!

Estávamos em meados de dezembro e fazia frio suficiente para nevar. As poças ao longo da rodovia estavam congeladas e a geada deixava brancos os campos e pastos que víamos pela janela, enquanto percorríamos as estradas pouco movimentadas naquele princípio de manhã. Assim que saímos das vias principais, fizemos uma parada. Lorraine tomou uma xícara de chá enquanto nós tomamos mais uma xícara de café. Eu comi uma fatia de torta de maçã caseira. Enquanto isso, a manhã ensolarada tornara-se nublada, e agora havia sensação de frio e umidade.

Deixamos a pequena área de descanso à beira de estrada e seguimos caminho. A paisagem tornou-se mais e mais rural à medida que seguíamos as indicações e as áreas de fazendas deram lugar a bosques cada vez mais densos. Pouco antes das 11 da manhã chegamos ao local que buscávamos, onde havia três caixas de correio agrupadas. O terreno montanhoso havia sido parcialmente desmatado e foi possível ver à distância as três casinhas brancas, quadradas e bem conservadas, mas maltratadas pela intempérie. Duas delas praticamente ficavam uma em frente à outra, separadas pela rua. A terceira podia ser vista mais ao longe. Deveríamos parar na casa maior, um tanto mais recente, situada do lado direito da rua.

Foi o que fizemos. Eu mal havia estacionado o carro quando as duas portas de trás se abriram e nossos investigadores saltaram. Lorraine e eu nos movemos um pouco mais devagar. Meus joelhos estavam duros por ter dirigido tanto tempo, e foi bom poder esticá-los. Olhando ao redor, vimos uma mesa de piquenique no quintal lateral, protegida por enormes carvalhos e plátanos. Do outro lado da rua, a casinha branca tinha uma grande pilha de troncos empilhados com capricho, e grandes pinheiros aqui e ali. Nos fundos da casa menor, a uma certa distância, passava uma linha de alta tensão, por baixo da qual havia uma fileira de tocos de árvores.

A porta da casa maior (mas ainda assim pequena) abriu-se, e por ela saíram tantas pessoas que pensei naqueles carrinhos lotados com mais palhaços do que pareceria possível. Havia um homem grandalhão com uma mulher rechonchuda, os dois com uns 30 anos, e seu filho adolescente. Atrás deles vinham uma mulher de meia-idade e um homem encurvado com o cabelo todo branco. O homem mais novo, a mulher e o adolescente se aproximaram de nós, enquanto as outras duas pessoas voltaram para a casa.

"Olá. Sou Sarah Bentley. Fui eu quem ligou para vocês", disse a mulher de cabelos escuros enquanto apertava minha mão e a de Lorraine. Ela nos apresentou seu marido, Ken, e o filho, John. Apresentei a eles Lorraine e nossos pesquisadores.

"Do outro lado da rua fica a casa de meu sogro, onde tudo começou", Sarah disse. Ela contou que sua cunhada havia registrado tudo o que ocorrera e nos convidou para entrar. Peguei meu gravador e fomos atrás dela.

A cunhada de Sarah, Ann, era alta e magra, com olhos muito azuis e cabelos louros curtos. Usava botas de trabalho, jeans e um suéter verde volumoso. Ela nos deu as boas-vindas a sua casa e nos convidou a ocupar os assentos na sala de estar, escassos mas confortáveis. Coloquei o gravador na mesa de centro. Nossos pesquisadores e o adolescente, John, ficaram de pé, encostados ao batente das portas. Olhando pelas janelas, vimos que tínhamos calculado bem nossa chegada. O céu ficara todo cinza de repente, e um chuvisco congelado agora revestia os vidros.

Comecei falando eu mesmo no gravador.

"Para registro... Estamos na Pensilvânia e hoje é 16 de dezembro de 1990. Estamos na casa de Ann Bentley, filha de Harry Bentley, que vive do outro lado da rua e tem 84 anos de idade. O filho de Harry, Ken, a nora Sarah e o neto, John, moram em outra casa aqui perto. Eventos misteriosos envolvendo água levaram Harry a se mudar para esta casa, onde mora sua filha, Ann. Tudo isso está correto?", perguntei à família. Eles concordaram e eu perguntei a Ann, "Há quanto tempo você mora nesta casa?"

"Este é o décimo terceiro inverno", ela disse.

"Pelo que entendi, todas as coisas estranhas aconteceram na casa de seu pai até que ele veio morar com você. A partir de então começaram a acontecer também aqui. Correto?"

"Correto", respondeu ela, e calou-se.

Parecia nervosa. Mexia nos papéis que tinha no colo e olhava ansiosa para fora, como se quisesse fugir. Algumas pessoas temem que as consideremos malucas; outras acham que os malucos somos nós. Há também quem receie que, por sua clarividência, Lorraine seja capaz de ler mentes e invadir pensamentos alheios.

"Há quanto tempo essas coisas estranhas vêm acontecendo?", prossegui.

"Este é o terceiro ano."

"Qual foi a última vez em que algo realmente aconteceu?"

"Foi em agosto deste ano. Há mais ou menos três meses e meio."

"Não pude deixar de notar que há muitas marcas de água em seu teto. São resultado de goteiras no telhado?"

"Não", Sarah respondeu por Ann. "Já checamos tudo. A água parece que espirra no ar, saída do nada. Não podemos explicar de onde vem. Vem do teto. Vem do ar."

"Certo", eu disse. "Ann, pode me dizer quando essas coisas aconteceram, e onde?"

Ela baixou a cabeça, olhando os papéis que tinha no colo.

"Tenho três calendários aqui", disse. "Os eventos aconteceram várias vezes antes de começarmos a anotar. Ken me pediu que começasse a registrar tudo."

"Vamos ouvir o que você tem aí", encorajei.

Sequência dos acontecimentos relacionados à água

Ann folheou suas anotações e começou.

"Muito bem, pouco mais de dois anos atrás, em novembro de 1988, minha mãe foi hospitalizada com mal de Parkinson."

Ken interrompeu. Ele era um homem alto e robusto, com cabelos castanho-claros e mãos calejadas.

"Quando nossa mãe estava hospitalizada, parecia que só o corpo dela estava lá. Em alguns dias, ela me reconhecia. Em outros, não."

Ann prosseguiu:

"A água começou em 20 de dezembro, na casa do meu pai. A casa inteira estava molhada – as camas e todo o resto estavam encharcados. Tive que ir até lá, e no dia seguinte ele se mudou."

Ken esclareceu:

"Ele disse que, quando começou, era pouca coisa. De repente ele sentia um pingo e olhava ao redor, imaginando de onde diabos tinha vindo. Ele acendia o fogão a lenha, feito de ferro, e o fogo começava a arder. Aí vinha um jato de água e apagava totalmente o fogão. Para ele foi o bastante. E toda vez que ele tentava voltar para sua casa, a água reaparecia poucas horas depois."

Ann concordou e prosseguiu:

"Não conseguimos encontrar nada que estivesse quebrado e precisando de conserto, e ele passou a ficar aqui. Dia sim, dia não ele voltava lá para ver como estavam as coisas e acender o fogão. Mas sempre havia água na casa."

Sarah acrescentou:

"Quando falamos em água, quero dizer uma camada de uns dois centímetros cobrindo todo o piso", acrescentou Sarah. "Ficava tudo pingando água. Quando secávamos o chão, chegava a fazer onda. Não era só uma poça. Estragou o chão da sala de jantar. Tivemos que colocar um piso novo. Se a água caía em mesas ou outras superfícies planas, evaporava bem rápido. Mas tentávamos tirar o mais rápido possível a água do chão, antes que ela apodrecesse o piso."

"A água deixava uma substância viscosa?", perguntei.

"Deixava", concordou Sarah.

"A água tinha cheiro?"

"Não", ela respondeu.

O velho finalmente se manifestou, com uma voz grave e áspera.

"Isso acontecia na cozinha o tempo todo... a coisa mais estranha do mundo. Pareciam cachos de uvas pendurados, iam ficando cada vez maiores, e então BUM! E aí aparecia outro... e mais outro. Tudo na casa se enchia de água. Caramba! E aí as luzes se apagavam. As luzes aqui na casa de minha filha também se apagaram umas duas vezes."

"Alguma vez você sentiu um odor de ozônio na casa... o cheiro que se sente no ar depois de uma tempestade elétrica, ou em um pátio de ônibus elétricos?"

"Sei do que você está falando", Ken disse. "Não, nunca houve esse odor."

"Alguma coisa foi quebrada por esse fenômeno na casa de Harry?", perguntei.

"As únicas coisas que se quebraram lá foram as lâmpadas da cozinha", respondeu Sarah. "O suporte delas se encheu de água e as lâmpadas explodiram."

Esse dano parecia mais uma consequência do que intencional. Era um bom sinal que ninguém tivesse relatado o cheiro de coisas podres ou de ozônio – fortes indicativos de uma presença maligna. Ainda assim, algo sobrenatural parecia estar acontecendo. O resíduo viscoso era apenas uma das pistas.

Ann fez um resumo de sua lista de acontecimentos.

"Papai concordou em ficar comigo durante o inverno, na esperança de podermos resolver esse problema na primavera. A água começou a aparecer na minha casa logo depois do Ano-Novo, em 17 de janeiro de 1989. Ainda assim, a maior parte da água ainda estava na casa de papai."

"Ele tentava voltar para a casa dele, mas aparecia água lá. Ele voltava para cá, e uns dois dias depois aparecia água aqui em casa também. Como papai disse, a água se formava no teto, principalmente na cozinha... depois na sala de estar... e finalmente nos quartos. Eram bolhas de água, em cachos como uvas. Elas começavam a tremer, e *pam*! Voavam para cima da gente. No fim, pedimos a Harry para ficar longe da casa dele."

"Você chegaram a encontrar alguma causa física para algum desses eventos?"

Ann fez que não com a cabeça.

"Ken é carpinteiro", disse. "Ele subiu no telhado, foi ao sótão e se enfiou no vão de acesso que existe por baixo da casa. Estava tudo seco. Não havia razão para estar úmido no interior da casa de meu pai ou aqui."

"Chamamos tudo quanto é engenheiro e especialistas em encanamentos, aquecimento e eletricidade", acrescentou Sarah. "Ninguém achou nada. Tudo estava sempre totalmente seco."

"Nós os chamamos para verificar se havia gás na casa. Duas vezes", informou Harry, o pai de Ann.

"Chamamos a companhia de gás, depois de concluir que a perturbação devia estar relacionada com o gás", explicou Ken. "Vieram com aparelhos que podem detectar 15 tipos diferentes de gás, e disseram, 'Com certeza, não'."

"Estou tão cansada de ouvir falar de 'gás'", disse Sarah. "Todo mundo tinha essa teoria. Também verificamos se havia radônio. Um cara disse que era gás metano... gás de esgoto. Investigamos isso. Checamos os respiros do esgoto. Não há gás."

"Cheguei até a ligar para a estação meteorológica", Sarah disse.

"As coisas pareciam sempre acontecer quando estava chovendo e fazendo muito frio, como hoje", Ann explicou. "Quando faz um tempo assim, em geral ficamos bem inquietos."

"Liguei para o homem do tempo na estação de TV local", continuou Sarah. "Não disse meu nome, porque não queria que ele achasse que eu estava totalmente doida. Ele foi muito amável e concordou em falar comigo. Contei a ele o que estava acontecendo e perguntei, 'Existe algum tipo de fenômeno atmosférico que possa causar isso?'. Ele riu e disse, 'Não que eu saiba'."

Ann voltou a consultar seus calendários.

"Em 7 de fevereiro de 1989, minha mãe morreu. Estávamos com o problema da água nas duas casas – jatos pequenos que foram ficando maiores. Uns dias depois, no mesmo mês, Sarah e eu fomos até a casa de papai para tirar as roupas da mamãe. A água começou a jorrar de dentro das gavetas da cômoda dela. Quando saí para colocar as coisas em meu carro, estava encharcada. Ao torcer o cabelo, ele estava viscoso."

"Era quase como se ela tivesse colocado um fixador de cabelo e depois saído na chuva", contou Sarah. "Dava a sensação do resíduo pegajoso do fixador."

"Poderia dizer exatamente o que aconteceu com a cômoda?"

Sarah assentiu com a cabeça.

"Ann e eu fomos à casa de Harry para tirar as roupas de minha sogra", contou. "Quando Ann começou a abrir as gavetas da cômoda, a água jorrou de dentro delas, atingindo-a. A água espirrou em nós duas. Até então, nunca tinha havido água no quarto de minha sogra."

"Enquanto separávamos as roupas, íamos dizendo, 'esta é legal, vou ficar com ela... esta vai para o Exército da Salvação... e esta vai pro lixo.' Toda vez que falávamos 'lixo', Ann era atingida atrás da cabeça por água! Comecei a rir,

Harry se juntou a nós e terminamos rindo até escorrer lágrimas. Eu disse, 'é rir para não chorar'. Foi a única vez em que nos molhamos naquele quarto."

O adolescente, John, tinha se aproximado do gravador durante a conversa. Tinha o tipo físico do pai e a pele da mãe. O cabelo, fino, brilhante e liso, chegava abaixo dos ombros.

"Quando tia Ann saiu da casa com a roupa, eu estava sentado no quintal", disse ele. "Ao colocar no carro as coisas para o Exército da Salvação, ela ficou totalmente encharcada. Era como se tivessem jogado baldes d'água nela. Era muita água."

"Então a água também se materializava do nada do lado de fora?", perguntei, preocupado.

Sarah fez que sim com a cabeça e acrescentou:

"A água seguia Harry pelo campo quando ele saía de casa. Ele ia andando e a água o atingindo. Um dia começou a ficar molhado dentro de casa, então John e ele saíram e foram até o bosque, terminar de abrir uma clareira sob a linha de alta tensão. Papai foi atingido pela água lá no meio das árvores. Então, onde quer que ele vá..."

Ann deu sua contribuição:

"Quando estávamos sentados no lado de fora, à mesa de piquenique, apareceu água umas duas vezes", adicionou Ann. "Uma vez, quando Sarah e meu irmão estavam vindo para cá de carro, apareceu água no carro deles. O carro ficou molhado por dentro, e a água os seguiu até minha porta de entrada."

Isso fez Ken se recordar de outro incidente:

"Com toda essa água na casa, o fogão a lenha de papai enferrujou. Ele e eu fomos comprar um novo. Na picape, quando estávamos voltando, papai disse que tinha sido atingido por água. Olhei para ele e seu rosto estava molhado. Era um dia com neve, como hoje, mas a janela estava fechada. Pensei que de repente alguma coisa tivesse entrado pelo sistema de ventilação. Certifiquei-me de que as entradas de ar estavam fechadas, mas ele foi ficando cada vez mais molhado."

"Vocês têm alguma explicação para essa água que vem do nada, tanto fora quanto dentro das casas?", perguntei.

"Não temos", respondeu Ken. "Foi aí que começamos a dizer, 'Não tem explicação lógica. Não é possível'."

Ann retomou sua sequência de acontecimentos.

"No mês seguinte, março, Ken instalou uma abertura de ventilação e um exaustor na casa de Harry, na esperança de melhorar a circulação de ar. Foi quando começamos a testar todo tipo de solução – testes para detectar gás, remoção do revestimento externo das paredes – mas nada funcionou. Era sempre água, água e mais água nas duas casas."

"Coloquei a abertura de ventilação e o exaustor entre a cozinha e a sala de estar da casa dele, para o ar circular melhor", explicou Ken. "Papai aquecia a cozinha com o fogão a lenha, mas os outros aposentos continuavam frios. Uma de nossas teorias era a de que um aposento ficaria quente demais e o aposento ao lado frio demais, o que causaria condensação. Mas a abertura de ventilação e o exaustor não funcionaram."

"Pensamos que o problema em minha casa talvez tivesse relação com o fogão a carvão", disse Ann. "Depois que papai se mudou para cá, meu fogão ficava sempre apagando. Aumentamos a altura da chaminé, para criar uma corrente de ar mais forte. Não deu certo. O fogão continuava se apagando. Depois descobrimos que o respiro do banheiro no alto do telhado tinha uma pinha entalada. Pensamos que isso poderia ter causado os problemas. Nós a retiramos, mas nada mudou. Chegamos até a tirar parte do revestimento externo da casa de papai, porque achamos que não deixava passar o ar.

"Tantos anos morando aqui e nunca aconteceu nada parecido", disse Ken. "'O que mudou?', nós nos perguntamos. Só conseguimos pensar no revestimento de metal que tínhamos instalado nos fundos da casa dele. Nós o removemos, achando que a casa precisava respirar. Você sabe, condensação, acúmulo de água..."

"Com certeza muita coisa precisa acontecer para que vocês se convençam de que algo sobrenatural está acontecendo, não é?", perguntei.

"Alguma vez vocês entraram em contato com a universidade onde demos palestras?", Lorraine perguntou.

"Bom, eu estudo lá", respondeu Sarah. "Perguntei a meu professor de química. Ele só disse, 'Ah, claro, sei'. Ele achou um absurdo total. Nunca tinha ouvido falar de nada como o que descrevi."

"Eu continuava pensando que era algo simples", acrescentou Ken. "Perguntei aos caras que trabalham comigo, 'Aí, vocês já tiveram algum problema assim? Eu tenho água voando pelo ar'. Eles acharam que eu estava doido. Riram um bocado por uns dois dias, mas depois disso percebi que não estava lidando com algo normal."

Sarah concordou.

"Você sempre pensa que, se falar com a pessoa certa, ela vai dizer, 'Ah, sim, eu sei o que é'. Bom, conversamos com muita gente, e tudo o que aconteceu foi acharem que estávamos malucos. Vocês não fazem ideia de quantos consertos fizemos que provavelmente eram desnecessários. Jogamos fora um fogão a gás achando que devia ter algum tipo de vazamento. Nos livramos da geladeira de papai quando alguém disse que o gás freon poderia ser a causa. Tentávamos qualquer coisa que sugerissem. Chegou a um ponto em que aceitávamos ideias de qualquer um."

Virei-me para o garoto e perguntei:

"E aí, por que você fica causando tantos problemas para sua família, John?"

Ele riu.

"No início, o Harry de fato pôs a culpa em meu filho", disse Sarah. "Ele achou que John estava brincando com ele. John tem 15 anos, usa cabelo comprido e coisa e tal, mas não prega peças nos outros e nem fica com gracinhas. Mas parece que essas coisas sempre acontecem quando ele está em casa, depois da aula. Harry passava o dia todo em casa, e tudo estava bem. Era só John chegar, de tarde, e tudo saía dos eixos."

"É natural que os pais e outras pessoas digam, 'Foi o garoto'", admiti.

"É, todo mundo disse isso", concordou Sarah. "Ele chegou num ponto que começou a pensar que tinha uma outra vida e não sabia. Alguém lhe perguntou o que tinha contado aos amigos sobre o caso e ele respondeu, 'Nada, já sofro pressão suficiente sem isso'."

"John e Harry estavam sempre juntos quando essas coisas aconteciam?", perguntei.

"Normalmente sim, mas nem sempre", respondeu Ann. "Harry às vezes estava sozinho. Se aconteceu quando John estava sozinho, foi muito raro."

Lorraine virou-se para Ken.

"Como era a relação de John com a avó?", perguntou.

"Muito próxima", Ken respondeu. "Acho que ela provavelmente era mais chegada a John do que a qualquer outra pessoa. Eles se davam muito bem. John sempre foi muito próximo do avós."

"Quantos anos John tinha quando todas essas coisas estranhas começaram a ocorrer?", perguntou Lorraine.

"Quando tudo começou, ele tinha 13 e meio, quase 14", respondeu Sarah.

"Nessa época, você reparou... se me permite uma pergunta tão pessoal... reparou se seu filho estava ativo sexualmente?" Só Lorraine poderia se safar fazendo uma pergunta dessas. Eu seria tachado de tarado.

"Não creio", disse Sarah. "Ele às vezes fala com uma garota por telefone, mas a iniciativa é dela, não dele."

"É", acrescentou Ken. "Ele ainda é meio tímido, sabe. Está interessado em cortadores de grama e carros, mas não ainda por esse lance de garotas."

Eu via que o pobre John estava muito desconfortável com o rumo que a conversa havia tomado, e mudei de assunto.

"O que aconteceu a seguir?", perguntei a Ann.

"O mês seguinte, abril, foi seco. A impressão que deu foi que a água parou quando houve a mudança de estações. Em 27 de maio de 1989, meu pai voltou para a casa dele. De abril a julho esteve tudo bem. Nós pensamos que, com a remoção do revestimento, a desobstrução do respiro do teto e outras coisas que fizemos, de alguma forma tínhamos eliminado a causa."

"Também achamos que as perturbações estavam relacionadas com o inverno", observou Sarah. "Elas pareciam só acontecer em dias de tempo muito ruim. Durante o verão, nós nos sentíamos seguros. Nunca aconteceu nada no verão."

"Escrevemos para o jornal, descrevendo nossa situação e pedindo conselhos. Recebemos duas cartas de pessoas que afirmaram ter experiência sobre o que acreditavam ser aquilo. Uma delas era um cara que estudou comigo. Na carta, havia citações de Shakespeare referentes a fogo, terra, vento, água e coisas assim. As duas cartas tinham exatamente as mesmas ideias. Foi quase como se os dois tivessem se falado antes de escrever. A outra carta era de alguém que não conhecíamos."

"Eles diziam que os espíritos eram elementais?", perguntei.

"Sim, ambos disseram que estávamos sendo assombrados por espíritos elementais", concordou Ann. "Concluímos que poderia ter sido pior. Poderia ter sido fogo!"

"É verdade", concordei. "Existem poltergeists do fogo. De fato, já trabalhamos em um caso assim. Por sorte, são raros. Há casos em que eles queimam os locais antes que possam ser investigados!"

Ninguém pareceu achar graça e Sarah continuou:

"Tentei entrar em contato com um homem que dava um curso de extensão na universidade chamado 'Você acredita em fantasmas?'. Liguei e deixei meu nome e telefone, várias vezes, mas ele nunca me retornou."

"Hannah Croft veio de Nova York para cá", acrescentou Ann. "Ela disse que era vidente... que pode sentir coisas. Tem uma casa por aqui."

"O que ela disse sobre esta casa?", Lorraine perguntou a Ann.

"Ela disse que se sentiu muito pesada em minha sala de estar. Era como se não conseguisse respirar."

"Só isso, pesada? Ela disse a que se devia essa sensação?", perguntei.

"Não. Disse que ia para casa meditar e pensar a respeito. Foi a última vez que tivemos contato com ela."

Lorraine perguntou, "Alguém alguma vez usou um tabuleiro Ouija antes ou depois de todos esses acontecimentos começarem?".

Sarah respondeu, "Não, não. Não gosto dessas coisas. Elas me assustam".

"Que bom!", eu disse. "Essas coisas podem atrair espíritos malignos sem querer. Agora, para resumir, em abril não houve água fora do comum. Quando foi que o problema voltou?"

"Em 23 de janeiro de 1990, a água voltou a aparecer na casa de meu pai", respondeu Ann. "De imediato ele voltou para minha casa. Cinco minutos depois que a coisa recomeçou, ele caiu fora de sua casa. Bateu a porta e disse 'adeus'. Nos dois dias seguintes, 24 e 25 de janeiro, tanto eu quanto meu irmão tivemos alguns esguichos de água em nossas casas."

"Na minha casa foi só o suficiente para saber que havia algo lá... bem pouca água."

"Em 28 de janeiro, meu pai foi hospitalizado, sangrando muito pelo nariz", prosseguiu Ann. "Ele sempre apresentou sangramentos nasais.

O tempo estava horrível. Ele estava trancado dentro de casa, no calor seco. Além disso, estava bem gripado... e aí, se você acrescenta nervosismo e tudo o mais... A água começou de novo quando papai voltou, no final de janeiro. Depois disso, praticamente todo dia havia alguma água na casa de Harry, de Ken ou na minha."

A violência irrompe

Ann ajeitou-se na cadeira, colocou alguns papéis no chão e prosseguiu.

"Em 6 de fevereiro deste ano – um dia antes do aniversário de minha mãe – um padre veio abençoar as casas."

Deixo para Lorraine todas as perguntas mais delicadas, e fico só com o caos e a destruição.

"Qual é sua religião?", ela perguntou.

"Somos protestantes, mas Harry é luterano", respondeu Sarah. "Não somos pessoas religiosas, mas achamos que um padre poderia ajudar. Ele veio com cinco ou seis fiéis. Andaram por aí e abençoaram as duas casas, enquanto oravam e abençoavam os aposentos com água benta. Harry disse, 'É bem isso que precisamos, mais água'."

"O padre achou que poderia ser algo sobrenatural?", perguntei.

"Ele não chegou a dizer", respondeu Sarah.

"E ele se mostrou sensibilizado com o problema de vocês?"

Todos disseram que o homem parecia interessado de fato e sensibilizado, e Lorraine perguntou:

"O que aconteceu depois que ele se foi? As coisas estranhas pararam ou pioraram?"

"Fomos alertados de que, se o padre não soubesse o que estava fazendo, as coisas poderiam piorar", admitiu Ken. "Mas, depois de termos tentado tudo, pensamos, piorar não pode."

"Bom, uma semana e meia depois, descobrimos que podia", disse Ann. "Foi aí que as coisas saíram dos eixos. A janela da minha cozinha explodiu... coisas pequenas se quebraram..."

"Certo, isso é importante..." Lorraine interrompeu, sentando-se mais na beirada do sofá. "Antes da visita do padre, vocês nunca tiverem esse tipo de dano. Exatamente quantos dias depois da visita do padre isso aconteceu?"

Ann remexeu os papéis em seu colo, parou, contou e respondeu, "Nove".

"Isso é três mais três mais três", observou Lorraine.

Em nossa experiência, espíritos malignos gostam de fazer as coisas em múltiplos de três, para insultar a Santíssima Trindade. Segundo Ann, o intervalo entre a visita do padre e a irrupção da violência consistiu em três períodos de três dias. Coincidência, ou algo mais? Fiz sinal para que Ann prosseguisse.

"Nove dias depois da visita do padre, em 15 de fevereiro de 1990, a janela de minha cozinha explodiu e vários outros danos ocorreram", descreveu ela. Escrevi aqui que chovia e fazia muito frio. Estava horrível lá fora. As estradas estavam péssimas."

"Harry havia ido para a casa dele junto com meu filho", explicou Sarah. "Enquanto estavam lá, resolveram fazer café e chocolate quente. A água surgiu do nada, apagou o fogão e derrubou a caneca que meu filho segurava. A caneca voou por cima da cabeça dele. O avô foi atingido algumas vezes na parte de trás da cabeça, algumas vezes por água e outras por uma força seca."

"E John, foi atingido alguma vez?"

"Sim, ele tinha um galo na parte de trás da cabeça... um galo de verdade."

O velho parecia dormir, então me virei para o adolescente e perguntei:

"John, você poderia se sentar ao lado de seu avô, mais perto do gravador, e nos contar sua versão do que aconteceu naquele dia?"

John se aproximou da mesa, se ajeitou junto ao avô e começou a contar sua história.

"Não tive aula naquele dia. A caneca foi derrubada da minha mão na casa de meu avô, como eles contaram. Quando vovô começou a ser atingido na cabeça, fiz ele colocar meu capacete de jogador de futebol americano. Saímos e começamos a andar na direção da casa de minha tia."

Harry, já acordado, interrompeu:

"Então o capacete saiu voando da minha cabeça, quando estávamos fora da casa! Alguma coisa acertou o capacete, e ele voou uns 20 metros. Me abaixei, apanhei-o e tornei a colocá-lo. Bum! Caiu de novo. Isso aconteceu três vezes."

"Foi, o capacete rolou até chegarmos aqui", concordou John. "Ele ficava rolando. Vovô foi atingido na cabeça umas três vezes."

"Harry depois me disse que, se não estivesse de capacete, a força o teria derrubado", acrescentou Sarah. "Aquele capacete idiota pode ter sido a salvação dele."

"E depois o que aconteceu?", perguntei a John.

"Estávamos sentados na casa de minha tia quando de repente o cachorro, que costuma ser bem manso, começou a rosnar para nós. Nunca vimos ele rosnar para ninguém antes – até podia latir, mas rosnar, nunca. De repente, ele olhou para a porta dos fundos e rosnou de novo, desta vez mostrando os dentes. Abrimos a porta para ver o que estava do lado de fora, e o cachorro saiu correndo."

"Naquela manhã, tanto o cão quanto o gato de Ann saíram e não voltaram até meu marido e eu chegarmos, mais tarde", acrescentou Sarah.

"Então outras coisas começaram a acontecer", prosseguiu John. "Espirrou tanta água em volta das portas de correr de vidro de minha tia que as cortinas foram arrancadas da parede. Quadros foram derrubados, molduras se partiram, enfeites se quebraram, e tudo foi derrubado das bancadas."

"A que horas isso aconteceu?", perguntei.

Foi Ann que respondeu, depois de consultar suas notas:

"Isso aconteceu desde mais ou menos as dez e meia da manhã até as quatro e meia da tarde. Eu não sabia de nada disso até chegar do trabalho. John e meu pai ficaram escondidos no boxe do chuveiro o dia todo e estavam assustados demais até para sair e ligar para mim."

John concordou.

"Isso vai parecer idiota, mas nós nos escondemos no boxe do chuveiro para não ficarmos molhados", prosseguiu. "Tinha água voando por todo canto. Ainda assim nos molhamos porque a parte de cima do boxe era aberta. Então ouvimos um estrondo enorme. Saí do boxe e olhei pelo buraco da fechadura. Foi quando vi que a janela da cozinha estava quebrada."

"Perguntei a ele por que não me ligou para que eu voltasse para casa", repreendeu-o Sarah. "Ele disse que tinha medo de deixar o avô sozinho.

Chovia lá fora, estava horrível, frio e nevando. Ele não queria sair com Harry por causa do gelo."

Virando-me para John, perguntei:

"Como você encontrou a casa quando finalmente saiu do boxe do chuveiro e do banheiro?"

"Era como se tivesse passado um tornado por aqui", disse John. "Até a caixa de sabão na lavadora tinha sido derramada. Havia sabão em pó por todo canto."

"Naquela noite, cheguei em casa depois do trabalho", contou Ken, "e quando parei na casa de Ann com o jornal, como sempre faço, John veio correndo e disse: 'Você não vai acreditar. Você precisa ver'. Entrei aqui e ele tinha razão. Eu não podia acreditar. Estava tudo uma confusão. Telefonei para minha esposa, Sarah, e pedi que viesse até aqui."

Sarah concordou e acrescentou:

"É, foi como se uma bomba tivesse estourado."

"Lâmpadas fluorescentes estavam quebradas", completou Ann. "Havia vidro por todo canto. Saíam faíscas daquela tomada ali na parede. Tudo que estava sobre as mesas tinha sido jogado no chão. Minha cama e a de papai estavam encharcadas, até as molas."

Sarah explicou:

"Logo que entramos, apalpamos as camas e descobrimos que os cobertores de cima estavam secos. E dissemos, 'Ah, que bom, aos menos as camas estão secas'. Mas quando puxamos as cobertas, descobrimos que o lençol de baixo, o colchão e o boxe de molas estavam encharcados. A mesma coisa com o tapete xadrez. Ele não estava úmido, mas havia uma poça por baixo dele. Não adianta cobrir as coisas para protegê-las. Não ajuda nada."

Ken acrescentou, "Também senti uma força misteriosa, invisível, quando estava sentado no sofá de minha irmã, depois que tudo isso aconteceu. Era como se tivesse uma bolinha de golfe rolando pelo meu pescoço acima. Eu sabia que havia alguma coisa ali, mas não tinha nada. Durou só uns 5 a 7 segundos, mas com certeza era algo."

"Posso entender por que vocês estão perturbados com tudo isso", comentei, e a seguir tentei novamente direcionar o relato. "Podemos voltar à janela quebrada da cozinha? Onde estava o vidro quebrado, do lado de dentro ou do lado de fora?"

"Do lado de fora", respondeu Ken. "Aquela janela explodiu para fora uns 30 centímetros. E se quebrou em milhares de pedaços... como um para-brisas estourado."

"E a parte que explodiu era redonda... tinha um formato redondo, mais ou menos do tamanho de uma bola de basquete", Ann acrescentou. "Tenho uma foto disso. A janela que foi trocada ainda tem os adesivos. Ainda não os arranquei."

Eu tinha notado os adesivos na janela, mas achei que haviam feito alguma reforma na casa. Ann passou-nos a foto de uma janela com um buraco grande e perfeitamente redondo. Lorraine e eu havíamos visto esse tipo de coisa antes, e não tinha sido feito por crianças jogando basquete.

"O que aconteceu em seguida?", perguntei.

"No dia seguinte, 16 de fevereiro, fizemos planos de mandar meu pai para a Flórida para ficar com meu outro irmão", Ann continuou. "Pensamos em tirar Harry daqui durante os meses de inverno. Ele estava com os nervos em frangalhos, e ansioso para ir.

"Um dia antes da viagem dele, 23 de fevereiro de 1990, havia apenas pequenos esguichos de água em minha casa. Nada aconteceu depois que ele partiu. Enquanto esteve fora, eu ia quase todos os dias à casa dele. Tanto a casa de meu pai quanto a minha permaneceram secas.

Ken riu e disse:

"Meu irmão eu concordamos em levar papai de carro metade do caminho cada um. Ele percorreu metade do caminho e eu, a outra. Quando papai chegou lá, disse, 'Se eu soubesse como era longe de carro, teria vindo de avião'. Nós quase o matamos. O único motivo pelo qual o levamos de carro foi porque ele disse que tinha medo de avião."

O humor melhorou um pouco na sala apinhada, e Ann continuou.

"Em 2 de junho de 1990, papai voltou da Flórida. Dessa vez ele veio de avião. Nada aconteceu em junho e julho. Não esperávamos que acontecesse nada nos meses de verão. Nunca acontecera nada antes. Mas em 15 de agosto, começou a aparecer água de novo na casa de papai. Cinco minutos depois de acontecer isso, ele se mudou aqui para minha casa.

"Notei que aquele dia estava quente e abafado. No dia anterior tinha havido uma grande tempestade. Um dia depois que papai veio aqui para casa, o tempo estava úmido, horrível. No mesmo dia, minhas janelas da frente explodiram para fora. Seis das nove pequenas vidraças, aqui junto à porta, explodiram com buracos perfeitamente redondos, mas os caixilhos não foram afetados. Também tenho fotos disso."

Ela nos apresentou fotos que mostravam buracos do tamanho de bolas de beisebol, tão redondos e precisos que pareciam ter sido feitos com um cortador de vidro. As vidraças quebradas não estavam todas juntas, mas espalhadas.

"Alguém viu isso acontecer?", perguntei.

"John e meu pai estavam aqui", disse Ann. "Meu pai viu a água espirrando da pia para aquela grande janela ali", ela acrescentou, apontando para as portas de correr. "São quase quatro metros de distância. Papai e John viram as janelas ao redor da porta da frente estourarem."

"O que você viu, John?", perguntei ao adolescente.

"Meu avô e eu estávamos sentados à mesa lá fora na varanda. Ouvimos um chiado e, de repente, foi como se uma bola de beisebol atravessasse a janela! O som era como um chiado. A janela veio voando para cima da gente. O vidro veio da casa. As vidraças não quebraram todas de uma vez só. Uma e então uma de baixo, então uma de cima, uma de baixo de novo, e então as duas do meio."

Depois de um instante de silêncio, enquanto todos nós tentávamos absorver o que acabáramos de ouvir, Ann continuou lendo suas anotações.

"A última vez em que algo aconteceu foi algumas semanas depois disso. Foi em 29 de agosto deste ano – faz pouco mais de três meses. Minha casa tinha água por todo o canto e tudo havia sido jogado de cima da mesa. Uma caixa de bolo e uma lâmpada estavam no chão. Os lençóis que protegem meu sofá dos animais de estimação estavam puxados para trás e encharcados. As camas e tapetes estavam encharcados. Sobre minha cômoda tudo estava revirado. Uma lata novinha de café estava caída, o pó tinha entornado e a lata estava úmida por dentro."

"Parecia que alguém havia usado uma mangueira de jardim aqui dentro por 15 minutos", disse Ken. "Também parecia que alguém tinha passado o braço por cima do balcão, empurrando tudo na mesma direção."

"Dessa vez, até chamamos a polícia", disse Ann. "Achei que alguma coisa tinha que ficar registrada. Quando o policial saiu daqui, porém, ele não fazia ideia do que iria colocar no relatório. O trabalho dele inclui roubo, vandalismo e esse tipo de coisas. Pelo menos registramos que alguém veio aqui. O problema é que, se houvesse danos maiores, minha irmã não poderia acionar o seguro."

"Então vocês não conseguiram receber nada do seguro por todo esse dano?", perguntei a Ann.

"Não, não. A primeira coisa que eles vão perguntar é, 'Como isso aconteceu?'", ela disse.

Aquelas pessoas não estavam inventando uma história maluca só para conseguir o dinheiro do seguro e reformar a casa. Na verdade, eles tinham gasto uma quantia enorme, dinheiro que provavelmente nem tinham, na tentativa de identificar e resolver o problema.

"Outra coisa que nos preocupava era que meu sogro fosse golpeado na cabeça e nos culpasse por isso", acrescentou Sarah. "Ele tinha sido atingido algumas vezes. Ele tem 84 anos de idade. Tínhamos medo de que um dia ele se machucasse. Se ninguém soubesse que tudo isso estava acontecendo, só iriam dizer 'Ele foi atingido na cabeça com um instrumento rombudo'."

Ann concordou e continuou.

"Foi em 4 de setembro que comprei o desumidificador."

"Você achou que ele sugaria todo o excesso de água que estava aparecendo na casa toda?", perguntei. "Seria como tentar esvaziar o oceano com um balde, certo?"

"Havia muita água aqui quando o liguei pela primeira vez", respondeu Ann com cara séria.

"Ela jura que é um santo remédio, mas ainda está tentando pensar com lógica, e não há nada de lógico nisto tudo", interferiu Sarah. "Esta é só a calmaria antes da tempestade. A todo momento, espero que aconteça algo – sobretudo quando o tempo está ruim. Costumo ficar muito nervosa com o tempo assim."

"Em dezembro, Sarah ouviu falar de vocês na faculdade, entrou em contato e agora, 16 de dezembro, vocês estão aqui", Ann concluiu a história.

Perguntei a toda a família:

"De tudo que vocês tentaram e todas as pessoas a quem pediram ajuda, alguém conseguiu descobrir o que estava acontecendo? Alguém conseguiu de fato resolver alguma coisa?"

"Não, ninguém", Sarah respondeu. "Houve muitas ideias e suspeitas. Dois ou três anos atrás, se alguém me contasse algo assim, eu teria dito que era um monte de baboseira. Agora, de repente, eu acredito em muito mais do que costumava acreditar. Isso mudou um bocado nossas vidas. Também causou muita confusão."

"Como o quê?", perguntou Lorraine. "Conte-nos, é importante."

Ela queria saber se o fenômeno estava colocando as pessoas umas contra as outras ou se as estava aproximando. O comentário de Sarah parecia sinistro.

"Bom, ele está criando muito atrito entre meu marido e eu, explicou Sarah. O pai dele espera que Ken resolva as coisas. Se o telhado fosse arrancado, Ken poderia resolver. Mas não consegue resolver esta situação. Ele não sabe por onde começar. Ken fica irritado e aborrecido, e desconta em meu filho e em mim."

"Quando estou no trabalho, não sei o que está acontecendo aqui", disse Ken. "Então, quando volto para casa, nunca sei o que esperar. Quando você não consegue resolver, se sente impotente. Isso afeta toda a sua vida. Você acha que tem que ser algo bem básico, tipo o gás virando vapor d'água, ou algo assim. Quando não é, é muito frustrante."

"Você acha que isso causou muita agressividade entre os membros da família ou vocês se consideram uma família unida?", perguntou-lhe Lorraine.

"Na verdade, apesar de toda a frustração, somos muito unidos. O problema nos aproximou. É algo que estamos enfrentando todos juntos", ele respondeu.

"Sim, somos meu marido, eu mesma, meu filho, junto com a irmã e o pai de Ken, quem está passando por isso", concordou Sarah. "Cada um de nós passou por alguma coisa, e por isso sabemos que não somos malucos. Acredite em mim, por muito tempo achei que estava louca."

"Então, mesmo que vocês tenham começado a associar esses acontecimentos com Harry, nunca pensaram em mandá-lo embora?", perguntei, sorrindo.

Lorraine não achou graça.

"Ah, você é muito sutil, Ed", ela disse.

"Bom, nós o mandamos para a casa de meu irmão, na Flórida", admitiu Ken, "mas foi mais pensando nele do que em nós. E nada aconteceu a ele enquanto estava lá."

Continuei buscando informações.

"Alguém por aqui viu algo como um fantasma ou uma estranha sombra escura, negra?"

"Não que eu saiba", disse Sarah. "Não creio que alguém tenha visto nada assim."

Ann, Harry, Ken e John concordaram com a cabeça.

"Ok", disse eu. Fiz uma pausa, olhei ao redor, para todos na sala, e continuei, "Acho que estou pronto para dizer o que acredito estar acontecendo aqui. Não posso afirmar o motivo de estar acontecendo até fazermos uma investigação parapsíquica com Lorraine. Mas posso dizer o que parece estar acontecendo. Alguém aí está interessado?"

A sala inteira vibrou com um coro que disse "Sim!" bem alto.

"Certo. Vou lhes dizer, e nem vou pedir que antes façam um bolo para mim."

Lorraine soltou um suspiro afetado e os demais apenas riram.

As impressões de Ed sobre o caso

"Bom, gente", disse eu. "Parece que vocês têm um autêntico poltergeist da água aqui. Lorraine e eu já vimos esse tipo de fenômeno antes. Muitos anos atrás, um pessoal no Missouri estava dentro de casa, e de repente parecia que alguém jogava um balde de água neles, e molhava tudo ao redor. Em outra casa onde estivemos, parecia chover na cozinha. Esse caso era muito parecido com o de vocês, porque surgiam glóbulos de água e assim por diante no teto dos cômodos.

"Em ambos os casos, a água surgia aparentemente do nada e deixava um resíduo levemente pegajoso. É mais comum que o evento ocorra quando está úmido, chovendo ou nevando, porque a água está sendo teletransportada. A água é transportada de fora para dentro de casa ou, caso você esteja ao ar livre, de um lugar para o local onde você está. Os acontecimentos em si e o resíduo pegajoso são sinais claros de teletransportação.

"Mas me deixem explicar uma coisa antes. 'Poltergeist' é um termo em alemão que significa fantasma barulhento ou travesso. E, como acabo de explicar, provavelmente não é um fantasma. O termo 'fantasma' em geral se refere ao espírito de alguém que viveu e morreu aqui na Terra, mas que ainda não fez a passagem para o mundo dos espíritos. As almas que fizeram a passagem e os espíritos que nunca foram humanos também podem interferir com os vivos. Algumas das entidades que nunca foram humanas são boas, e algumas são más.

"Na maioria dos casos de atividade de poltergeists, raramente são vistos 'fantasmas'. Isso porque eles raramente estão envolvidos. Para mover galões de água, deslocar móveis pesados e fazer outros danos significativos – sobretudo se for em vários lugares diferentes – são necessários mais conhecimento e mais força do que qualquer fantasma preso à Terra que tenhamos visto possua. Os 'fantasmas' estão sempre ligados a um lugar e a uma área delimitada. A entidade de vocês seguiu Harry para fora, até a casa de Ann e também no interior de veículos. Mas não o seguiu até a Flórida. Embora essa força não esteja presa a esta área, seus interesses parecem estar.

"Às vezes, a atividade poltergeist pode ser atribuída a uma pessoa que está perturbada, magoada ou furiosa, em especial um adolescente. Mas até a ciência tem que admitir que não é sempre assim. E não creio que isso se aplique ao caso. John parece ser um menino bom e bem ajustado. Acho que ele é inteligente, mas não creio que, nas horas vagas, tenha planejado um sistema secreto e complexo de *sprinklers* em todos esses lugares. Não consigo crer que ele esteja orquestrando todos esses eventos, consciente ou inconscientemente.

"Também não acho que vocês estejam criando uma fraude. Há marcas de água no teto de Ann. Os danos às janelas que vocês fotografaram parecem fora do comum para vocês, mas são familiares para Lorraine e para mim. Os chiados que vocês descreveram também são familiares. Como vocês já devem ter imaginado a essa altura, são todas características de atividade paranormal. Vocês não vão ficar ricos com essa experiência, e nem parecem estar atrás de atenção. Não é um esquema para conseguir uma reforma gratuita da casa.

'Atos de fantasmas' não tendem a entrar na cláusula de 'catástrofes naturais' nas apólices de seguro, e o endosso de Lorraine ou o meu não vai mudar isso."

Ouvi algumas risadinhas tímidas e segui em frente. Agora era hora de falar sério.

Na verdade, a maior parte das atividades poltergeists pode ser prejudicial, e algumas podem ser até mesmo mortais. Seu garoto John foi atingido com tanta força que ganhou um galo na cabeça. Harry foi forçado a usar um capacete. Os dois tiveram que se esconder no chuveiro para evitar serem atingidos por objetos voadores. Vocês admitem temer que, em algum momento, Harry receba algum golpe que o deixe inconsciente... ou coisa pior. Houve gente machucada. Harry e John têm sorte por não terem sido feridos com mais gravidade, ou até mortos. Uma situação como esta não é brincadeira. Eu sei. Já recebi um corte no braço. Já fui jogado através de uma sala... todos os meus 48 quilos."

Lorraine não podia deixar aquilo passar.

"Claro, querido. Errou por pouco, bem pouco."

"Eu disse 48 quilos?", falei, inocentemente. "Quis dizer 48 quilos em cada perna." Não colou. "Piadas à parte, vocês têm um problema sério aqui. Às vezes, eventos como este terminam tão depressa quanto começaram. Mas pelo que vocês me contaram, as ocorrências se interromperam durante meses, apenas para voltarem a acontecer quando as condições eram adequadas.

"Estamos lidando com algo que é invisível, intangível e tem habilidades e poderes que vão além do conhecimento humano. Essa coisa tem inteligência suficiente para, por algum motivo, visar Harry e este lugar. A energia parapsíquica pode se acumular rapidamente em uma área pequena. A casa de seu pai é extremamente pequena. E a casa de Ann não é muito maior.

"John está na idade ideal para ser o gatilho ou o agente de uma atividade poltergeist. Cientistas experientes e nós, investigadores de campo, temos percebido que esse tipo de atividade exige uma quantidade muito grande de energia, e com frequência ocorre onde há um adolescente presente. Nossa única discordância com a ciência diz respeito ao motivo. Para a ciência, os agentes são sempre a causa direta e nós achamos que às vezes são a causa indireta. Acredito ser o caso aqui.

"Como demonologista experiente, vou dizer o que me preocupa, e em seguida vou falar sobre os sinais conflitantes, mas mais positivos, que vejo aqui. Primeiro, minhas preocupações: é muito perturbador saber que a atividade tornou-se violenta e que essa mudança ocorreu depois que a casa foi abençoada pelo padre. Essa entidade tem a capacidade de seguir Harry para fora de casa, até a casa de Ann e até a picape de Ken. Ela é forte o suficiente para estourar janelas e consistentemente teletransportar grandes volumes de água. Não são coisas boas.

"Do lado conflitante e mais otimista, porém, alguns dos fenômenos foram vivenciados por vocês todos. A entidade e os problemas não seguiram Harry até a Flórida. Ninguém reclamou de cheiros ruins, nem viu alguma sombra escura incomum ou reclamou sobre algo tentando controlar seu corpo. Vocês disseram que ninguém aqui usou um tabuleiro Ouija, participou de uma sessão mediúnica, lê a sorte como modo de vida ou pratica magia negra. Olhando para vocês, suponho que a falecida esposa de Harry também não era satanista."

Ninguém discordou, de modo que prossegui.

"Apesar de tudo que aconteceu, vocês não estão brigando uns com os outros. Deve ter havido alguns desentendimentos. Todo mundo tem, não há como escapar. Embora vocês não tenham convicções religiosas fortes, vejo que são pessoas positivas. Vocês não saem por aí chutando animais, ou jogando Harry e John na rua para manter suas casas secas."

"Tentamos dar apoio uns aos outros e continuar esperançosos", acrescentou Sarah. "Chegamos a comprar um cachorrinho para John em setembro, e lhe demos o nome de Spirit!"

Eu ri.

"E vocês também têm senso de humor. É outra coisa boa. Espíritos malévolos não humanos, ou 'demônios', gostam de assustar. Eles desejam criar animosidade entre as pessoas e em geral fazem isso isolando e assediando uma delas. As outras começam a culpá-la. Quando coisas completamente diferentes começam a acontecer com pessoas diferentes, elas passam a culpar umas às outras. Essas atividades tendem a agravar-se com o tempo. No fim, a entidade vai tentar assumir controle sobre uma pessoa. Por meio desse indivíduo, mais dano mortal pode ser feito. Tais espíritos malévolos também reagem com violência a qualquer tipo de intervenção religiosa.

"Vocês podem começar a perceber por que ainda não estou totalmente seguro do que está acontecendo aqui. Os espíritos malévolos também são muito enganadores. É sua maior força. A outra questão é, por que essa atividade começou, e por que está dirigida a Harry? Uma vez que estamos lidando com algo que não é deste mundo, o único modo de descobrir o que é que temos aqui e o porquê é por meio de uma investigação parapsíquica.

"O padre e a médium que estiveram aqui tinham boa intenção, mas não tinham conhecimento. Eram incapazes de identificar o que estava causando esses problemas. O importante é isso. Não se pode operar uma pessoa a menos que se saiba o que deve ser operado. Não é simplesmente pegar um bisturi e abrir alguém só porque a pessoa tem dor de estômago. É necessário saber o que fazer e por quê. É isso que temos de descobrir agora.

"Para fazer isso, precisamos de um médium. Por sorte, justo hoje tenho uma comigo. A mediunidade de Lorraine foi verificada, confirmada e categorizada na UCLA. A ciência faz isso, hoje em dia. Ela ajuda a separar quem tem habilidades parapsíquicas confiáveis dos malucos ou oportunistas. Lorraine pode ser maluca por ter se casado comigo, mas sua mediunidade é real. Acho que precisamos estudar melhor a situação de vocês porque, infelizmente, creio que seu visitante indesejável ainda vai continuar agindo."

"Ah, concordo. Tenho tido essa sensação ruim ultimamente", comentou Ann.

Lorraine acrescentou:

"Vejam, o problema nunca foi solucionado, na verdade. Ele nunca foi identificado ou corrigido. Apenas foi suspenso temporariamente ou contornado."

Virei-me para Harry e perguntei:

"Pode ser desconfortável, mas você acha que seria capaz de voltar agora para sua casa, conosco?"

"Não, não, não quero chegar perto daquele lugar!", ele exclamou.

Expliquei que seria mais fácil para Lorraine sentir o espírito com Harry e John por perto, porque a entidade por algum motivo já era atraída por eles.

Sarah tentou convencer Harry.

"Todos nós vamos com você. Não vai ser só você, todo mundo... todos nós."

Harry resistiu.

"Não, não quero ir. Posso ficar encharcado. Não quero entrar na casa."

"Cinco minutos", insistiu Ken, "só isso. Vamos estar todos lá. Então você pode mostrar a eles o teto e tudo o mais."

"Vocês podem mostrar o teto a eles." Harry estava irredutível. "Não, eu não quero ir. Não, eu não vou."

"Ok, seu pai não quer ir", falei. "Ele está mesmo com medo. Ele tem 84 anos de idade, e poderia ter um ataque do coração. John, você estaria a fim de ir conosco?"

"Acho que sim", ele disse, com pouco entusiasmo. "O que vocês vão fazer?"

"Lorraine vai tentar entrar em contato com o espírito e descobrir por que ele está perturbado, e o que quer. Dependendo do que é e o que quer, Lorraine pode ser capaz de convencê-lo a partir. Senão, podemos recomendar ou organizar outras ações para tentar resolver esse problema para sua família. Você está disposto a nos ajudar?"

"Tudo bem", respondeu John, os olhos arregalados como dois pires em meio ao rosto subitamente pálido.

"Ótimo!" Coloquei a mão no bolso e tirei de lá um monte de medalhas religiosas. "Eu sei que vocês não são católicos, mas sou o que é conhecido como um demonologista religioso. Isso não faz de mim um líder religioso de qualquer tipo. O que tenho observado é que, se uma entidade muito má estiver envolvida, a ciência nunca é capaz de aliviar a situação. Apenas rituais religiosos parecem ter alguma chance de sucesso. Não importa qual religião, mas sim a intensidade da fé da pessoa que investiga. Essas medalhas foram benzidas com um ritual de exorcismo e contêm inscrições com preces contra o mal.

"Por favor, peguem uma dessas medalhas e segurem-na na mão. Não é tanto a sua crença que importa, mas a crença que Lorraine e eu temos. É isso que funciona para nós, e essa é a melhor forma que conhecemos de proteger vocês. Ainda não sabemos o que temos aqui, mas é melhor sermos precavidos."

Todos nos pusemos de pé e cada um pegou uma medalha. Exceto por Harry, colocamos nossos casacos e pegamos guarda-chuvas. Ficamos encharcados só de atravessar correndo a rua debaixo da chuva torrencial. Se alguém nos visse, indo em bloco de uma casa a outra, acharia estar vendo alguma espécie bizarra de treinamento chinês contra incêndios.

Impressões parapsíquicas de Lorraine

Ken abriu a porta da minúscula casa de Harry e nos fez entrar. Estava seca, mas o ambiente não estava muito mais quente do que o tempo inclemente lá fora. Uma vez mais, preparei meu gravador. Então expliquei o que aconteceria.

"Com sua autorização, Lorraine vai percorrer a casa para ver que impressões parapsíquicas vai receber – se é que vai receber alguma. Se sentir algo, ela pode se dispor a entrar em um leve transe, para tentar estabelecer comunicação e descobrir o que é essa entidade, e por que está causando essas perturbações."

"Antes de começarmos, posso perguntar algo?", interrompeu Ken.

"Claro", disse eu.

"Sempre senti um frio incomum nesta casa. Quer dizer, o casaco que estou usando aguenta 20 graus centígrados negativos, e estou praticamente congelando. Acho que está mais quente lá fora do que aqui dentro. Isso é algo esperado?"

"Se existe algum tipo de fantasma ou de espírito aqui, ele pode estar drenando energia de nosso calor corporal. É por isso que algumas pessoas podem sentir pontos frios em casas assombradas e ainda assim não ver diferença na temperatura marcada nos termostatos. A casa pode estar na verdade mais quente do que nos parece."

Lorraine saiu com nossos investigadores para explorar os outros cômodos. O resto de nós foi até a cozinha para estudar as manchas de água no teto, e ficamos todos amontoados no pequeno aposento, falando sobre os feriados que se aproximavam.

Poucos instantes depois, Lorraine veio até a cozinha com os investigadores logo atrás.

"Está me seguindo até aqui", anunciou.

"O que está seguindo você?", perguntei.

"Bom, não tenho certeza, querido", ela disse. "Na área do quarto de dormir a sensação não era tão forte. Mas na sala se estar e no vestíbulo... é bem poderoso."

"Existe algo aqui na casa?", perguntei.

"Ah, sim, algo ainda está na casa. A sensação é de uma tremenda agressividade, violência. Aqui na cozinha, é como se eu estivesse no meio de uma discussão. As pessoas estão discutindo, brigando e gritando umas com as outras."

"Isso faria algum sentido nesta casa?", perguntei à família.

"O pai e a mãe de Ken brigavam quase sem parar", respondeu Sarah. "Não eram brigas de fato, mas eles eram críticos, discutiam e agrediam um ao outro por tudo. A relação deles era assim desde que os conheci."

Lorraine prosseguiu.

"Se o avô, Harry, voltasse outra vez para cá, ele daria energia ao que está aqui. A mesma coisa voltaria a acontecer. Esta coisa parece segui-lo daqui até a outra casa. Mas ela está aqui. Está aqui, agora... especialmente na sala. A sala de estar e o vestíbulo parecem ser os pontos focais. Não sinto nada na área do quarto... absolutamente nada."

"Certo", disse eu. "Vamos voltar ao lugar onde você estava."

Todos nós fomos para a pequena sala de estar. Ao passarmos de um cômodo a outro, um de nossos investigadores disse:

"Acho que caiu uma gota na minha cabeça."

O outro investigador indicou a água que momentos antes não estava sobre a mesa de centro. De repente, o mesmo investigador disse:

"Estou sentindo... meu corpo está muito frio neste momento. Não sei o que estou sentindo. O frio está subindo por minhas pernas. Inacreditável!"

De repente ele estremeceu de novo.

"Você sentiu de novo?", perguntei.

"Sim", confirmou ele.

Estávamos todos amontoados na sala de estar, com nossos casacos de inverno, ainda úmidos da chuva que caía lá fora. Lorraine tinha o adolescente John a seu lado. Ela ficou imóvel, baixou o olhar e se concentrou, entrelaçando as mãos. Parecia estar orando. E estava. Em voz baixa, Lorraine e eu rezamos juntos a oração de São Miguel, para proteger do mal todos ali presentes.

Depois de um breve momento, Lorraine falou:

"A esposa de Harry está aqui", ela anunciou, "mas apenas por estar preocupada com o estado mental do marido. Não é ela que está causando as perturbações. Ela fez a passagem e voltou a este plano para ajudar.

"Há alguém mais. Ele também fez a passagem, mas tem muitos poderes. Está bastante irritado. Em vida, era um índio guerreiro. Ele caiu na água quando criança e voltou à superfície rindo. Seu nome é Queda-d'Água. Ele gosta de brincar na água e de molhar os outros. A tribo à qual ele pertence é muito ligada à terra. Eles não são nômades, como outras tribos. Em vez disso, ficam e trabalham a terra, e caçam a partir daqui. Por gerações têm protegido esta terra, e ainda o fazem.

"Havia um grande grupo de árvores – pinheiros. Elas foram cortadas. Este guerreiro está furioso por causa disso. Está bravo com Harry por ter cortado as árvores e por queimar a madeira delas no fogão a lenha." Lorraine perguntou ao espírito, "O que podemos fazer para corrigir isso?". Ela esperou e então disse, "Ele falou que devem ser plantadas novas árvores. Ele está partindo agora, mas estará sempre observando. A menos que isso seja feito, ele voltará, e ainda mais furioso".

O peso e o frio do ar pareceram diminuir um pouco quando Lorraine saiu de seu transe leve.

"Isso faz algum sentido para algum de vocês?", perguntou à família.

Eles se entreolhavam com expressões de surpresa e espanto.

"Uau, é incrível, e nunca sequer pensamos... Sim, faz sentido", respondeu Ken. "A companhia elétrica ficou atrás de papai, para que ele cortasse a fileira de pinheiros que estava embaixo da rede elétrica. Minha mãe amava a natureza e não queria nem ouvir falar disso. Essa era uma das coisas pelas quais eles ficavam brigando. Quando ela foi hospitalizada, papai foi em frente e, com a ajuda de John, cortou as árvores. Eu lhe disse que a lenha de pinho não é o melhor combustível para o fogão, mas ele calculou que não teria que comprar lenha por alguns anos. Imaginamos que ele precisava apenas de alguma coisa para não pensar em mamãe."

"É aquela fileira de tocos que vimos nos fundos da casa?", perguntei.

"Isso mesmo."

Ann riu e comentou:

"Isso com certeza explicaria os períodos em que havia atividade da água... e a dificuldade que papai e eu enfrentávamos para manter nossos fogões acesos. Acho que também explica a água. Que bom que o índio não se chamava Incendiário ou Atirador de Pedras!"

Rimos, concordando, e John disse:

"Da vez em que ele nos seguiu até o bosque, estávamos partindo as árvores cortadas, para fazer lenha."

"E imagino que esse espírito queria proteger minha sogra quando estávamos levando embora as coisas dela, porque ela protegia as árvores."

"Então, como veem, existe uma explicação lógica!", disse eu. "Nós, humanos, só precisamos olhar para fora desta dimensão para encontrar essa explicação. A boa notícia é que esse espírito não deseja possuir ou destruir vocês. Ele está querendo a restituição das árvores. Vocês podem plantar novas árvores naquele lugar na primavera? Se foram mudas pequenas, pode demorar uma ou duas gerações antes de voltarem a interferir com a fiação."

"Quem sabe devemos deixar um aviso para as gerações futuras", sugeriu Sarah, meio de brincadeira.

"Pode ser uma boa ideia", eu disse, sorrindo. "Voltaremos a entrar em contato com vocês na primavera, para ver o que aconteceu. Até lá, você acha que esse pessoal será incomodado de novo, Lorraine?"

"O espírito estava bravo por causa das árvores e por não ser ouvido ou compreendido. Por causa disso a situação foi se agravando. Vocês não eram os únicos que estavam frustrados! Agora que sabe que a mensagem foi recebida, creio que ele vai esperar para ver o que acontecerá. Ou talvez não. Eu recomendaria que vocês plantassem as árvores o mais rápido possível."

"Acho que vai demorar mais ou menos um ano até que tenhamos certeza de ter encontrado a causa e a solução", observou Sarah.

"Receio que sim", eu disse. "Lembrem-se, os espíritos literalmente têm todo o tempo do mundo deles e do nosso. Vocês podem nos chamar se as coisas continuarem ou piorarem. Talvez ainda haja outro espírito aqui tentando tirar vantagem de toda a ira e medo. Não acreditamos que exista, mas nunca se sabe."

Ficamos ainda algum tempo batendo papo enquanto eu mandava os investigadores aquecerem o carro e limparem os vidros. A idade tem seus privilégios. Quando eles fizeram sinal de que o carro estava pronto, interrompi uma conversa que Lorraine estava terminando, para fazer uma pergunta.

"Onde há um bom lugar por aqui para comer?"

Conseguimos as indicações e partimos.

Epílogo

Não tivemos notícias dos Bentley durante todo o inverno. Em maio, ligamos para eles. Harry havia ficado na casa da filha durante toda a temporada de neve. Exceto por uns poucos esguichos, não houve mais água nem violência em nenhuma das duas casas. Quando falamos com eles, os Bentley tinham acabado de plantar uma fileira de mudas perto de onde os grandes pinheiros ficavam. Harry estava voltando para sua própria casa, mas tinha mais confiança na estação de calor do que na proteção dada pelas novas árvores.

No fim das contas, Lorraine e eu temos um amigo em comum com os Bentley. Foi por meio desse conhecido que, anos mais tarde, soubemos que os Bentley nunca mais tiveram qualquer perturbação inexplicável. O fantasma de Queda-d'Água aparentemente foi pacificado por nosso contato e pelas árvores plantadas. Uma vez mais, tanto o mundo natural quanto o mundo sobrenatural estavam em paz na propriedade dos Bentley.

Este caso também nos lembra de como estamos interconectados com a natureza e, tanto os vivos quanto os mortos, com o passado e com o presente.

Seção III

O mal: a besta ou comportamento?

Uma vez mais, Ed e Lorraine estavam diante de um grupo eclético de estudantes do paranormal. A atenção de todos estava voltada para Lorraine, que deu início à noite com a oração de São Miguel Arcanjo, uma prece católica para a proteção contra o mal. Ela então fez uma introdução ao assunto da noite.

"Esta noite vamos falar sobre um assunto controvertido no campo da pesquisa paranormal. Até mesmo os líderes religiosos de hoje o estão varrendo para debaixo do tapete, e a ciência gosta de considerar como bobagem todo esse tópico. Mas não se trata de bobagem. O demonologista aqui é Ed, não eu. Ele vai contar a história religiosa e em seguida dizer como podem identificar os fenômenos malignos e o que fazer a respeito."

Ed assumiu a palavra.

"O que fazer a respeito é fácil. Corram o mais rápido que puderem, na direção oposta! Na verdade, isso nunca é suficiente, porque o mal pode nos seguir. Nunca será possível correr rápido o suficiente ou para longe o bastante. Como acontece com todas as forças destrutivas, a melhor defesa é evitar e prevenir. Mais tarde vamos falar de tudo isso. Por ora, eu gostaria de começar com o que a religião nos diz acerca das forças das trevas.

"De acordo com a história bíblica, o arcanjo Lúcifer foi expulso do Céu devido a uma insolência e uma arrogância desmesuradas. Um terço das hostes angelicais deixou os coros celestiais para se tornar parte das legiões diabólicas de Satanás – com os demônios sendo mais poderosos que os diabos.

O termo grego *Daimon* refere-se a todos os espíritos com poder divino. Na Bíblia, porém, o termo 'demônio' refere-se a espíritos malignos, enquanto 'anjo' – ou mensageiro – refere-se aos espíritos do bem.

"O 'satanismo' tem suas raízes no início da cristandade. Enquanto o cristianismo crescia em poder, ele impunha mais e mais regras sobre seus seguidores. O movimento do 'anticristo' teve início como uma revolta contra a Igreja. Os rituais cristãos eram parodiados. O Pai-Nosso era dito de trás para a frente, o crucifixo era pendurado de cabeça para baixo, eram usadas velas pretas e uma Missa Negra era celebrada.[11] Aqueles que hoje veneram Satanás seguem muitos dos mesmos rituais. Independentemente do que façam, de como fazem e mesmo o porquê disso, eles estão convidando o mal para entrar em suas vidas. E se o mal é convidado, ele vem. Só que não irá embora assim tão fácil."

Lorraine prosseguiu.

"Assim, serão os diabos e demônios reais? De acordo com uma pesquisa Gallup feita em maio de 2001, 57% dos norte-americanos com 18 anos ou mais acreditam na possessão demoníaca ou pelo menos têm alguma dúvida quanto à essa possibilidade.

"Publicada no *L'Osservatore Romano* em 23 de novembro de 1972, eis uma citação do papa Paulo VI, dirigindo-se a uma audiência geral poucos dias antes, em 15 de novembro de 1972. 'Quais são as maiores necessidades da Igreja hoje em dia? Que nossa resposta não lhes pareça simplista, ou mesmo supersticiosa ou irreal. Uma das maiores necessidades é a defesa contra aquele mal a que chamamos de demônio. [...] O mal não é apenas uma falta de algo, mas um agente ativo, um ser espiritual vivo, pervertido e perversor...'"

"Em janeiro de 1975, uma conferência a portas fechadas, somente para convidados, foi realizada na University of Notre Dame, nos Estados Unidos", acrescentou Ed. "O tema era 'Um simpósio teológico, psicológico e médico dos fenômenos rotulados como demoníacos'. Os 24 trabalhos acadêmicos apresentados confirmavam a austera realidade da opressão e da possessão diabólicas.[12]

"Os sociólogos afirmam que muitos indivíduos são levados ao comportamento vil por seu ambiente e pelas circunstâncias. Os demonologistas alertam que essas mesmas situações atraem e convidam os espíritos do mal. Psiquiatras e psicólogos argumentam que, em vez de 'possessão maligna', muitos indivíduos têm um desequilíbrio químico ou outro transtorno mental. No entanto, mesmo esses especialistas admitem que há alguns casos que desafiam o diagnóstico ou a solução clínica.

"Os médicos podem identificar transtornos de personalidades múltiplas, esquizofrenia e personalidades bipolares. Mas não conhecem nenhum transtorno mental ou físico que desencadeie mudanças físicas drásticas e abruptas, ou o desenvolvimento espontâneo de habilidades incomuns. Durante a exploração de atividades poltergeists, a ciência tem sido capaz, em muitos casos, de relacionar a atividade telecinética a problemas emocionais. As exceções são infrequentes, mas profissionais científicos admitem que o alívio ou a resolução, nesses raros casos, só são obtidos com intervenções religiosas... independentemente das crenças religiosas da vítima – ou da falta delas.

"Em seu livro de 1980, *Minds in Many Pieces*, o psiquiatra Ralph Allison revelou que seus pacientes, sobretudo com transtorno de personalidades múltiplas, podem beneficiar-se do exorcismo tanto quanto do tratamento convencional."[13] Ed interrompeu-se e estendeu a mão para pegar o copo alto de refrigerante *diet* que Lorraine havia colocado à frente dele.

Lorraine aproveitou a oportunidade para dirigir-se ao grupo.

"O dilema quanto ao mal é que ele é um mestre da trapaça e da desinformação. Ele se aproveita do fato de que os outros não querem se envolver. Ele viceja à base do medo e da confusão. Seja humano ou não, o mal se alimenta da ignorância e da confiança dos outros. Ele busca o controle completo, e se compraz em usar seu poder para causar dano.

"Podemos achar graça de pessoas que são rápidas em culpar 'o demônio' por seus gestos egoístas – como o personagem criado pelo comediante Flip Wilson, que se lamentava: 'O diabo me fez fazer isso'. Mas não tem graça quando pessoas que julgávamos conhecer de repente se revelam assustadoras e homicidas... sem um motivo físico ou psicológico. Não tem graça se é você quem se sente oprimido, derrotado ou violado por algo maldoso, poderoso e... invisível.

"Desde que a história começou a ser registrada, sacerdotes, rabinos, lamas, xamãs, feiticeiros, médicos, videntes e psiquiatras têm sido consultados para remover pensamentos e energia negativos, que parecem ser independentes do indivíduo. Já no século primeiro da Era Cristã, a literatura rabínica menciona rituais de exorcismo."

Ed ofereceu um assento a Lorraine e retomou a palavra.

"O termo grego *exousia* significa 'juramento'. O exorcismo invoca um poder superior para forçar o poder maligno a aceitar um juramento contrário a seus desejos. No catolicismo, o rito formal de exorcismo é conhecido como 'Rituale Romanum'. Seu texto foi autorizado pelo papa Paulo V no início do século XVII, e pode ser aplicado apenas a pessoas, não a lugares.

"No entanto, o sacerdote anglicano reverendo J. C. Neil-Smith, de Hampstead, Inglaterra, alega ter executado 800 exorcismos bem-sucedidos, tanto de lugares quanto de pessoas.[14] O reverendo Neil-Smith sente – e os Warren concordam firmemente – que o sucesso do exorcismo depende da fé, da motivação e da convicção do exorcista."

"Dos mais de 3 mil casos paranormais que Ed e eu investigamos ao longo de mais de cinquenta anos, o exorcismo foi útil em quase 600", disse Lorraine. "Procuramos ajudar gente de todas as fés religiosas, mas nós próprios somos católicos e, antes de recomendar um exorcismo, buscamos os mesmos indícios que a igreja católica busca. É isso que faz de Ed um demonologista religioso leigo. Embora não seja um padre ou ministro, ele crê no poder de Deus e busca validar os fenômenos com base nas normas probatórias da nossa religião em particular. Estas incluem levitação, força sobre-humana, falar em um idioma não conhecido anteriormente e um desconforto físico com palavras, rituais e objetos religiosos."

"O exorcismo em si é uma atividade perigosa e desagradável", Ed explicou. "Ondas de calor e de frio enchem o aposento. Objetos são lançados de um lado a outro. Sem que seja tocado por algo ou por alguém, o indivíduo possuído com frequência sente dores, acompanhadas de contorções físicas inacreditáveis e espasmos. Manifesta ruídos corporais desagradáveis, diarreia, cusparadas, vômitos e cortes espontâneos. A vítima profere séries de palavras sujas e imprecações. O exorcismo revela o que estava acontecendo com a pessoa sob o controle astuto e em geral mais discreto da força maligna.

"A igreja católica considera o exorcismo tão confidencial quanto a confissão, e abomina qualquer publicidade. As autoridades muitas vezes são forçadas a tachar de fraudes os fenômenos malignos. A alternativa seria causar pânico ou atrair uma atenção implacável para uma determinada casa ou comunidade. Mesmo aqueles que executam o exorcismo, ou são testemunhas diretas dos eventos violentos e bizarros, recorrem à 'solução da fraude' para evitar o ridículo ou a atenção. Tais ações, claro, tornam ainda mais difícil separar a realidade da ficção."

"Entidades malignas são engenhosas, inteligentes e desonestas", acrescentou Lorraine. "Com frequência representam a si mesmas como sendo algo que não são. Como alguém com quem você poderia simpatizar... ou até alguém que você conhece.

"Por exemplo, duas enfermeiras tinham uma boneca de pano que desenvolveu a capacidade de mover-se e falar por si só (esta foi a primeira pista de que algo não estava certo, mesmo para uma atividade paranormal). Foi dito a elas que a boneca tinha sido possuída pelo espírito de uma garotinha morta em um acidente de carro na rua delas. Elas descobriram que, de fato, uma garotinha havia morrido ali, e começaram a chamar a boneca pelo nome da garota, Annabelle (o mal usou para seus próprios fins o conhecimento sobrenatural que tinha dessa informação).

"As enfermeiras começaram a tratar a boneca como se fosse uma criança, 'convidando-a' a tornar-se parte de suas vidas. Quando ocorreram agressões físicas como resultado da oposição de um namorado à boneca, os Warren foram chamados para investigar o caso. Eles confiscaram a boneca, mas antes que pudesse ser colocada fora de alcance, atrás de uma vitrine no Museu do Ocultismo deles, ela foi responsável pela aposentadoria precoce de um policial, por um acidente de carro quase fatal sofrido por um sacerdote e pela morte de um jovem."[15]

"Já capturamos em filme muitas assombrações horrendas, bem como em fitas de áudio e de vídeo", Ed prosseguiu. "O material documenta pancadas, vozes incorpóreas, objetos grandes e pequenos movendo-se sozinhos e até a experiência traumática de um exorcismo real. Estamos dispostos a escrever e a falar sobre tais experiências porque sentimos que as pessoas devem estar cientes e ser alertadas de antemão. Lorraine e eu não temos nada a provar, apenas a relatar. Nosso objetivo não é assustar, mas informar. Após mais de cinco décadas de observação, entrevistas e pesquisa, estamos completamente convencidos de que o mal existe. Por mais poderosos que sejam, porém, esses espíritos demoníacos têm vulnerabilidades e seguem padrões previsíveis."

Lorraine começou:

"O primeiro passo no processo demoníaco é a **atração**... também conhecido como aproximação ou convite. Compreensivelmente, somos chamados para investigar somente depois que eventos violentos começam a acontecer. O que precede os eventos perturbadores pode indicar se o fenômeno é perigoso. Um ato violento ou perverso que ocorreu algum tempo antes no local pode provocar o evento ou ter sido atraído para ele. Se houve a prática de bruxaria ou magia negra, o mal foi encorajado. Se um tabuleiro Ouija, uma sessão com espíritos ou cartas de tarô foram utilizados, o mal pode sentir que foi convidado... mesmo que não tenha sido essa a intenção. E, em casos extremamente raros, os bons e devotos podem ser 'escolhidos' para um ataque diabólico, como um desafio à comunidade religiosa e a Deus. Dar reconhecimento, não intencional, a um objeto inanimado infestado pelo mal também é um convite para problemas, como no caso da boneca de pano."

Ed apresentou o estágio seguinte.

"O segundo passo é a chamada **infestação**. Sons como pancadas e passos, junto com objetos que se movem sozinhos e cheiros misteriosos, começam a ocorrer. Objetos inanimados e até animais parecem começar a falar. (Mas eles não falam de fato. O demônio só faz parecer isso.) No início, geralmente um só membro da família ou um animal de estimação testemunha essas coisas. Tais eventos estranhos não acontecerão quando alguém de fora estiver presente, mas podem piorar depois que o estranho for embora – sobretudo se a pessoa era um padre ou ministro. As pessoas sentem que 'algo' está tentando assustá-las ou enlouquecê-las (pessoas que têm em casa fantasmas presos à Terra podem passar a sentir-se nervosas e desconfortáveis, mas não demonstram o mesmo terror ou pânico). Há certos padrões nessas manifestações nos que permitem determinar melhor sua legitimidade. Hora do dia, número de batidas, tipo de cheiros e outros indicativos são pistas para o investigador experiente."

"O terceiro passo é a chamada fase de **opressão**", prosseguiu Lorraine. "A temperatura do ar pode mudar, e sons e atividades perturbadores podem aumentar, tornando difíceis o sono e a paz de espírito. Muitas pessoas na casa podem ser afetadas em graus variados. Ainda, membros da família ficam menos motivados a deixar a casa, apesar do desconforto. Há mais chance de movimento espontâneo de objetos grandes. Podem ocorrer teletransportações.

Isso ocorre quando objetos desaparecem e em seguida reaparecem em outro lugar, aparentemente do nada. Levitações e ataques físicos podem ter início. Quanto mais fracas e assustadas se tornam as vítimas, mais fortes e mais frequentes se tornam os fenômenos, ocorrendo até diante de pessoas de fora. Tais fenômenos com frequência são tachados, pelos investigadores que os testemunham, como atividades 'poltergeists'. Depois de descartar uma fraude, telecinese, um espírito inquieto preso à Terra ou um espírito zangado, só resta a presença do mal."

Ed retomou, dando sequência.

"O quarto passo é a **possessão**. Esta ocorre mais cedo se é procurada por meio de magia negra ou se for especificamente conjurada por praticantes de magia negra para controlar outras pessoas. De qualquer forma, o corpo físico de uma pessoa é temporariamente tomado por outra entidade. Ataques físicos invisíveis, levitação e a fala com voz muito diferente ou num idioma desconhecido podem ocorrer. A aparência física da vítima pode mudar, até mesmo a estrutura óssea e a cor dos olhos. A pessoa possuída de repente começa a fazer coisas que nunca fez antes, como demonstrar força sobre-humana e capacidades atléticas. Ao mesmo tempo, de forma igualmente repentina torna-se incapaz de fazer coisas que sempre fez, como encontrar o caminho para casa, dirigir ou mesmo sentar-se. Seu comportamento muda drasticamente, e pode incluir imprecações e atividades obscenas, que não são apenas brincadeiras casuais ou momentos espontâneos. Ela começa a falar sobre fazer mal a si mesma e àqueles a quem costumava amar, e chega a dar início a tal coisa.

"O passo final é a **morte**. A vítima comete suicídio, um assassinato ou ambos. Há também o risco de que a vítima – e aqueles que a ajudam – possa morrer numa tentativa de exorcismo. Depois que o mal ganha força, sua intenção é destruir quantas pessoas puder, bem como seu hospedeiro. Por quê? O mal se regozija com a morte. Seu objetivo é destruir as criações de Deus. No entanto, ele precisa que nós o façamos. Ele precisa que o convidemos para entrar em nossas vidas."

Ed pegou um jornal e o ergueu.

"Em abril de 2000, o *New York Times* fez o perfil de 102 assassinos envolvidos em assassinatos em massa, ao longo de um período de cinquenta anos, e descobriu: 'Eles dão montes de avisos e até dizem explicitamente às pessoas o que planejam fazer. Depois da violência, não tentam fugir. Metade deles vira a arma contra si mesma ou é morta a tiros por outras pessoas. Eles não apenas querem matar, também querem morrer'.[16] O estudo do *The Times* admitiu que praticamente todos os assassinos demonstraram sérios 'problemas de saúde mental'. Também foi observado que as mortes nessas chacinas estão aumentando, enquanto outros tipos de assassinatos estão diminuindo.

"Se o *bullying* e expectativas maiores no mundo mais impessoal de hoje em dia são o que desencadeia essa tendência alarmante, o mal também pode ser um fator. O demoníaco é atraído pela raiva e pela frustração e pelo comportamento autodestrutivo que envolve drogas e álcool. Ele se alimenta do medo. Aqueles que se sentem encurralados ou cometem abusos contra si mesmos podem sem perceber convidar para dentro de sua vida mais do que outras pessoas de características semelhantes."

Lorraine assentiu com a cabeça.

"Como clarividente capaz de ver auras, posso lhes dizer que a aura de uma pessoa possuída é muito parecida com a de alguém com um vício forte", disse. "Em ambos os casos, o indivíduo renunciou ao livre-arbítrio. Ironicamente, a crença no mal – e uma melhor compreensão do que ele é – pode resultar em um bem maior. Com um melhor entendimento do poder do 'livre-arbítrio' humano, a humanidade talvez esteja menos propensa a culpar Deus, o destino ou os outros por seu próprio comportamento e sua tolerância aos maus-tratos."

"Já foi demonstrado que o *bullying* só sobrevive quando a maioria que não é vitimada por ele olha para o outro lado", acrescentou Ed. "Em escolas onde as crianças são estimuladas a censurar o *bullying*, independentemente de quem é a vítima, o problema praticamente desaparece.[17] Lembrem-se de que o mal gosta de isolar suas vítimas. Se todo mundo o ignora, o *bullying* pode prosperar e o mal tem uma oportunidade para assumir o controle.

"Uma verdade surpreendente da mente humana é que, se temos a expectativa de encontrar o prazer, nós o encontramos. E se alimentamos a mente com trivialidades e violência, então as trivialidades e a violência vão aparecer à janela de nossa vida. Schroeder, em seu livro *Hidden Face of God*, nos diz que a física quântica revela que 'parece' haver uma força subjacente e um poder inteligente por trás de toda a matéria e a energia... levando a crescimento, complexidade e diversidade. Qualquer coisa que atue contra isso na natureza – bem como nas sociedades – tende a ter uma vida relativamente curta.

"Em seu livro, *O Pavilhão dos Cancerosos*, Soljenítsin propôs 'que a questão de transpor qualquer fronteira não seria quanto a ação nos enriquece, nos fortalece ou aumenta nosso prestígio, mas apenas: até que ponto ela é moral?' Mais tarde, ele acrescentou, 'O animal selvagem devorando sua presa é feliz, mas apenas os humanos podem amar, e esta é a coisa mais elevada que o homem pode alcançar'.[18] É isso que a religião vem tentando nos dizer há séculos – com a ressalva de que a pessoa siga todas as leis, regras e rituais de uma religião específica, afastando ou atacando quem fizer diferente. Historicamente, as guerras religiosas têm sido as mais cruéis e as mais sangrentas."

"O mal, claro, adora essa ironia, e pode ser crucial na deturpação da mensagem de amor... distorcendo-a e transformando-a numa mensagem de violência e controle", prosseguiu Lorraine. "De acordo com o que se observou ao longo das eras, e com base em nossa própria experiência, o mal é extremamente oportunista, mas requer um convite e o reconhecimento por parte de suas vítimas. É um mestre da trapaça e dá seus primeiros passos quando ninguém está olhando, minando assim a credibilidade da vítima. Ele adquire cada vez mais confiança e controle, até acumular poder suficiente para destruir.

"O mal precisa que suas vítimas sejam fracas e que outros a ignorem, para conseguir ganhar controle. E ele necessita controlar nossos corpos para fazer seu trabalho sujo, destruindo o hospedeiro durante o processo. A única vulnerabilidade verdadeira do mal é a intervenção religiosa devotada daqueles motivados pelo amor, com uma fé firme em um poder superior e o desejo sincero de ajudar. Aqueles que são motivados pela cobiça, pela sede de atenção ou outras obsessões carnais não vão ludibriar ou assustar o demônio."

"Até prova em contrário, a negação cega e obstinada da existência do mal como um poder separado pode ser perigosa", reiterou Ed. "Ressaltamos que, se alguém que não crê em anjos ou em Deus fizer experimentos com preces, o único risco é ter uma surpresa agradável. No entanto, se alguém que não crê no mal e nos demônios faz experimentos com bruxaria e magia negra, o risco é uma vida destruída."

Lorraine confirmou:

"Os casos de maior dano físico e emocional que investigamos resultam do uso de tabuleiros Ouija, cartas de tarô, sessões mediúnicas ou consultas com videntes inexperientes e mal informados. Tais ferramentas 'abrem portas' a entidades tanto benignas quanto maléficas. Se uma entidade maligna responde a um 'convite', ela não vai se retirar até conseguir o que deseja ou ser exorcizada com êxito.

"Ed e eu e outros investigadores aconselhamos que você confie em seus 'instintos' e no bom senso. Se alguma coisa faz você se sentir desconfortável, evite. Não importa se é uma atividade, lugar ou objeto inanimado. Acautele-se também quanto a qualquer objeto inanimado que pareça adquirir vida ou inteligência próprias. Pesquisadores fidedignos concordam que um espírito humano jamais tomará residência em um objeto inanimado. Até J. K. Rowling, em sua série *Harry Potter*, alertou: 'Nunca confie em nada que possa pensar por si só, se você não conseguir ver onde fica seu cérebro'."[19]

"Tenham cautela quando buscarem ajuda espiritual ou parapsíquica", alertou Ed. "A ignorância e a inexperiência podem tornar as coisas piores, muito piores. É importante saber de que tipo de 'espírito' se trata quando ocorre uma atividade paranormal. O fato de alguém ter uma crença religiosa ou mediunidade não significa que essa pessoa compreenda todas suas possibilidades e ramificações. A intervenção religiosa provavelmente vai provocar quaisquer forças negativas que possam estar presentes... assim que você estiver sozinho. Um clarividente sem experiência pode ser capaz de descrever a pele de cordeiro, mas não o lobo que espreita por baixo dela.

"Protejam-se sempre com as preces. Não deixem que eventuais dúvidas acerca de dogmas religiosos permitam ao mal fazer você de tolo. Como escreveu Lydia M. Child, em seu livro *Letters from New York* (1852): 'É muito nobre lutar contra a maldade e o errado. O erro está em supor que o mal espiritual pode ser vencido por meios físicos'.

"E, como gosto de dizer, 'Você pode não acreditar em Deus, mas o diabo acredita'. As entidades do mal existem? Analisemos os casos a seguir e deixarei que você decida por si mesmo."

- **Estudo de Caso Nº 5** – Amityville: farsa ou horror
  Ed e Lorraine foram os únicos investigadores de fenômenos paranormais convidados para entrar na casa dos Lutz pouco depois que estes fugiram aterrorizados. Desde então, este tem sido o caso mais famoso dos Warren, mesmo não sendo o mais horrendo. Uma entrevista com George Lutz esclarece discrepâncias e revela novas informações.

- **Estudo de Caso Nº 6** – Assombrada pelo mal
  Uma mulher conta como é lutar contra um inimigo invisível. Os Warren observam que aspectos eles analisam para determinar a credibilidade e quais são os padrões que causam preocupação.

- **Estudo de Caso Nº 7** – Como alguém que está possuído
  Depois de uma viagem rotineira de negócios, um homem passa por alterações drásticas, tanto físicas quanto de personalidade. Sua esposa relata tais mudanças enquanto procura ajuda médica, psicológica, paranormal e espiritual.

Estudo de Caso Nº 5

Amityville: farsa ou horror

O caso de Amityville agora é de conhecimento público. O relato a seguir foi baseado na transcrição de uma entrevista entre Ed Warren (com Lorraine) e George Lutz, feita por telefone.

Ed dá o histórico do caso

Em 13 de novembro de 1974, por volta de 3h30 da manhã, minha mãe faleceu. Tendo superado o alcoolismo e o câncer décadas antes, a morte dela foi súbita e inesperada. Lorraine e eu estávamos viajando naquele momento, para dar uma palestra.

Também em 13 de novembro de 1974, por volta de 3h30 da manhã, Ronald DeFeo pai, sua esposa Louise e seus filhos Dawn, Allison, Mark e John-Matthew foram mortos a tiros com um rifle de alta potência, em sua casa em Amityville, Long Island. O único sobrevivente foi Ronald DeFeo Jr., que à época tinha pouco mais de 20 anos. Ele foi acusado pelos assassinatos e condenado.

A morte de minha mãe, em conjunção com esses trágicos assassinatos, é apenas uma das muitas "coincidências" que conectam o caso de Amityville conosco. Como Lorraine e eu estávamos viajando, e preocupados com a notícia da morte de minha mãe, não soubemos de imediato do horrível assassinato dos DeFeo. Só tomamos conhecimento dele no início de 1976, quando uma emissora de televisão de Nova York nos telefonou, pedindo que investigássemos uma casa em Long Island. Ela estaria tão assombrada que a família havia fugido aterrorizada.

Nós concordamos, mas apenas se tivéssemos a autorização dos proprietários. George Lutz encontrou-se conosco em um restaurante localizado a cerca de um quilômetro de distância da casa que ele e a família haviam abandonado apenas vinte dias antes. Ele se recusou a entrar na casa ou a me contar o que havia acontecido. Queria que víssemos por nós mesmos. Parecia genuinamente aterrorizado, mas também tinha certeza de que, o que quer que fosse, não era sua imaginação. Ele queria apenas investigadores do paranormal experientes e fidedignos, que teriam menor chance de sofrer algum tipo de dano e maior chance de compreender os fenômenos. Não obstante, ele e a família não tinham a intenção de voltar à casa ou de tirar nada de lá. Aquele homem havia visto mais do que um fantasma.

George e Kathy Lutz mudaram-se para o imóvel em Amityville em dezembro de 1975, empolgados com a possibilidade de oferecer uma boa casa (apesar de sua história trágica) a sua família e seu negócio. Estavam a par da história trágica da residência, mas aquilo apenas tornava o preço atraente demais para que deixassem passar a oportunidade de comprá-la. Era uma casa grande, em um bairro desejável, à beira-mar, com uma garagem para barcos e uma piscina. Era mais do que eles haviam sonhado, mas ainda estava bem dentro de seu orçamento. Era nessa casa que eles planejavam criar os filhos e se aposentar. Mas menos de um mês depois de se mudarem para lá, eles abandonaram a casa, deixando para trás todos seus pertences, bem como seu negócio. Poucos meses depois, afastaram-se da família e dos amigos e se mudaram para a Califórnia, colocando a maior distância possível entre eles e aquela casa.

O livro e o filme intitulados *Horror em Amityville** só criaram mais problemas. Eles atraíram caçadores de emoções e todo tipo de pseudoespecialistas. Houve quem tentasse lucrar em cima da notoriedade, enquanto a cidade tentava minimizá-la. Detalhes do livro e do filme foram esmiuçados e debatidos. Por fim, todos decidiram que o melhor era declarar que se tratava de uma "fraude". Apesar de terem perdido causas nos tribunais, com base em detalhes, George e Kathy Lutz sustentam que não foi uma fraude, e acreditamos neles.

---

* O livro (em inglês, *The Amityville Horror*), escrito por Jay Anson, foi publicado em 1977. O filme foi lançado em 1979, e teve um *remake* em 2005. (N. dos T.)

A imprensa e o público de nossas palestras nos indagavam constantemente sobre esse caso. Podíamos responder apenas com base em nossa experiência de ter investigado a casa em 1994. Não podíamos responder sobre os detalhes das experiências pelas quais Kathy e George haviam passado. Ainda, a notoriedade do caso fez surgir todo tipo de gente, afirmando ter investigado a casa. Era difícil determinar quem esteve envolvido de verdade e quem só desejava ter estado. De novo, apenas os donos da casa podiam confirmar as informações.

No dia e na hora combinados, conversei com George pelo telefone para ajudar a elucidar detalhes relativos ao caso. Lorraine e eu pegamos as extensões em nossa casa. Com autorização de George, gravamos toda a conversa.

"George", comecei, "este é um dos casos mais controvertidos que Lorraine e eu já investigamos. Nós com certeza estamos bastante atentos a ele."

Lorraine entrou na conversa:

"Temos algumas perguntas que gostaríamos de fazer sobre o que aconteceu em sua casa na Ocean Avenue, 112, em Amityville. São perguntas que o público sempre nos faz quando damos palestras."

Esclarecimentos quanto ao padre

De acordo com o livro *Horror em Amityville*, que Jay Anson escreveu com base nas pesquisas que ele mesmo realizou, o padre Ralph, um religioso católico, passou por eventos desagradáveis e estranhos como consequência de seu esforço em ajudar George e Kathy Lutz, abençoando a casa nova deles em Amityville. Mais tarde ele negou tudo. Em minha experiência, isso pode ter sido causado pela pressão da Igreja, que abomina publicidade de qualquer tipo, quanto mais toda a atenção que o caso atraiu.

"De acordo com o livro, enquanto o padre estava abençoando a casa, no dia em que vocês se mudaram, uma voz lhe disse para ir embora", disse Lorraine. "Mais alguém ouviu essa voz? Vocês estavam com ele? Ele poderia ter ouvido essa voz de forma parapsíquica... telepática?"

"Acho que ele provavelmente a ouviu de forma audível", respondeu George, "mas não sabemos de fato. Não estávamos com ele naquele momento. Ele nunca nos falou sobre isso. Ele nunca nos contou qualquer dos problemas que enfrentou depois de abençoar a casa."

"Você acha que foi porque ele não quis perturbar vocês com nada do que enfrentou como resultado de ter abençoado a casa?", perguntou Lorraine.

"Tudo que ele nos disse", respondeu George, "foi 'Eu agradeceria se vocês não usassem um dos quartos como quarto de dormir'. Dissemos a ele que planejávamos usar aquele cômodo em particular como sala de costura."

"Ele disse a vocês por que sentia que aquele quarto não deveria ser usado como quarto de dormir?", perguntou Lorraine.

"Ele disse que havia algo ali de que não gostava. Também nos pediu que deixássemos a porta do quarto fechada sempre que possível. Achamos meio estranho, mas concordamos e pensamos, 'Tudo bem, não é importante, só vamos usar o quarto para costurar'."

Quando Lorraine e eu investigamos a casa de Amityville antes, Lorraine havia detectado, com precisão, onde os corpos da família DeFeo haviam sido dispostos antes de serem levados para o necrotério. Lembre-se, não ficamos sabendo dos assassinatos na época em que aconteceram, e não tínhamos conhecimento prévio dos detalhes do caso. Durante nossa investigação, quando Lorraine subiu as escadas para examinar os andares de cima, sentiu uma força invisível. Ela disse que parecia estar abrindo caminho através da água. Ao entrar no quarto que os Lutz costumavam usar para costurar, exclamou, "Isto é o mais perto do inferno que eu quero chegar!".

Esclarecimento quanto à levitação

"Fazia quanto tempo que vocês estavam na casa quando as levitações começaram a acontecer com algum membro da família?", Lorraine perguntou a George. Era importante esclarecer essa pista importante do envolvimento demoníaco.

"Isso só começou a acontecer nas últimas noites em que estivemos lá, e continuou acontecendo depois que deixamos a casa", respondeu George.

"Todos os membros da família tiveram problemas com a levitação, George?"

"Não, foi principalmente Kathy, e aconteceu uma vez comigo. Mas uma noite as camas das crianças foram sacudidas de um lado a outro. As camas se moveram para cima e para baixo, e foram arrastadas pelo chão. Enquanto isso estava acontecendo, eu não conseguia me mexer na cama. Kathy estava no que parecia ser um sono de transe, mas rígida, e deslizando para longe de mim. E na mesma hora havia muito barulho no andar de baixo."

A imobilidade que George descreveu, e o estado rígido de Kathy, como se ela estivesse em transe profundo, configuram o que é conhecido como "paralisia parapsíquica". É assustador para a pessoa que passa por essa experiência, e é também frustrante. Quem está consciente não consegue acreditar que toda a barulheira e as demais perturbações não despertem a outra pessoa, de modo que esta possa ajudar ou testemunhar os acontecimentos. A paralisia parapsíquica não é incomum em ambientes infestados pelo mal, seja de dia ou de noite. Eu mesmo já enfrentei esse estado de impotência. Uma dessas ocasiões se deu enquanto eu investigava o porão da casa de Amityville.

"No livro, quando entrou no quarto e viu Kathy levitando, você a agarrou", disse eu a George. "Pode nos falar sobre isso?"

"Isso aconteceu quando estávamos meditando na casa da mãe de Kathy. Ergui o olhar e Kathy estava rígida e deslizando para cima pela parede, como se estivesse pendurada pelas mãos e elas estivessem amarradas uma à outra. Eu tinha acabado de sair da meditação e não podia crer naquilo. Não dava nem para entender. Eu a agarrei e puxei para baixo, e a acordei. Ela exibia vergões enormes na barriga. Chamei a mãe dela para vê-los.

"Em outra ocasião, Kathy e eu estávamos dormindo e voamos pelo quarto."

"Vocês estavam conscientes disso?", perguntei.

"Sim. Quando olhamos para baixo, a cama estava vazia. Isso aconteceu imediatamente depois de abandonarmos a casa. Quando Kathy levitou em nossa casa em Amityville, havia tanta coisa acontecendo, eu simplesmente a agarrei e puxei de volta."

"Foi difícil puxá-la para baixo, George?"

"Não, ela desceu na hora."

"Ela estava consciente naquele momento?"

"Ela acordou logo depois disso."

"Estava assustada?"

"Estava surpresa, não aterrorizada como eu. Mas ela podia ver o terror em meu rosto."

"Quantas vezes você e Kathy de fato levitaram?"

"Eu levitei algumas vezes com Kathy na casa de minha sogra. Nunca levitei em nossa casa. Kathy levitou duas vezes em nossa casa, enquanto dormia."

"Por quanto tempo você levitou?"

"Pareceu ter sido muito tempo, mas provavelmente não foram mais do que cinco minutos."

"E em uma das vezes em que você e Kathy levitaram... lembro-me de que você me contou ter olhado para ela e dito, 'Você acredita nisto?'. Foi isso mesmo que você disse?"

"Sim, estávamos falando um com o outro. Simplesmente não conseguíamos crer que aquilo estava mesmo acontecendo. Estávamos voando, flutuando de um lado a outro, olhando lá embaixo a cama onde estávamos antes e vendo-a vazia. Nunca passamos por nada assim, nem antes e nem depois."

Isso coincide com o que Lorraine e eu ouvimos e testemunhamos em outras ocasiões. Os Lutz podiam ter lido muito ou serem instruídos em ocultismo e inventado aquela história, mas com base no que nós sentimos e vivenciamos na casa, julgamos que tais experiências não apenas eram possíveis, mas prováveis.

Um porco do mal

De acordo com o livro *Horror em Amityville*, a filha menor, Melissa, foi a única que "viu" um grande porco que ela chamou de Jodie e com o qual fez amizade.

Lorraine abordou o assunto, dizendo:

"George, você mencionou que os móveis uma vez moveram-se pelo quarto das crianças, aterrorizando-as. O que mais elas testemunharam na casa em Amityville?"

"Quando Missy (Melissa) nos contou sobre seu porco de estimação, não demos atenção, achando que era coisa da imaginação infantil. Mas um dia ela desceu a escada e perguntou, 'Anjos falam?'. Nós perguntamos, 'Do que você está falando?'. Ficamos um tanto alarmados, porque Missy era bem sensata para uma garota de 6 anos. Mas ainda assim achávamos que era a imaginação dela.

"No entanto, vimos os olhos daquela coisa olhando para cima, de dentro da garagem do barco. Uma noite Kathy e eu estávamos sentados na sala de estar, quando vimos os olhos nos espreitando do lado de fora."

"Como eram esse olhos, George?"

"Eram só dois olhos vermelhos, vidrados."

"Vocês conseguiam de fato distingui-los como olhos?"

"Sim, eram olhos, sem dúvida alguma, mas não havia nenhuma forma por trás deles."

"E as janelas pelas quais vocês olhavam para fora eram muito altas?", Lorraine perguntou.

"Sim, portanto devia ser algo *bem* grande... bem alto."

"Creio que Kathy disse algo sobre... passos?", perguntei.

"Vimos pegadas na neve que não pudemos atribuir a nada que não fosse um animal com cascos fendidos. As pegadas iam direto para o rio... saíam do píer e iam direto para o rio."

Substâncias misteriosas... e "monstros"

"Que outras coisas assustadoras aconteceram naquela casa, George?", indaguei. "E a substância que saía dos buracos das fechaduras e que parecia sangue?"

"Aquela coisa crescia", disse George. "Ela crescia e saía dos buracos das fechaduras. Os pingos ficavam cada vez maiores. Nunca vimos a coisa crescendo à noite, mas de manhã ela já estava dura. Na sala de jogos, onde estava a maior parte das moscas, não havia essa substância, mas no resto dos cômodos sim."

"Você chegou a mandar analisar essa substância?", perguntei.

"Não conseguíamos removê-la. Não consegui tirá-la com uma faca. Era como epóxi, uma epóxi preta, mas em forma de lágrima. Nós a descrevíamos entre nós como uma lágrima caindo, porque parecia uma grande e longa lágrima triste."

"Era a mesma substância encontrada na garagem de barco?", perguntei.

"Não. Não havia nenhuma substância na garagem de barco. Mas jogamos lá uma coisa que raspamos do tapete. Nos tapetes vermelhos havia outra substância que se parecia com gotas de óleo verde ou pedaços de gelatina... que passava de um quarto a outro. Parecia algum tipo de rastro... indo de um quarto a outro. O rastro subia e descia as escadas, mas a maior parte da substância apareceu entre o quarto de costura e nosso quarto de dormir."

"Você chegou a tocar a sustância oleosa verde? Em caso afirmativo, que sensação dava?"

"Era pegajosa. Ela sumia durante o dia e aparecia na manhã seguinte quando acordávamos. De repente, estava lá. Na noite anterior, não estava. Bom, no começo colocamos a culpa nas crianças.

"Tentamos explicar todas as coisas estranhas que estavam acontecendo. Foi fácil nas primeiras três semanas. Não acreditávamos que houvesse um motivo sobrenatural para aquilo. Quando chegou ao ponto em que aconteciam tantas coisas que não era possível atribuir-lhes causas físicas, que poderíamos fazer? Simplesmente tivemos que ir embora."

O livro *Horror em Amityville* conta que os dois filhos levaram um susto com um "mostro encapuzado", que momentos depois foi visto por George no alto da escada, quando ele estava reunindo a família para fugir da casa.

"No livro, George, as crianças viram uma criatura. O que era?", perguntei.

"Só Missy mencionou um porco. O que as outras crianças viram foi outra coisa... a mesma coisa que Kathy e eu vimos na lareira."

"Poderia descrevê-la?", pedi.

"Parecia um membro da Ku Klux Klan com metade do capuz arrancado numa explosão, e sem rosto. Da primeira vez em que o vi, era só uma silhueta deixada pelo fogo na lareira, mas ficou lá por dias. A vez seguinte em que vi algo parecido foi no último dia, na manhã em que estávamos tentando sair da casa. Acredito que você e Lorraine também viram algo na lareira quando investigaram a casa."

"Sim, eu me lembro disso, Ed", interrompeu Lorraine. "Lembro que foi quando entramos na casa de noite, com o dr. Oasis e o dr. Tanis. Quando olhei a lareira, comentei que o que aparecia ali era muito parecido com o que tínhamos visto em uma casa em West Hartford."

Aquela casa em West Hartford havia sido outro caso horrível envolvendo aparições.

Sensações perturbadoras, barulhos, odores estranhos e objetos sendo quebrados

"O que lhe pareceu particularmente perturbador enquanto vocês moraram naquela casa, George?", perguntei.

"Ela pregava peças na nossa imaginação. Você fechava uma porta e ela estava aberta. Abria uma porta e ela estava fechada. Na última noite que passamos lá, algo subiu na cama conosco. Dava para ver as marcas na cama. Você via as pegadas, podia sentir o peso e quase dava para ouvir a respiração, mas o barulho no resto da casa era forte demais."

"Que tipo de barulho, George?", perguntei.

"Parecia uma banda de fanfarra enlouquecida... como um monte de músicos, cada um em um ritmo, tocando sua própria música. Da primeira vez que aconteceu, achei que era um rádio-relógio ou algo assim que tinha disparado no andar de baixo. Não era um rádio-relógio. Quando desci, tudo ficou em silêncio. Achei que veria os tapetes do andar de baixo enrolados a um canto, a julgar pelo som de pés batendo que tinha ouvido. Ao mesmo tempo, pelo som, parecia que todas as portas e janelas do andar de baixo tinham sido abertas e fechadas com toda a força."

"O livro dizia que a porta da frente quase foi arrancada das dobradiças. Pode nos falar sobre isso, George?"

"A porta da frente era bem pesada. Imagino que pesava pelo menos uns 70 quilos. Dava para saber quando aquela coisa estava fechada, porque de qualquer lugar da casa se ouvia quando ela batia. Desci uma certa manhã e ela estava daquele jeito.

"O lugar onde ficavam as latas de lixo era todo telado. Cada um dos recintos tinha portas com dobradiças duplas. Uma manhã, quando descemos, encontramos todas as portas abertas. Na manhã seguinte, estavam todas fechadas. No fim, metade delas foi arrancada das dobradiças."

"E quanto aos sons que lembravam tiros?", perguntei.

"Só houve sons parecidos com tiros quando todas as portas começaram a bater... simplesmente todas as portas da casa de uma só vez."

"Sua tia Mary esteve em um programa de rádio, e ela disse ter visto a porta da frente fechada com pranchas de compensado onde a porta havia sido quebrada. Então, ela estava se referindo à porta de tempestade ou à outra?", perguntei.

"Ela podia estar falando da porta dos fundos. Há uma porta muito grande nos fundos, quase do tamanho da porta da frente, com a qual tivemos problemas enquanto estivemos lá. Não ouvi o que minha tia disse, então não sei a que ela estava se referindo. Sei que ela esteve na casa no dia de Natal, com o resto de nossa família."

"E quanto aos cheiros ruins?", perguntei. "No livro, o padre refere-se a cheiros extremamente enjoativos que apareceram na casa dele. Vocês tiveram algo assim?"

"Tivemos o que chamamos de 'cheiro de perfume barato'. Era enjoativo, mas não era um cheiro pútrido, horrível. Sentimos um cheiro estranho no porão por uns dias, que não era muito agradável, com certeza. Parecia que alguém tinha vomitado."

Opressão

"George, parece haver alguma confusão sobre quando você comprou sua casa em Amityville e se mudou para lá", Lorraine perguntou. "Foi em 18 ou 23 de dezembro?"

"Pelo que me lembro, nós nos mudamos no dia 18 de dezembro e creio que foi no dia 23 que as coisas começaram a acontecer... Quando ficamos alarmados. Você deve ter em mente que, enquanto morávamos lá, tentamos arranjar explicações para tudo... flutuações no aquecimento, o cheiro de perfumes baratos, as mudanças em nosso comportamento.

"Parei de tomar banho e de ir para o escritório. Kathy perdeu todo o interesse nas compras de Natal e não queria sair de casa. Era como se estivéssemos deprimidos demais para fazer qualquer coisa, e sem nenhum motivo aparente. Tínhamos uma nova casa, eu tinha meu próprio negócio, do qual gostava, e o período de festas estava chegando.

"Mas aquilo estava nos desgastando... portas batendo... sempre acordar às 3h30 da manhã... moscas no meio do inverno... todas aquelas coisas estranhas."

"Qual a questão com as moscas?", perguntei.

"Matamos centenas de moscas e elas continuavam voltando", disse George. "Ficavam mais na sala de jogos, mas também as encontramos na sala de costura."

"Vocês chegaram a perguntar aos vizinhos se também tinham moscas em casa?"

"Falei com os vizinhos uma vez, por cima da cerca do quintal, apenas para me apresentar. Nunca tivemos de fato nenhuma interação com os vizinhos nem os conhecemos formalmente. Eles nunca vieram até a casa, nem nada assim."

Não há nada de estranho nesse fato. Os Lutz mudaram-se para Amityville pouco antes do Natal e estavam ocupados desencaixotando as coisas. Eles e os vizinhos estavam ocupados preparando-se para as festas. Além disso, no nordeste dos Estados Unidos, as pessoas costumam ficar dentro de casa em dezembro.

Lorraine e eu tivemos experiências anteriores com cheiro de perfumes doces e enjoativos, odores ruins em alguns aposentos, interrupção de sono, infestações de moscas, mudanças dramáticas de comportamento, barulhos fortes repentinos e até mesmo a "banda de fanfarra enlouquecida". Tais coisas podiam ser causadas por telepatia parapsíquica ou por manifestações físicas criadas por alguma força invisível. Como quer que fosse, a intenção era assustar, oprimir e ganhar controle. Os Lutz teriam que ter sido bem orientados e ser mentirosos hábeis para inventar tudo isso. Mas essa possibilidade sempre precisa ser investigada.

Esclarecimento da motivação

"Vocês não estavam preocupados por ir morar em uma casa onde seis membros de uma família haviam sido assassinados?", perguntei.

"Não, achávamos que eles haviam morrido ali e que isso era tudo. A casa em si não tinha nada a ver com isso. Com base no que aconteceu depois, porém, quisemos alertar as outras pessoas e organizar as ideias. Quisemos explicar por que havíamos nos mudado e por que não voltamos mais."

"A Igreja amparou vocês, acreditando em sua história e tentando ajudá-los a compreender o que aconteceu naquela casa?", Lorraine perguntou.

"Acredito que, se não fosse pelo interesse da Igreja, minha família e eu provavelmente estaríamos mortos agora. Não tenho dúvidas quanto a isso. Acho que, como família, não estávamos prontos para entender aquilo; e não éramos capazes de falar com ninguém sobre o assunto. Nós nos considerávamos pessoas racionais. Quando não pudemos encontrar qualquer causa física, percebemos que tinha que ser alguma outra coisa. A Igreja estava lá quando precisamos dela.

"Por sorte, na época, Kathy e eu podíamos conversar sobre qualquer coisa sem ter medo do que o outro pensaria. Kathy me dizia: 'Senti que seguraram minha mão enquanto eu meditava'. E eu respondia, 'Ah, me conte mais'. E ela contava. E nós dois dizíamos que provavelmente era nossa imaginação.

"Mas, quando você tem todos aqueles barulhos, e tem os cheiros estranhos e as moscas, e tudo o mais que também estava acontecendo... E quando você não consegue nem levantar da cama, como naquela noite em que eu estava fazendo sons diferentes..."

"Você estava fazendo sons diferentes?", interrompi.

Isso, em conjunto com a capacidade de falar um idioma antes desconhecido... ou falar de trás para diante, é uma das marcas registradas da possessão.

"Eu produzia um som que parecia fisicamente impossível. Fazia dois sons não naturais pela boca. Eu estava acordado e sentado na cama quando isso aconteceu. Era como se mais de uma criatura selvagem estivesse dentro de mim."

"Não parece nada bom", admiti. "Seria pessoal demais, George, se eu perguntasse quanto dinheiro você perdeu ao abandonar aquela casa e nunca mais voltar? As roupas de sua família, objetos pessoais, itens valiosos reunidos e passados adiante durante gerações foram todos deixados para trás. Vocês nunca voltaram para buscá-los? É isso mesmo?"

"Sim, mas para responder a essa pergunta eu teria que considerar duas questões. Uma seria o pagamento de entrada da casa em si, e o fato de não podermos esperar o melhor momento para vender as motocicletas e nossos dois barcos. Havíamos acabado de comprar uma lancha, que nunca tínhamos usado. Eu tinha três motos customizadas, cada uma delas bem valiosa... totalmente cromadas e com pintura personalizada. Eu também havia reformado recentemente meu reboque de motocicleta para poder transportar não só as motos mas também ferramentas.

"A segunda parte da perda foi o meu negócio. Vendemos o negócio para poder nos afastar de tudo e sair de lá. Qualquer um que soubesse o que ele valia não recusaria a transação. O valor de mercado dele era totalmente diferente do preço pelo qual o vendi.

"Com relação à casa, o banco entrou com 40 mil dólares no depósito de garantia. Kathy e eu fizemos um pagamento de 20 mil. As taxas de encerramento e tudo o mais somaram outros 8 mil dólares. Assim, tivemos que pagar um total de 28 mil dólares, que perdemos quando saímos da casa."

Insisti, para chegar a um número total.

"Antes, quando lhe perguntei quanto você achava que tinha perdido por ter abandonado a casa, você disse que tinha sido por volta de 100 mil dólares, está correto?"

"Foi, fácil, essa quantia", confirmou George. "Mas o que isso tem a ver com a história?"

"Bom, como você sabe, tem gente afirmando que você criou uma fraude. As pessoas não perdem 100 mil dólares tentando criar uma fraude", expliquei.

"Quando Kathy e eu nos mudamos, fizemos uma hipoteca. Naquela época, era difícil conseguir uma hipoteca para qualquer tipo de casa em Long Island. No entanto, nós conseguimos fazer uma hipoteca para uma casa de 80 mil dólares, com quase 3 mil dólares de taxas ao ano. Estávamos muito felizes com isso e com a casa. Não tivemos dificuldade para esquematizar uma forma de conseguir comprá-la e ainda poder economizar algo. Eu planejava mudar meu negócio para lá. Antes, Kathy e eu estávamos mantendo duas casas – uma em East Cypress e outra em Deer Park, cujos valores chegavam bem perto do valor da casa em Amityville."

"Diga-me uma coisa, George. Se você quisesse sair do negócio, não poderia ter pensado em um jeito melhor de cair fora sem ter que inventar histórias sobre monstros e perder entre 28 mil e 100 mil dólares?"

Pela primeira vez naquela noite, George riu.

"Claro, eu podia ter queimado a casa, por exemplo. Ela estava segurada por muito mais do que valia. O seguro tinha sido feito pelo valor de substituição, o que teria sido muito conveniente para nós. Em vez disso, perdemos mais de 40 mil dólares em móveis, barcos e tudo o mais. Não estávamos preocupados com essas coisas quando fugimos."

Quando Lorraine e eu investigamos a casa, poucas semanas depois da fuga da família Lutz, encontramos a geladeira e o freezer da cozinha completamente abastecidos. Armários e cômodas estavam cheios de roupas. Bandejas de prata que eram herança de família e outros presentes caros que eles haviam acumulado ao longo dos anos ficaram onde haviam sido deixados. Tiramos fotos dessas coisas, que nos revelam que a partida da família foi de fato súbita e não planejada.

Precisamos lembrar que os valores que George estimou estavam baseados nos preços de 1976. Kathy e George acabaram se mudando para uma casa menor e nunca mais desfrutaram das coisas boas e do sucesso financeiro que tiveram no curto período em que viveram em Amityville. O livro e o filme geraram mais dinheiro para o escritor do que para os Lutz, e o dinheiro que ganharam sequer cobriu as custas legais.

Esclarecimento da história da casa

Muitas histórias têm sido vinculadas à casa em Amityville da qual a família Lutz fugiu. Com o tempo, e com investigações mais completas que acabaram sendo feitas, foram descobertas discrepâncias que também foram utilizadas para refutar as afirmações que Kathy e George fizeram. Um desses episódios históricos envolve alguém chamado John Ketcham (ou Catchum). Foi dito que ele havia fugido de Salem, Massachusetts, durante o julgamento das bruxas, e que teria ido morar em uma casa no mesmo terreno onde os

Lutz moraram. Havia boatos de que a casa dele era mal-assombrada; mas quando a casa foi retirada do terreno, as assombrações naquela casa em particular cessaram. Outras histórias sobre a propriedade guardam ligação com lendas indígenas.

"De acordo com o livro *Horror em Amityville*, os índios Shinnecock teriam habitado aquela área, mantendo um cercado em sua propriedade... e John Ketcham estaria enterrado lá. O que pode me dizer sobre isso, George?", perguntei.

"Kathy e eu tentamos pesquisar algumas coisas básicas sobre a propriedade, por meio da Sociedade Histórica de Amityville. Algumas coisas nos foram dadas por um investigador contratado por William Weber (o advogado de Ronald DeFeo Jr.) e também por um criminologista chamado Paul Hoffman. Nunca pudemos verificar se essa informação era verdadeira ou não. Encontramos, porém, algumas coisas referenciadas em livros que meu cunhado tinha, mas evidentemente há poucos exemplares de tais livros.

"No que se refere aos Shinnecocks, não sei. Sinceramente, não sei se eles se estabeleceram aqui ou não. Entretanto, sei que Alex Tanis parece ter feito algumas afirmações sobre indígenas quando foi investigar a casa. Vou ler para você o trecho do *Book Gallery Magazine*, de dezembro de 1977, escrito por Donald Newlove, citando as sensações parapsíquicas do sr. Tanis, na ocasião em que ele explorou a casa:

> "Quando Tanis, Oasis (referindo-se ao dr. Carlos Oasis e a Alex Tanis) e eu entramos na casa, ninguém nos havia contado nada sobre os assassinatos, e só sabíamos que a casa era assombrada. Fomos todos mantidos na ignorância, até mesmo Oasis, de modo que os poderes mediúnicos de Tanis – nós os estávamos testando – não iriam revelar nossos pensamentos quanto à chacina ou quanto à casa. Sem ajuda, Tanis localizou os quartos onde os assassinatos haviam acontecido (ele sequer sabia que haviam ocorrido assassinatos ali). Ele encontrou colunas de ar frio e teve *flashes* quanto à terra sobre a qual a casa estava construída ser um local não consagrado de enterro de indígenas. Ele entrou em transe, e viu colonizadores holandeses atacando e matando indígenas no local onde estes celebravam uma cerimônia de casamento. Um indígena moribundo,

curandeiro ou chefe, amaldiçoou o solo onde o massacre ocorrera. 'A questão desta casa não é tanto que seja mal-assombrada, mas estar amaldiçoada ou ter sido construída sobre solo amaldiçoado. Os índios não queriam que os brancos desfrutassem da terra que roubaram', Tanis explicou."

"Também nos disseram que índios morrendo de febre amarela eram levados, amarrados a árvores e deixados ali para morrer."

"Essa informação está de acordo com os registros da Sociedade Histórica de Amityville que você mesmo viu, George?", perguntei.

"Não, até onde sei isso é boato."

"Mas de acordo com Anson (autor do livro *Horror em Amityville*), isso constava dos registros da Sociedade Histórica de Amityville", disse eu.

"Eu realmente não sei nada sobre isso. Talvez seja verdade, de acordo com a pesquisa dele", sugeriu George.

Esclarecimentos quanto a outros investigadores

Steven Kaplan foi um dos pesquisadores que persistiram em afirmar que a história dos Lutz era uma fraude. Ele teria declarado isso depois que George Lutz negou-lhe permissão para entrar na casa com uma equipe de televisão para realizar um exorcismo. Desde então, Kaplan tem se oposto a Lutz de todas as formas. Sempre que nós ou os Lutz aparecíamos na televisão ou no rádio, Kaplan exigia tempo equivalente... dizendo saber mais do que nós, sem sequer ter estado na casa na época das perturbações.

Nossa investigação descobriu que Kaplan mantinha aproximadamente seis organizações distintas em Long Island. Ele descrevia a si mesmo como fundador e diretor do Instituto de Parapsicologia dos Estados Unidos, do Instituto de Estudos de Lobisomens nos Estados Unidos, do Instituto de Estudos de Vampiros dos Estados Unidos e do Instituto de Fantasmologia dos Estados Unidos, que ele dirigia a partir de seu apartamento em Long Island. Entretanto, as organizações e a faculdade com que trabalhamos no campo da parapsicologia não conheciam Kaplan naquela época.

Também descobrimos que o doutorado de Kaplan veio da Escola por Correspondência do Pacífico, na Califórnia, cujo fundador e diretor cumpriu pena por atividades fraudulentas. Até então, aparentemente qualquer um podia obter dessa escola qualquer tipo de documento que quisesse, por uma taxa simbólica.

Eu desejava saber como Kaplan havia se envolvido com os Lutz.

"Qual foi seu contato inicial com o dr. Kaplan referente à investigação de sua casa em Amityville? Como você o encontrou? Que aconteceu?", perguntei.

"Em 20 de fevereiro de 1976, falei por telefone com o sr. Kaplan", respondeu George.

"Você ligou para ele ou ele ligou para você?"

"Teria que consultar minhas gravações para me lembrar, mas creio que fui eu que liguei para ele."

"E por que ligou? Você tinha lido sobre ele ou algo assim?"

"Ou tinha lido sobre ele ou o havia visto nos noticiários, comentando sobre casas na costa sul de Long Island que tinham problemas paranormais. Ele disse que aquilo pelo qual eu estava passando não era novidade. Ele também disse, até certo ponto, que as pessoas deviam ficar afastadas da casa, porque poderiam estar lidando com algo perigoso. Ele não confirmou nem negou a existência de algo sobrenatural em minha casa, e estava apenas sendo cauteloso."

"Em algum momento vocês lhe deram permissão para investigar a casa?"

"Não, não lhe demos. Mas combinamos de nos encontrar com ele por volta de 5 ou 6 de março de 1976. Ele se encontrou comigo e com Kathy em um restaurante e trouxe alguém a quem se referiu como 'bruxa branca'. Os dois queriam investigar a casa."

"E então o que aconteceu, George?"

"Depois do encontro, liguei para a Duke University, para duas associações de pesquisa em Manhattan e para a Universidade Estadual em Stonybrook, procurando saber mais sobre o sr. Kaplan. Kathy e eu queríamos ter certeza de que qualquer investigador que deixássemos entrar na casa fosse conhecido e respeitado por outras pessoas no campo da investigação parapsíquica e paranormal. Para nossa própria sanidade e a segurança de outros, não queríamos charlatães na casa.

"Bom, tanto a American Society for Psychical Research, na rua 73 Oeste, em Nova York, quanto a Parapsychological Foundation, creio que é isso, na rua 57 Oeste, 29, em Nova York, negaram conhecê-lo, ou sequer ter ouvido falar do sr. Kaplan."

"Então você não conseguiu checar as credenciais dele?"

"Não, não consegui. A Duke University e a Stonybrook também não sabiam nada sobre ele. Ninguém nunca tinha ouvido falar dele."

"E então, o que aconteceu?"

"Liguei para o sr. Kaplan e informei que havíamos decidido não permitir que investigasse a casa. Ele ficou um pouco contrariado e quis que eu explicasse o motivo de não querermos que entrasse na casa. Eu lhe disse que estávamos tentando organizar uma investigação profissional. Expliquei que não tínhamos conseguido confirmar a experiência dele no assunto. Tentei esclarecer que eu não estava tentando fazer qualquer tipo de insinuação contra a idoneidade dele ou suas credenciais, mas que queríamos ter certeza quanto às pessoas com quem trabalhávamos neste caso."

"Kaplan fez alguma menção quanto a um exorcismo da casa?"

"Creio que ele disse que um possível resultado de qualquer investigação que ele fizesse com sua 'bruxa branca' seria um exorcismo, que ela poderia fazer muito bem. Mas a ideia de qualquer tipo de 'bruxa' de fato nos desestimulou a Kathy e a mim. Preferíamos ter um investigador científico.

"Primeiro, não consegui confirmar se ele era um parapsicólogo profissional... não por meio de qualquer um do ramo que consegui contatar. E, segundo, ele insistiu em trazer uma 'bruxa'. Ao mesmo tempo, não queríamos nada com bruxas. Então, só dissemos não, obrigado. E não tivemos mais nenhum contato direto com ele depois."

"George, Kaplan com frequência faz menção a seu estado mental à época em que você se mudou para a casa em Amityville. Ele diz que você havia estado sob tratamento psiquiátrico pouco tempo antes. Pode nos dizer algo quanto a isso?", perguntei.

"Não sei sobre o que ele está falando, a menos que esteja se referindo ao que é conhecido como terapia de grupo ou aconselhamento matrimonial. Depois de meu divórcio, em 1974, fiz aconselhamento de grupo com um cara com mestrado em trabalho social. Havia um monte de gente lá, tentando aprender algo a partir da decepção de um relacionamento fracassado. Ninguém me disse que eu tinha que ir. Foi algo que eu quis fazer. Nunca tive nenhum problema psicológico, que eu saiba."

"Ed, isso me lembra que encontrei um artigo na seção 'Mundo dos Livros' do *Washington Post*, datado de 9 de dezembro de 1977:

> "O dr. Steven Kaplan, do Instituto de Parapsicologia dos Estados Unidos, no Queens, foi também chamado repetidas vezes por Lutz e realizou uma investigação do caso durante vários meses. Kaplan está agora convencido de que a história toda é uma fraude evidente. Ele começou a suspeitar disso quando Lutz se mostrou incapaz de manter a coerência dos fatos entre uma versão e outra. Ele suspeita de uma 'forte possibilidade' de que os Lutz tenham inventado boa parte de sua história por conta de preocupações financeiras. 'Este é um casal que tinha grandes dilemas financeiros', diz Kaplan, 'que estava procurando casas com valor entre 30 mil e 50 mil, e de repente viu-se mergulhado até o pescoço em dívidas, com uma casa de 80 mil dólares."

"É uma lástima que permitam que coisas assim cheguem aos jornais."

"De acordo com esse artigo, George", comentei eu, "você não conseguiria nem fazer o próximo pagamento da hipoteca."

"Nós pagamos a hipoteca até julho e agosto de 1976", explicou George. "Depois disso, nosso acordo negociado com o banco foi que eles ficassem com nossa parte da propriedade, assumissem a casa e a vendessem".

"Então, vocês saíram da casa em 14 de janeiro de 1976 e a hipoteca foi paga até julho e agosto?"

"Sim. Estávamos morando na Califórnia e ainda pagando pela casa. Estávamos preocupados com nosso crédito. Também estávamos bem preocupados com a casa em si. Ela havia sido invadida e vandalizada. Parte do motivo disso eram artigos de jornal como o que li para você, citando pessoas como Kaplan. Eles nos causaram problemas tremendos. E, evidentemente, havia outros... pessoas que diziam ter investigado a casa, e não tinham."

"Não importa o que eles investiguem agora, George. A questão é que eles não investigaram durante os 28 dias em que vocês estiveram lá e nem entraram na casa imediatamente após a partida de vocês, e é disso que estamos falando agora. Lorraine e eu e outros investigadores experientes entramos em sua casa quando os móveis ainda estavam lá e a casa estava como quando vocês moraram nela. Nem Kaplan, nem Moran nem mais ninguém pode dizer isso."

"Bom, eu não conheço o sr. Moran", admitiu George. "Realmente não sei quem ele é. Mas, a julgar por uma entrevista que ele deu para o *College Point Tribune* faz algum tempo, ele diz – ao menos é o que entendi – que investigou a casa por mais de quatro meses e que descartou várias coisas do livro.

"Os problemas que Kathy e eu tivemos com esse tipo de coisa são os mesmos que tivemos com o sr. Kaplan. Quem é o sr. Moran? É alguém reconhecido em seu campo, ou alguém que está tentando fazer um nome? Então, eu não sei."

Esclarecimento quanto ao envolvimento da polícia

O livro *Horror em Amityville* indica que o sargento Pat Cammarato do Departamento de Polícia de Amityville viu a porta da garagem destruída e as pegadas de casco fendido na neve. Convidado a entrar na casa, George e Kathy mostraram-lhe um quarto vermelho secreto no porão e narraram-lhe algumas das coisas estranhas que estavam acontecendo com eles na casa.

"Houve a visita de um policial a sua casa, ou vocês sequer fizeram algum chamado à polícia?", perguntei

"Não, o sargento Cammarato evidentemente foi incorporado ao livro a partir de relatos de jornais.

"Quero que você entenda, nós criamos problemas para Jay Anson (o autor) enquanto ele escrevia o livro. Primeiro, não deixamos que ele entrasse na casa. Sentimos que ele estaria muito mais seguro e que seria muito melhor para todos, se ele não tivesse contato direto com a casa. Então, Anson dependia das fitas que gravamos e dos relatos dos jornais. E, como sabemos, os relatos dos jornais nem sempre são acurados. O sargento Cammarato foi citado nos jornais como tendo estado aqui, e foi assim que ele entrou no livro.

"Nós criamos problemas para Anson quanto à exatidão dos fatos até com as fitas. Elas não eram da melhor qualidade, de forma alguma. Usamos um gravador pequeno. A informação era apenas para que Kathy e eu nos lembrássemos de tudo, para nossas próprias finalidades. Nunca esperamos que aquelas fitas fossem ouvidas por outra pessoa, nem nada assim. Quando surgiu a ideia do livro, tivemos a esperança de que as fitas evitassem que precisássemos reviver tudo. Não queríamos passar por tudo aquilo de novo."

Esclarecimentos quanto à ideia do livro

"George, poderia me dizer quando foi que você teve a ideia de que seu caso daria um livro, e quando foi que contatou alguém para tratar disso?"

"William Weber (o advogado de DeFeo) pediu-nos que entrássemos em um acordo que ele estava preparando. Ele havia conseguido que Ronald DeFeo lhe passasse todos os direitos à história do que havia acontecido com ele e o que ocorrera naquela casa com a família DeFeo.

"Eles vieram até nós com um contrato referente a três filmes e três livros. Dissemos não. Não queríamos tomar parte em nada daquele tipo. Não estávamos interessados naquele tipo de comercialização. Eles nos mandaram um contrato. Admito termos respondido que daríamos uma olhada no contrato, mas realmente não estávamos interessados em algo que incluía três filmes e três livros. Não era algo que Kathy e eu quiséssemos ver acontecer, de forma alguma.

"Ficamos muito preocupados, porém, porque nunca havia sido publicada nenhuma referência a esse tipo de fenômeno... além de *O Exorcista*. Não havia nada sobre uma casa. Concordamos que um livro poderia ajudar Ronald DeFeo... talvez ajudá-lo a conseguir o auxílio psicológico de que ele precisava. Também sentimos que, se publicássemos um livro, isso poderia ajudar outras pessoas que estivessem passando pela mesma coisa. Elas saberiam que não estavam loucas, ou sei lá o quê... que essas coisas acontecem. Isso seria muito bom... mesmo que ajudasse uma única pessoa que fosse.

"Por fim, um amigo nosso disse, 'Olha, me deixem ligar para a editora Prentice Hall e ver se eles gostariam de conversar com vocês sobre a possibilidade de publicarem o livro'. Nós concordamos, fomos para a cidade de

Nova York e nos reunimos com Tom Mossman e Jay Anson, para falar sobre um livro e nossos motivos para isso. Foi assim que o livro surgiu.

"Então vocês não compraram a propriedade com a intenção de inventar que tinham uma casa mal-assombrada, escrever um livro e ganhar um milhão de dólares?", perguntei.

"Teríamos que ser os melhores mentirosos do mundo para fazer isso... e muito idiotas em não colocar algumas coisas num depósito antes, ou esperar para comprar o novo barco mais tarde", disse George.

"Com base em nossa experiência, vocês também teriam que ser clarividentes excepcionais", comentei.

"Certo. Teríamos que pagar a cada um dos investigadores antes mesmo que entrasse na casa. Por exemplo, não fomos atrás de vocês. Foi o Channel 5 que trouxe vocês até nós. Quanto aos investigadores em si, não lhes dissemos nada quando entraram na casa. Vocês mesmos sabem disso. Eles entraram sozinhos. O que quer que descobrissem ou não, era com eles. Não éramos nós que devíamos lhes contar."

Tudo isso Lorraine e eu sabíamos ser verdade. Inicialmente, fiquei frustrado por George não me contar nada. Ele também se recusou a voltar para a casa conosco. Assim que Lorraine e outros sensitivos entraram na casa, eles compreenderam o porquê. O que quer que ainda estivesse por lá naquele momento, não era nada amigável, e era extremamente perigoso.

A escalada dos ataques paranormais

"George, por todo o período de 28 dias que vocês moraram naquela casa, você sentiu estar sob algum tipo de ataque paranormal, sobrenatural?"

"Não, não até que um amigo nosso nos deu a ideia de expulsar o que quer que estivesse lá. Um dos filhos dele teve um problema com algo em seu quarto que o assustava e não ia embora. Meu amigo tinha percorrido a casa e feito uma oração em casa cômodo. Ele abria uma janela em cada aposento, mandava que aquilo fosse embora, e foi tudo. Tentamos fazer isso. Tudo ficou quieto por cerca de uma hora... e então ficou muito pior."

Isso é o que Lorraine e eu chamamos de provocação religiosa. Para o investigador treinado, o procedimento provoca a entidade maligna para que se revele. Para o incauto, pode ser perigoso.

"O fato é, o livro (*Horror em Amityville*) apresenta isso de forma diferente porque teria sido tedioso contar as primeiras semanas; e tanta coisa aconteceu na última semana que ninguém acreditaria", prosseguiu George. "Mas nós não vivemos 28 dias de terror, de forma alguma. Foi a última semana que passamos lá que foi muito ruim para nós. Ficou totalmente impossível continuar na casa. Não tivemos nenhum problema sério até tentarmos expulsar o que estava lá."

"Então, George, foi o fato de você e Kathy tentarem abençoar os diferentes cômodos da casa que desencadeou para valer os fenômenos que assustaram toda sua família... forçando vocês a abandonarem a casa?"

"Sim. Isso e o fato de não conseguirmos mais explicar todas as coisas que estavam acontecendo. Não era nada que pudéssemos consertar ou combater. Apenas tivemos que partir. As mãos de Kathy foram tocadas algumas vezes, ela desmaiava e levitava, as privadas estavam ficando pretas, as moscas continuavam reaparecendo, substâncias estranhas ou sei lá... eram coisas que não conseguíamos mais racionalizar."

"George, quando nos vimos pela primeira vez, você não queria chegar a menos de quatro quadras de sua casa em Amityville. Você a abandonou e deixou para trás bens valiosos. Você também é um ex-fuzileiro. Você não é do tipo que se assusta com facilidade. Para você, o que foi o mais assustador naquela casa?"

A voz de George tornou-se mais suave quando ele respondeu:

"Leva muito tempo para que eu perca a paciência. Leva muito tempo para que eu chegue ao ponto de não me importar em saber quais podem ser as consequências. Eu estava disposto a derrubar as paredes ou fazer o que tivesse que fazer, para resolver esse problema. Eu simplesmente gritei e berrei com aquela coisa, para que saísse e me enfrentasse, e vamos terminar logo com isso, porque eu queria minha casa... Eu queria que minha família fosse deixada em paz. A coisa não queria. Senti que ela era mais esperta que eu."

"Certo, George, acho que temos munição suficiente aqui para responder às perguntas que têm sido feitas, e tentar combater a desinformação."

Ronald DeFeo, pai, conheceu um certo padre Rain enquanto estava em um santuário no Canadá, em busca de alívio do que ele disse aos vizinhos ser "um demônio em cima de mim". Ele voltou para casa com estátuas religiosas que espalhou pelos cômodos, e mandou rezar missas na casa. Pouco tempo depois, ele e a maior parte de sua família foram mortos. Os Lutz falaram com o padre após sua própria provação e, ao iniciarmos nosso telefonema, George informou ter uma mensagem desse sacerdote para nós.

Lorraine lembrou-se disso e perguntou:

"Você disse que tinha uma mensagem para nós?"

"Sim. Eles... as coisas que estavam naquela casa... as palavras do padre Rain foram, 'Eles nunca deixam em paz quem esteve lá'."

"Em outras palavras, eles te pegam de um jeito ou de outro?", disse Lorraine.

"De um jeito ou de outro, ou no final", George concordou com tristeza. "Eles não vão deixar alguém escapar se tiver algum tipo de envolvimento. E você faz ideia de como 'eles' são poderosos... certo?"

"Sim, meu caro, eu compreendo", disse Lorraine.

George prosseguiu, "Então, acredito que seja uma advertência deles, ou sei lá. Mas essas são as palavras. E não me surpreendem. Foi por isso que eu nunca quis que vocês voltassem para o condado de Suffolk."

Eu também compreendia. Na noite seguinte a nossa investigação da casa de Amityville, Lorraine e eu testemunhamos dois ciclones paranormais negros em nossa casa... em dois lugares simultâneos. Foi algo inédito para nós, apesar de nossas décadas de investigações.

Muito mais tarde, estávamos dirigindo um carro alugado novo por uma estrada cheia de paisagens, apropriadamente chamada de Terra Prometida, no "Vale do Senhor". Era um lindo dia, luminoso e claro. Não pude resistir a comentar:

"Nem o Horror de Amityville poderia nos atingir aqui."

Imediatamente, nosso carro começou a derrapar no pavimento seco, em plena luz do dia. O carro capotou e caiu em uma vala. Enquanto isso acontecia, chamei por Jesus e sua mãe Maria. De algum modo, saímos andando desse terrível acidente.

Um caminhão vinha atrás de nós quando tudo isso aconteceu. Um policial estadual entreouviu o caminhoneiro relatando pelo rádio o evento bizarro. O policial chegou, observou a cena do acidente e não conseguiu acreditar que alguém tivesse sobrevivido. Nenhuma causa física jamais foi encontrada.

No posfácio de seu livro, *Horror em Amityville*, Jay Anson diz: "Durante a preparação deste livro, um dos principais responsáveis por ele relatou sentir-se fraco e nauseado ao se sentar para trabalhar no manuscrito, sempre que o fazia em seu escritório em Long Island. Mas, ao cumprir a mesma tarefa em Manhattan, do outro lado do East River, ele não sentia qualquer efeito."

A pesquisa feita em 2000 para uma atualização do History Channel sobre o evento do Horror em Amityville revelou uma notícia perturbadora ligada ao caso. Parece que praticamente todos os homens (incluindo a equipe de cinegrafistas) envolvidos em nossa investigação na casa mais tarde sofreram um ataque do coração. Eu sobrevivi ao meu, mas muitos não conseguiram. Anson, que escreveu o livro *Horror em Amityville*, morreu aos 58 anos, depois de uma cirurgia cardíaca.[20] Ainda, o jovem que morou na casa depois que a família Lutz saiu de lá e o banco a vendeu, morreu de um ataque do coração. Ele teria apenas 28 anos de idade.

Epílogo

Este foi o caso mais controvertido que já investigamos. No que diz respeito a manifestações malignas, é um dos piores... mas houve outros. Ainda, por conta da visibilidade do livro e do filme, a pacata Amityville atraiu muita atenção indesejada. Isso originou processos, que apenas atraíram mais atenção da mídia. A pressão para tachar o caso como fraude, de forma a dispersar os caçadores de emoções, foi grande. De repente, "especialistas" apareceram para defender tais acusações e garantir para si um instante de fama.

Entrementes, muitas questões acerca do assassinato dos DeFeo também mantiveram viva a controvérsia. Por que a família DeFeo não acordou quando os primeiros tiros foram disparados? Por que os vizinhos mais próximos não ouviram nada? Alguns pesquisadores alegam que as análises forenses e os depoimentos contam uma história diferente, que elimina por completo tais questões. Já Ron DeFeo, que foi julgado e condenado pelos crimes, fez todo tipo de alegações, desde que foi sua irmã a criminosa, e que ele atirou nela em autodefesa... até que foi o diabo que o forçou a cometer os crimes.

Apesar dos inúmeros processos e de sua mudança para o outro lado do país, George e Kathy Lutz ainda sustentam que foram expulsos de sua casa em Amityville por forças invisíveis. A história de Kathy foi analisada por um especialista em estresse psicológico pouco depois de terem abandonado a casa, e a conclusão foi de que ela aparentemente estava falando a verdade.[21] Os Lutz nunca voltaram a ter o sucesso financeiro, ou a paz de espírito, que tinham antes de se mudarem para Amityville. Em uma entrevista ao History Channel, que foi ao ar em outubro de 2001, os Lutz estavam divorciados. Kathy estava usando oxigênio e parecia frágil. Ainda assim, ambos mantinham suas histórias.

Assim como nós. Sei que, na primeira vez que me encontrei com George, conversei com um homem muito assustado. Também sei o que vi e senti naquela casa logo depois que eles se foram. Aquela família partiu praticamente só com a roupa do corpo. No porão, ante a provocação religiosa, uma força invisível jogou-me no chão e me manteve lá. Lorraine sentiu e viu coisas que não tinha como saber de antemão. Ainda, tais sensações e imagens coincidiam com o que hoje é controvertido quanto aos assassinatos... e com parte do que ainda é controvertido quanto ao ocorrido com a família Lutz.

Como os Lutz, Lorraine e eu fomos magoados e nos decepcionamos com muitas das pessoas envolvidas no caso. Algumas pessoas que o investigaram junto conosco afirmam nunca terem estado lá... embora tenhamos fotos. E, claro, há aqueles que não estiveram lá e afirmam terem estado. A controvérsia atemoriza muita gente boa... e pode atrair um monte de gente ruim.

Quem fez o que na noite em que os DeFeo morreram é menos importante do que o horrendo fato de que seis pessoas – com idade variando de 9 a 43 anos – morreram de forma violenta. Quer o mal tenha influenciado os eventos, quer tenha vindo como resultado deles, algo extremamente desagradável sentiu-se confortável e bem-vindo naquela casa. Os tribunais até mesmo reconheceram essa possibilidade.

A lei em Connecticut exige que os vendedores de imóveis e seus agentes revelem se no local ocorreram tragédias ou supostas aparições fantasmagóricas. Tal lei surgiu como resultado de outro caso que investigamos. Uma mãe solteira e seu filho também foram expulsos de sua casa alugada por forças sobrenaturais. Nós investigamos e testemunhamos em favor dela em juízo quando o senhorio se recusou a permitir que ela rompesse o contrato. Ela ganhou a causa e foi estabelecido um precedente que agora se reflete nas leis imobiliárias por todo o país.

A precisão histórica quanto a bruxas, indígenas e os proprietários anteriores do imóvel ou das terras diverte mais do que ajuda na determinação do que de fato aconteceu na casa enquanto os Lutz moraram lá. Lorraine, uma clarividente validada e comprovada, captou com precisão os assassinatos, mas não sentiu mais nenhuma história perturbadora. No entanto, ela distinguiu uma presença maligna naquela casa, na ocasião em que a exploramos.

Teria sido planejada uma fraude? Foram rompidos acordos feitos com os advogados de Ron DeFeo? Não há nada que possamos encontrar no histórico dos Lutz que os levasse a saber como encenar e descrever semelhante fraude. O que veio primeiro, a negociação do livro ou a história? Terão os advogados de DeFeo procurado os Lutz com a ideia de uma colaboração para essa história? Terá a história se transformado em realidade? Inúmeros casos escabrosos que investigamos começaram com uma brincadeira – sessões mediúnicas, tabuleiros Ouija, cartas de tarô ou experimentos com bruxaria. Pessoalmente, não acreditamos ser esse o caso com os Lutz, mas o que mais importa é que, por alguma razão, o mal se sentiu convidado para entrar na brincadeira.

O mal não respeita planos ou regras. O mal não vai embora quando todo mundo quer parar. E nem posa para fotos ou faz apresentações para os noticiários da noite. Ele gosta de torturar uns poucos, de forma que a maioria vai continuar a ter dúvidas. Sua força está na ignorância e no medo.

Havia problemas factuais e discrepâncias no livro? Sim, em um caso, a história do livro foi estendida por todos os 28 dias. Na realidade, os eventos horríveis se intensificaram apenas na semana posterior à provocação religiosa. Isso não resultaria em um filme ou livro crível ou interessante. Naturalmente, esse rearranjo dos fatos não coincidiria com boletins meteorológicos etc. Ainda, o autor do livro estava em desvantagem por não estar fisicamente familiarizado com a casa e com o terreno. Ele dependeu da pesquisa e de depoimentos de terceiros.

Por fim, quando está assustada, confusa e oprimida, a pessoa não consegue pensar com clareza, quanto mais recordar-se das coisas. As fitas de gravação supostamente foram criadas para preservar a sanidade dos Lutz... não como um registro destinado ao público. Na tentativa de proteger a sanidade de outros, que pudessem estar aterrorizados por eventos similares, os Lutz trouxeram a público sua história. Esse desenrolar criou problemas para a pequena vila de Amityville. Também atraiu curiosos, críticos e caçadores de fama, além de denúncias de fraude.

Perguntam-nos constantemente, "Se o mal estava na casa de Amityville, ele continua lá?". Os espíritos malignos, como todos os espíritos, têm uma percepção de tempo diferente. Eles podem ficar à espera por um século ou dois. Reformas e outras mudanças, a interação ignorante com o mundo dos espíritos, ou semelhanças físicas e circunstanciais com o passado podem desencadear manifestações. É interessante notar que algumas pessoas viram uma notável semelhança facial entre Ron DeFeo e George Lutz. Talvez alguma outra coisa também tenha notado.

Não sabemos. Mas sabemos o suficiente sobre esse tipo de fenômeno para crer que algo maligno de fato despertou em Amityville em meados da década de 1970. Esse caso não conflita com outros que já vimos e com perturbações semelhantes que testemunhamos de forma direta. Ele também seguiu um padrão que para nós é demasiado familiar. Convite: os assassinatos em si, ou o que levou a eles. Infestação: sons inexplicáveis, cheiros, substâncias e perturbações. Opressão: sono interrompido, comportamento depressivo e intensificação depois da provocação religiosa. Possessão: levitação, som de vozes múltiplas.

Alguém poderia haver pesquisado e criado essa história, mas, em casos assim, a pessoa raramente conta todos os detalhes e a sequência corretos. Além disso, ninguém poderia ter implantado na cabeça de Lorraine as imagens clarividentes... ou as imagens que apareceram nas fotos tiradas à época em que exploramos a casa. Em uma foto, o rosto do padre Pio – um exorcista renomado e devoto, mas falecido – apareceu junto com Lorraine e outros no quarto onde os corpos dos DeFeo haviam sido colocados antes da remoção para o necrotério. E temos uma foto tirada com filme infravermelho durante nossa investigação – durante a qual não havia crianças presentes – onde vemos junto à escada a imagem escura de uma criança com olhos vermelhos brilhantes.

(Veja as fotos nas páginas a seguir.)

"O demônio não é um maldito idiota.
Ele é um anjo maldito.
E pode fazer de você um maldito idiota."
– Padre católico, Jamesburg, NJ
Páscoa de 2000

Os pesquisadores psíquicos Ed e Lorraine Warren investigam o Caso Amityville

Exceto pelo retrato do padre Pio, Gene Campbell tirou todas as fotos, como parte da investigação feita pela equipe dos Warren, em 1976.

A casa em Amityville, Long Island, estado de Nova York, com a aparência que tinha quando as famílias DeFeo e Lutz moraram nela e na ocasião em que os Warren a investigaram. Posteriormente, a casa passou por reformas promovidas pelos donos seguintes.

Ed e Lorraine Warren na sala de jantar dos Lutz, na casa em Amityville, em 1976.

Fotografia infravermelha, tirada na escada que leva do vestíbulo ao primeiro andar da casa em Amityville. Note o menino com olhos brilhantes na porta, junto à escada. Essa imagem não estava visível aos olhos do fotógrafo ou de outros investigadores quando a foto foi tirada.

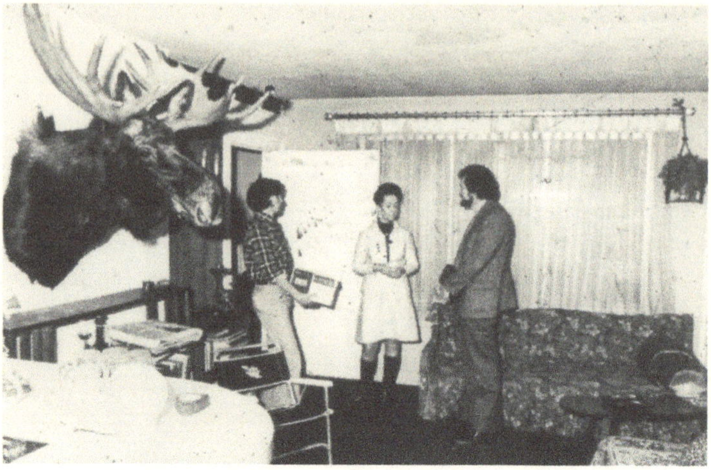

Neste aposento, Lorraine teve uma visão (depois confirmada) dos membros assassinados da família DeFeo dispostos antes de serem levados para o necrotério. Lorraine segura uma relíquia sagrada do padre Pio. O cavalheiro à direita é um repórter não identificado. O homem à esquerda é Paul Bartz, investigador que trabalhou com os Warren. Note as duas imagens que parecem estar nos chifres do alce.

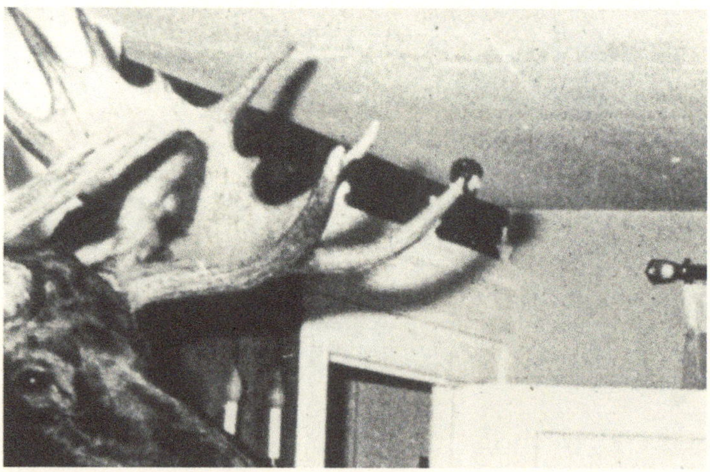

Este detalhe da cabeça do alce foi tirado na mesma ocasião que a foto anterior. Parece haver a imagem da face de um homem com um capuz negro olhando para Lorraine do centro dos chifres e a cabeça de outro homem na ponta do chifre. Esta última foi identificada como a imagem de Ron DeFeo.

Esta foto do padre Pio foi tirada do livro de um padre italiano que serviu com ele na Itália. Este padre validou a imagem do homem encapuzado fotografado nos chifres do alce durante a investigação em Amityville como sendo a do devoto padre Pio, religioso italiano renomado por seus estigmas, milagres e exorcismos. Padre Pio morreu em 1968, e em 1999 foi beatificado pela igreja católica, o primeiro passo para ser reconhecido como santo.

Estudo de Caso Nº 6

Assombrada pelo mal

Este caso é baseado na correspondência entre os Warren e seus clientes. Todos os nomes de clientes e as referências a locais foram trocados ou alterados para proteger sua privacidade. Ed Warren apresenta e discute o conteúdo da carta.

Não acreditar no paranormal é um luxo que muitos de nossos clientes não têm. Isso é particularmente verdadeiro se a entidade invisível é maligna. Depois de identificar as fraudes ou os casos em que as pessoas necessitam de auxílio psiquiátrico ou médico, ainda nos restam numerosos casos que Lorraine e eu (e líderes religiosos) consideramos diabólicos.

Este caso em particular envolveu a esposa de um policial. Vou deixar que ela conte a história com suas próprias palavras. Estive aconselhando-a como preparação para um exorcismo e combinei de visitá-la novamente durante uma de nossas turnês de palestras.

Abaixo estão trechos de uma carta que ela nos escreveu pouco antes de nossa viagem.

Prezado sr. Warren,

Que gentileza de sua parte e de sua esposa Lorraine oferecerem-se para me ver durante sua estada em nossa cidade. É uma tábua de salvação para mim e eu não perderia essa chance por nada. No entanto, a reação dessas criaturas nefastas tem sido muito violenta.

Essas entidades são inteligentes, com um conhecimento que se estende por milhares de anos e de quilômetros. Uma vez, eu estava trabalhando num caso demoníaco na Inglaterra, quando uma entidade maligna me contou o que Lorraine estava fazendo em Connecticut. Ela havia acabado de mudar de lugar, em nosso museu, um objeto infestado pelo mal. Quando lhe telefonei para ter certeza de que ela estava bem, Lorraine ficou chocada por eu saber exatamente o que ela estava tocando. Afinal de contas, a clarividente era ela.

> *Sr. Warren, não temo mais isto. Levou um ano, todo um ano de terror, mas, por meio de Nosso Senhor, aprendi a não temer nenhum mal. Temo esta presença menos do que já temi qualquer coisa. É por isso que vou respirar fundo e ser forte enquanto o último passo se aproxima. Farei qualquer coisa para me libertar desta coisa nefasta, com sua ajuda e a ajuda de Deus.*

Ela estava dizendo que estava pronta para um exorcismo. O mal prospera com o medo. Quanto menos medo, menos poder a criatura tem e mais provável é que o exorcismo seja bem-sucedido. Porém, o mal não vai renunciar ao controle sem luta. Assim, o cliente deve estar emocional e espiritualmente preparado. Infelizmente, o exorcismo com frequência é a única forma pela qual uma pessoa possuída pode reaver sua paz de espírito. Esses são os casos em que a melhor psiquiatria e os melhores medicamentos não fazem efeito.

> *É verdade; no fim, eu acabaria enlouquecendo. Deus me manteve sã durante este pesadelo indescritível. A sensação de aperto na garganta... estupro e sodomia ainda estão presentes. Isto precisa terminar, ou com certeza vou desenvolver outra horrível infecção pélvica.*
>
> *A voz não mais sai por minha própria garganta. Tornei-me forte o suficiente para que a coisa não consiga mais usar minha garganta para falar, mas ocasionalmente posso ouvi-la falando em minha cabeça (ela sempre é repreendida em nome de Jesus de Nazaré quando ouço algo) – ameaças, provocações, linguagem ofensiva etc. Não vou lhe dar crédito detalhando suas ações. Nem vou permitir que volte a falar através de mim (se essa coisa preferir correr o risco de falar com outra pessoa que não eu, independente de mim, é outra coisa).*

Ela está se referindo aos ataques que suportou e pelos quais ainda passa, e o conselho que lhe dei foi o de resistir a essa coisa e ganhar forças. Note o modo como ela descreve como é ter algo usando sua voz ou falando em sua cabeça. Falar em vozes não humanas ou em idiomas estrangeiros antes desconhecidos são sinais cruciais de possessão e tentativas de possessão, e são difíceis de fingir. Ela também alude à astúcia dessa entidade. No início, ela escolhe uma pessoa, isola-a e atormenta-a sem vocalizar, para que outros não ouçam. Isso, claro, torna difícil descartar uma doença mental.

Ela cobre minhas feições e tenta alterar minhas expressões. Não permitirei isso.

Rezo constantemente, leio todas as passagens apropriadas na Bíblia. Invoco o nome de santa Margarete, padre Peale,[22] *arcanjo Miguel e Nossa Senhora da Imaculada Conceição, e ainda proclamo constantemente que Jesus é Senhor. Faço o sinal da cruz e unto todas as áreas afligidas com água benta.*

Por meio da intervenção divina de Deus e pela infusão do Espírito Santo tornei-me muito forte – forte o suficiente para suportar qualquer coisa que possa acontecer. Temo pela possível situação que está por vir, mas não temerei nunca mais a causa do exorcismo. Sr. Warren, creio de verdade que este caso seja único ou que seja algo que de forma geral não é conhecido.

Primeiro, ela descreve a sensação de ter suas feições físicas alteradas. Algumas dessas mudanças são tanto superficiais quanto estruturais. Este é outro sinal de possessão que é quase impossível fingir.

Ela recapitula todas as coisas que lhe sugerimos fazer para se proteger o máximo possível. Ela também não quer dar "reconhecimento" à "causa do exorcismo", porque fazer isso pode ser interpretado por essas entidades nefastas como aceitação. Infelizmente, o caso dela não é único, mas ela está correta ao afirmar que tais casos ou são ignorados ou abafados pelo sigilo ou por acusações de fraude.

Deixe-me tentar explicar as circunstâncias que envolvem o que me aconteceu (evidentes agora que minha mente está desanuviada).

Tenho mediunidade desde criança. Um ano antes de minha mãe ficar doente eu soube que ela morreria no período de um ano. E ela morreu... onze meses depois. Após a morte dela, fui a uma cartomante – uma mulher boa e honesta, que viu meu "dom" e me ensinou a ler cartas.

Eu era uma cartomante excelente e nunca fiz uma leitura da qual tivesse me envergonhado. Sempre dei meu melhor e orei pelo cliente. Também prestava atenção a sinais de problemas de saúde ou de uso excessivo de alguma substância. Se o cliente estivesse muito perturbado, eu sempre sugeria o ambulatório do hospital. Nunca cobrei demais nem abusei da confiança que aquelas pessoas tinham em mim.

Eu tinha uma taxa de acerto muito alta – entre 70% e 90% com algumas pessoas. Com frequência eu dizia a elas coisas sobre parentes que haviam feito a passagem – coisas que eu não poderia saber nem que fosse uma "boa detetive" (e isso um bom cartomante deve ser). Nunca fui incomodada por perturbações reais. Se eu sentia uma força "opressora", eu a mandava embora. (No entanto, minha educação religiosa não me ensinou a proclamar isso em nome de Jesus. Eu não sabia nada sobre demônios e espíritos malignos, exceto por ter lido O Exorcista *dez anos antes! Eu não sabia nada sobre a possibilidade de estupro, sodomia e tortura. Eu estava vulnerável em um grau assustador.)*

A ignorância e a negação impensada de qualquer coisa que seja "demoníaca" é o que mantém os demonologistas e exorcistas ocupados. Seja qual for nossa crença religiosa, todos precisamos, ocasionalmente, apelar para a ajuda de um "poder superior". Nem nós, nem os mais devotos líderes religiosos somos tão fortes quanto o mal, mas Deus (ou qualquer que seja seu nome para essa força) é mais forte.

Depois que minha mãe morreu, visitei outra mulher, que falava com espíritos, tinha espíritos guias etc. Ela era muito "religiosa", no sentido de que lia sua Bíblia, dava um curso de estudos bíblicos, proclamava Jesus como Senhor etc. – ela tinha um jeitinho de avó. Ela acreditava que tabuleiros Ouija eram perigosos etc. No entanto, tenho certeza de que foi lá que atraí essas criaturas. Tornou-se muito importante falar com minha mãe. No início foi através do meu marido que as vozes e respostas se manifestaram – nunca através de mim. Ele não ouvia vozes de fato, mas recebia as mensagens em sua mente.

Durante uma visita, a sra. E (que sabia da minha mediunidade e lia cartas) aconselhou-me a tentar a escrita automática – erro nº 2. O impulso irresistível de escrever tornou-se inacreditavelmente forte, vindo de todo tipo de gente. Mas nessas ocasiões, nunca fui molestada.

Então, um dia, quando eu pensava que minha mãe e eu estávamos "falando" sobre o que acontece com assassinos, mencionei um caso famoso de assassinato sobre o qual eu sabia que minha mãe havia ouvido falar antes de morrer. Minha "mãe" (que dizia passar boa parte de seu tempo no plano espiritual trabalhando entre os doentes e tentando reabilitar elementos criminosos) disse ter visto a vítima. Minha mãe disse: "Ela está muito triste e confusa. Não compreende que pode seguir adiante (voar, no caso). Você falaria com ela?"

Respondi que sim, e cerca de 5-10 minutos depois, eu estava na presença da vítima, que se mostrava muito assustada e desconfiada. Queria saber por que eu estava falando com ela etc. Ela só escrevia "nãonãonão", assim mesmo. Eu disse que me preocupava com ela e queria ajudá-la. Perguntei se queria falar... contar algo que pudesse fazê-la se sentir melhor. "Ela" sentia a necessidade de confessar. (Como desejaria ter de volta os mais de cinquenta cadernos que escrevi à época. Mas infelizmente eu os destruí como prova de que essas criaturas não têm poder sobre mim.)

A "confissão dela" era triste e chocante. Pelo que me recordo, era assim...

Por algum motivo ela desenhou arcos e escreveu: "Ele me pegou na estação. Disse que a mãe dele tinha ido embora e que eu podia dormir no sofá. Ele me levou de carro, não até sua casa, mas até a praia, sob o píer. Ele me estuprou e disse que sentia muito. Será que eu o perdoaria? Eu disse que não, e ele me levou até um edifício. Pendurou-me de cabeça para baixo, nua, e me feriu muito. Eu gritava e gritava. Ele colocou um pano em minha boca; ele ria e ria. Vi sangue e em seguida senti uma dor terrível no estômago. E gritei e gritei, mas ninguém veio. Ouvi algo cair, mas não era eu, era alguma outra coisa. E então fiquei olhando para ele e ele fez... coisas. Você sabe o que quero dizer... em minha boca e em meu cabelo? Então ele me enrolou em um cobertor, acho. E eu tentei ir atrás dele, mas não consegui."

Espíritos presos à Terra estão "presos" emocionalmente ao lugar onde morreram... onde foram enterrados... ou a locais onde viveram ou que frequentaram. Pela mesma razão deveria ser suspeito que essa vítima falecida estivesse disponível para "falar" através da escrita automática. Ainda, nunca encontramos um espírito preso à Terra que contasse sua morte humana com tantos detalhes. Esse é um outro exemplo de como o mal tira vantagem da ignorância e de boas intenções.

Então a escrita parou e minha "mãe"começou a escrever de forma frenética. Ela não fazia ideia de que a vítima iria escrever aquilo. Ninguém sabia aquilo sobre ela. Eu tinha ficado abalada? Minha mãe sentia muito etc. Eu lhe disse que deixasse a vítima terminar sua história.

A vítima retomou, dizendo que agora estava muito feia, muito triste, e quanto ódio sentia "dele". E então a caneta foi mais para baixo e desenhou primeiro um par de óculos como estes...

E então completou o resto do desenho. (Posso desenhar muito bem, muito melhor do que isso. Este desenho é semelhante, mas um pouco diferente do original.)[23] *"Ele é jovem e feio, usava óculos... eu o odeio", ela disse através de mim.*

E este foi o começo de minhas conversas com "gente que precisava de ajuda". Falei com uma variedade enorme de pessoas. Cada uma delas era única – algumas eram agressivas e desconfiadas. Sempre me perguntavam se eu podia visitar suas famílias e amigos que ainda estavam no plano terrestre. Sem exceção, os suicidas, incluindo meu próprio tio Charles, perguntavam se seriam mandados para o inferno por terem acabado com a própria vida.

Atração – Nesse ponto, ela havia "aberto portas". Há algumas outras pistas indicativas de que os "espíritos" que escreviam através dela não eram o que diziam ser. Aqueles que fazem "a passagem" têm a capacidade de ver suas antigas famílias e amigos à vontade, e de estar com eles. Ainda, por nossa experiência, os únicos suicidas atormentados após a morte são os que têm ligação com culto ao demônio, opressão ou possessão durante a vida... Fora isso, as questões emocionais que fazem com que um espírito permaneça preso à Terra são as mesmas independentemente da causa da morte. A única diferença é que os suicidas não estão em negação quanto a sua morte... um motivo comum para que as aparições fantasmagóricas fiquem presas à Terra.

Ao referir-se ao "tio Charlie", a entidade captou a atenção e a simpatia da mulher, que convidaram ao reconhecimento e envolvimento. Os espíritos malignos podem ler telepaticamente informações e usá-las contra você. É por isso que os exorcistas devem ser pessoas virtuosas.

Fui molestada duas vezes... primeiro por um homem e uma mulher que me bateram e beliscaram e que, depois disso, não faziam a menor ideia do porquê me agrediram, e ficaram muito envergonhados. Sr. Warren, minha teoria é que muitas dessas "pessoas" (espíritos) eram de fato reais, mas foram possuídas pela horda de demônios que estava à espera, espreitando. Eles planejavam usar aqueles espíritos que eu conhecia e em quem confiava para poder se aproximar o suficiente e me dominar, e fazer coisas que eu não questionaria. No final, mesmo depois de estuprada e atordoada, eu não questionava – apenas implorava a ajuda daqueles "outros" espíritos. As coisas foram ficando piores, e se tornaram doentias e desesperadoras.

Infestação e opressão – Notou como aqueles que "beliscaram e bateram" foram rápidos em se desculpar e demonstraram vergonha? É o mesmo que acontece com a violência conjugal e doméstica. Os agressores tanto espirituais quanto físicos usam o medo, a confusão e a dúvida para controlar outras pessoas. Os outros espíritos a que ela se refere provavelmente também eram demoníacos, mas fingiam ser humanos. É por isso que sessões mediúnicas, brincadeira com tabuleiros Ouija e magia feitas por diversão podem ser bastante perigosas.

Então um dia, quando falei com minha "mãe", ela parecia diferente e estava "brava" comigo. Fiquei pasma. Comecei a sentir uma dor horrível. A escrita ficou violenta e me chamou de cadela. Então fui atacada. Estava tão assustada e magoada. Senti uma dor estranha entre as pernas, em minhas coxas e ossos pélvicos.

O espírito nunca foi a mãe dela, mas representava o papel da mulher. Em seguida fingiu ser o assassino para justificar seu comportamento e encobrir sua real identidade e sua intenção.

Tremendo e aterrorizada, chamei a sra. E, que disse: "Aquela não é sua mãe. É alguém que deve querer sua ajuda, que precisa de libertação. Ele pode estar aprisionado. Deixe-o falar, e então mande-o seguir seu caminho!"

Mais tarde, com meu marido presente, indaguei: "Quem é você e o que quer?" A escrita mudou e foi mais ou menos isso que ele disse: "Meu nome é R. P. A polícia está atrás de mim agora? Eu não queria machucar a moça daquele jeito. Eu tinha machucado outras como ela, putas como ela, mas nunca tanto assim. Sinto muito, mesmo, por tê-la machucado". Enquanto isso, meu marido (que não gosta de falar sobre isso) ouviu uma voz masculina muito desagradável em sua cabeça, dizendo, "Quero que ela morra porque está ajudando as pessoas". Por Deus, meu mestre, ele ouviu isso. Eu não.

Possessão – Ataques sexuais, levitação, mudanças drásticas, mas temporárias, de voz, idioma, comportamento e características físicas são todos sinais de possessão. A dominação pode não ser completa ou constante, mas o maligno está exercendo sua capacidade de assumir o controle quando bem entender. As palavras surgidas na cabeça do marido tiveram o intuito de demonstrar poder e assustá-lo para que se afastasse. É mais fácil tomar o controle completo de uma vítima isolada.

E agora a parte mais difícil desta história, deste pesadelo, tão inacreditável. Durante minhas conversas com todas essas pessoas, encontrei alguém realmente especial. Seu nome era M. Ele havia sido famoso aqui, e ficou muito desconfiado quando falei com ele. Fiquei sabendo de tudo sobre ele, seu passado, sua carreira, sua família, coisas complexas demais e íntimas demais para serem o simulacro nebuloso feito por um demônio. Ele é brilhante e suave e engraçado e triste e fascinante e passamos muito tempo conversando.

Ela está subestimando o conhecimento, o poder, a inteligência e a esperteza do maligno.

Sr. Warren, creio, horrorizada, que enquanto eu estava possuída por um demônio (ou por mais de um), Monty estava também possuído por um ou mais demônios. Era como camadas horrendas de possessão – algo horrível demais sequer para cogitar. É minha crença que esses demônio com frequência usam esses corpos, oh, tão inocentes para dar-lhes a aparência externa que desejam no momento.

Esse tipo de ataque é incompreensível para a maioria das pessoas. A entidade maligna pode se manifestar em sua mente e criar dor e evidências físicas. Ela também pode se manifestar tanto como uma criatura agradável quanto como uma criatura horrível... ou mesmo alguém que você conhece. Aparentemente, esse demônio conseguiu convencê-la de que um espírito "inocente" estava sendo manipulado durante o ataque. Seu "amigo" M não estava possuído; na verdade era um lobo em pele de cordeiro.

Em geral, há mais de uma entidade maligna envolvida em casos de infestação, opressão e possessão. Elas podem controlar e atormentar espíritos presos à Terra que convidaram o mal para entrar em suas vidas humanas. No entanto, diabos e demônios são capazes de enganar as vítimas por si sós. É como no caso de terroristas que se fazem passar por passageiros de um avião.

Sr. Warren, depois de centenas de horas de ponderações profundas e dolorosas, minha impressão é de que um demônio habita o corpo de uma mulher apenas para torturá-la e para ter a experiência de estar presente enquanto ela é estuprada por outro(s) demônio(s). Eles se alimentam de medo e têm avidez pela dor – o sofrimento e a dor horrendos que conseguem criar.

Com toda a certeza! É por isso que a possessão demoníaca em geral leva a estupro, assassinato, chacinas e suicídio. O demônio usa o corpo humano, e necessita dele – para criar mais medo, dor e sofrimento ao maior número de pessoas. (Isso não quer dizer, porém, que toda a culpa de tais atos violentos possa ser atribuída a ele.)

Um demônio vai usar o corpo de um espírito atraente como intermediário, para torturar e estuprar e sentir prazer por meio dele, e se o mortal e o espírito envolvidos estão unidos por algum laço afetivo... ah, então a tortura emocional e mental resultante, compartilhada por ambas as vítimas, é exatamente o que eles almejam. Eles se esforçaram muito para armar a coisa toda.

E assim o ano passou, um ano da mais inacreditável dor mental e física que se possa imaginar. Houve meses em que M estava totalmente surpreso; e então, os demônios perderam interesse temporariamente, até decidirem qual seria seu próximo (oh, meu Deus) jogo... como eles chamavam. O terrível sofrimento de M transparecia – a tortura e o sofrimento e o total assombro.

A tortura sempre se tornava monstruosa depois de qualquer comunicação entre nós. M não fala comigo. A criatura tenta imitá-lo, mas não consegue. É como uma caixa chinesa – molas e fechaduras infindáveis e mecanismos escondidos.

Nesse ponto, a entidade maligna tinha menos razão agora para ocultar seu caráter verdadeiro, de modo que a personalidade de M parece apenas estar se retirando. Enquanto isso, essa mulher está confusa e oprimida; ela prosseguiu com sua escrita automática e deixou ao menos um ano se passar sem buscar qualquer ajuda externa. Os espíritos diabólicos estavam brincando com ela e destruindo sua força de vontade. Como qualquer torturador sabe, às vezes a melhor forma de "amolecer" uma pessoa é fazer com que ela veja (ou ache estar vendo) um inocente sendo maltratado.

Sr. Warren, minha teoria não pode ser mais maluca do que a realidade da possessão em si! Nunca estive sob os cuidados de um psiquiatra, sempre fui mentalmente forte e saudável – nunca sofri uma depressão severa até essa criatura aparecer. Nunca, jamais, feri a mim mesma. Sempre amei viver, estar viva, e esperava ansiosa por cada nova estação, cada novo ano.

Em 1º de novembro aconteceu o primeiro ataque real, mas sei agora que fui observada durante anos. Predadores naturais esperarão quanto tempo for necessário, se seus planos e seus números forem grandes e complexos o suficiente. Abri a porta, e implorei a Deus por perdão. Fui perdoada e obtive força e orientação – você e a sra. Warren são prova disso.

Sei que esta carta é inapelavelmente longa, mas é a versão mais condensada que consegui fazer de quatro anos. Estou ansiosa para encontrar com você e com a sra. Warren. Ficarei livre, com sua ajuda e a ajuda de Deus.

Ela está certa ao dizer que o mal tem a eternidade do seu lado. Ele pode ser muito paciente e calculista. Às vezes essas criaturas ficam dormentes, para reaparecer anos, décadas – ou no caso de locais e objetos infestados – até mesmo séculos depois.

Lorraine e eu indicamos essa mulher ao padre LeBar, em Nova York, para um exorcismo católico. As entidades malignas dentro dela foram forçadas a revelar-se durante a execução desse rito, e foram expulsas com êxito. Foi útil que essa vítima tivesse adquirido uma boa compreensão do que estava ocorrendo e de como tudo aconteceu. Como se percebe na carta, ela já havia começado a adotar medidas para reaver o controle.

No entanto, como um câncer mortal em remissão, essas criaturas sempre podem retornar. Não é fácil achar um exorcista qualificado ou convencê-lo a pôr um fim a esse tormento. A provação de um exorcismo é traumática em si, e pode requerer esforços múltiplos. É por isso que estar atento, evitar e prevenir são o melhor conselho que Lorraine e eu podemos dar às pessoas.

Infelizmente não há muita gente como nós, que leve a sério uma provação como essa... ou que seja capaz de oferecer ajuda real.

"O diabo pode citar as Escrituras para justificar seus fins."
Shakespeare, *O Mercador de Veneza*, ato I, cena 3

Estudo de Caso Nº 7

Como alguém que está possuído

Este caso baseia-se na correspondência entre os Warren e seus clientes. Todos os nomes de clientes e os locais citados foram trocados ou modificados para proteger sua privacidade. Ed Warren apresenta e discute o conteúdo da carta.

Foi no final do século XX que uma mulher entrou em contato com Lorraine e comigo, preocupada com o marido. Com base no que eu ouvi, alertei-a, à época, de que seu marido estava se tornando perigoso para ela, para os filhos do casal e para si próprio. Aconselhei-a a mantê-lo afastado do resto da família até que o problema fosse resolvido. Aqui estão trechos da carta que recebemos alguns anos depois, documentando a provação dela. A mulher acatou nosso conselho e nos escreveu enquanto estava separada do marido. Ela enviou fotos, juntamente com mais documentação.

Estimados Ed e Lorraine,

Vocês conhecem algum exorcista de verdade? Da última vez que falei com sua esposa e com você, disseram que meu caso poderia ser sério e que nossas vidas poderiam estar em perigo.

Não consegui encontrar mais ninguém que levasse a sério minha situação, exceto por uma pessoa leiga que reza para Jesus e cujas mãos curam. As criaturas malignas em meu marido chegaram a empurrar essa pessoa para longe, mas ela disse que Jesus é mais forte que todo o Inferno. Ele se recuperou até certo ponto, mas algo ainda está muito errado. Ao menos, eu quis documentar tudo que aconteceu, para seu uso e para o meu.

Paul e eu nos conhecemos na faculdade e nos casamos dois anos depois. Quando ficamos noivos, Paul abandonou a igreja católica e disse que a religião era a "panaceia das massas".

Quando fui conhecer seus irmãos e irmãs na Suíça, senti-me pouco à vontade com o aconchego e os afagos entre seus irmãos e irmãs adultos. Enquanto estávamos na Suíça, eu caminhava por uma calçada com ele quando um carro subiu no meio-fio e me empurrou contra a parede de tijolos de uma funerária.

Descobri mais tarde que uma de suas irmãs pratica bruxaria. Olhando em retrospectiva, agora penso que essa irmã parece não querer que seus irmãos se casem. Coisas ruins parecem acontecer. Logo antes de o irmão mais novo de meu marido se casar, ele visitou a mesma irmã. Pouco depois, ele estourou os miolos com um rifle, justo antes de seu casamento.

Incluída no material que essa mulher nos enviou, havia uma foto aérea do vilarejo onde seu marido havia crescido na Suíça. A casa onde morou na infância tinha sido a casa paroquial de uma igreja, exatamente defronte ao cemitério. Foi ali que o irmão de Paul se matou com um tiro logo depois de visitar a mesma irmã que Paul mais tarde visitaria. Desde então, a casa foi condenada e a igreja destruída.

Até sua última viagem à Suíça, Paul era o engenheiro chefe de um dos maiores campos petrolíferos na Indonésia. Ele o reestruturou para aumentar a produção – uma mudança que rendeu bilhões de dólares a seu empregador. Tendo sido tão bem-sucedido na reestruturação, ele estava pensando em se tornar um consultor independente em engenharia do petróleo.

Quando ele partiu para a Suíça, acabávamos de ter nosso quarto filho, e estávamos muito apaixonados.

Ele foi à Suíça para averiguar uma oportunidade profissional e visitar sua irmã e a casa de sua infância. Quando voltou, era um homem completamente diferente.

Em setembro, Paul foi para a Suíça. Enquanto esteve lá, visitou sua irmã e o namorado, que praticavam ocultismo e bruxaria. Essa irmã disse a Paul para comer muito queijo antes de ir à casa dela. Lá, deram a ele algumas poções "de ervas", para ajudá-lo a relaxar.

Quando ele me ligou pela primeira vez naquela noite, disse, "Devo ter caído no sono lá. Quando acordei, minha irmã e o namorado haviam ido embora. Acho que estou ficando louco".

Para um homem culto e realizado afirmar que acha estar ficando louco, algo mais deve ter acontecido além de cair no sono na casa da irmã.

Ele me ligou de novo um pouco mais tarde, e foi estranho. Queria fazer sexo pelo telefone. Paul nunca tinha falado comigo daquele jeito. Ele pedia para eu me masturbar etc.

Quando alguém está sendo oprimido por uma ou mais entidades malignas, com frequência assume características malignas específicas. Gula e apatia são comuns. Nesse caso, a luxúria era a manifestação primária, com apatia e gula em seguida.

Enquanto ainda na Suíça, Paul foi a uma psicóloga – recomendada pela irmã – que o fez remover qualquer medalha (religiosa) que ele usava e o escapulário[24] *de Nossa Senhora. Ele disse que essa mulher soprou ar – ou droga – pelo seu nariz e ele se sentiu muito poderoso. Sentiu como se pudesse fazer um foguete decolar com a voz.*

Quão profissional seria qualquer "psicólogo" que insiste na remoção de medalhas religiosas e sopra algo como cocaína no nariz do paciente? Paul usava medalhas religiosas porque havia retornado à Igreja depois do casamento, pensando nas crianças. Uma das filhas do casal estava se preparando para a primeira comunhão à época em que tudo isso começou.

Paul perdeu o voo de volta para casa, e visitou a irmã de novo. Ela era enfermeira, e conseguiu para ele um atestado médico. Ele foi examinado em um hospital de Zurique e conseguiu remarcar sua passagem.

Ele finalmente embarcou em um voo que fazia escala em Paris, onde foi desembarcado e enviado a um hospital para observação.

Obviamente, Paul não estava agindo de forma apropriada, se teve que ser desembarcado e hospitalizado no meio da viagem. O fato de ter sido necessário hospitalizá-lo duas vezes antes que ele conseguisse chegar em casa indica como seu comportamento devia ser bizarro, e como havia mudado rápido. A ocorrência súbita de eventos como esse não é incomum em casos de bruxaria.

Mais tarde, Paul tomou um avião de volta para os Estados Unidos, mas estava agindo de forma estranha. Eu fui buscá-lo no aeroporto. Ele foi o último a sair do avião, e movia-se bem devagar.

Quando entrou no carro e pegou a direção, estava dirigindo de forma diferente. Em geral era um motorista calmo e cauteloso, mas estava imprudente e dirigia aos trancos. E não sabia o caminho para casa. Ele pensou que podia voar sobre uma ravina, de uma autopista a outra.

No caminho para casa, ele disse, "Precisamos nos divorciar. Vai ser duro no começo, mas precisamos fazer isso". Fiquei completamente arrasada. Ele então me disse que ficou com uma garota em um bar, na Suíça, e foi ao apartamento dela.

Mais tarde, Paul me contou que, quando visitou o túmulo do irmão na Suíça, ficou acordado a noite toda. Depois, ele sentiu uma presença maligna no carro que estava dirigindo. Ele me contou que sabia que era o demônio; e quando olhou, seu velocímetro havia mudado para 666!

Muito provavelmente esse foi um dos eventos que fez Paul achar que estava ficando louco, quando ligou da Suíça para a esposa pela primeira vez. Essa também poderia ser uma experiência induzida por drogas.

Naquela época ele confrontava as coisas e compartilhava suas preocupações. Era como se fosse ele mesmo, mas aterrorizado. Às vezes dizia: "Como vou me livrar de todos esses fantasmas?"

As visões que uma pessoa enxerga durante um ataque demoníaco não são fantasmas. São mais como monstros. Não são e nunca foram humanas. Mas a maioria das vítimas não sabe como chamá-las, porque tais criaturas permanecem invisíveis aos demais.

Paul perdeu seu emprego excelente e foi despedido de uma consultoria quando bateu o telefone na cara do cliente. Foi trabalhar em outra consultoria e terminou discutindo com o proprietário, acusando-o de ser um moleque mimado e fazendo com que o homem tivesse um ataque sério de asma.

Quando voltou para casa, contou-me que não conseguia tirar os olhos das mulheres por toda a cidade e que todas elas pareciam modelos. (Ele nunca tinha me falado sobre outras mulheres antes.) Então, se eu ficava furiosa por causa de suas escapadas, por me trair etc., ele ficava com um olhar vazio, erguia os olhos como se estivesse vendo algo e se tornava muito estranho e bizarro. Não entendia inglês, falava suíço-alemão ou algo assim.

Ele não conseguia se sentar em uma cadeira. Deslizava para o chão ou andava por cima dos móveis.

Levei-o ao pronto-socorro local. Decidiram interná-lo, e transferiram-no para um hospital psiquiátrico, por considerá-lo um "perigo para si mesmo e para os outros". Ele fugiu do hospital depois de pedir que removessem suas algemas para que pudesse usar o mictório. Foi capturado pela polícia e levado de volta ao hospital psiquiátrico.

Ele ficou lá 3-4 dias e foi diagnosticado como bipolar. Ele me disse que, durante sua estada lá, estava no Purgatório ou no Inferno, com o irmão que havia se matado. Ele via demônios em seu quarto.

O demônio trapaceiro usou a imagem do irmão de Paul para controlá-lo e atormentá-lo.

Depois que teve alta, fui com ele pegar sua medicação. Enquanto eu estava no balcão da farmácia, ele desapareceu por um instante. Eu o vi lendo a revista Cosmopolitan, *algo que nunca fez. Quando fomos para o estacionamento, o gerente da loja apareceu, com um casal jovem e então a polícia. Eu não sabia o que estava acontecendo. A jovem disse que Paul tinha enfiado a mão por baixo dos shorts dela enquanto estava na fila. A polícia deixou-o ir quando eu disse que ele havia acabado de sair do hospital e necessitava de medicação.*

Em casa, foi terrível. Ele agia como se estivesse rodando pelas paredes, sem peso. Disse que queria nos ver fora da casa, na rua e sem dinheiro... ou mortos. Precisava ser vigiado a cada segundo. Ele trombava de propósito com as pessoas no mercado. Eu tinha que segurá-lo pelo braço.

Em um raro momento de relativa normalidade, ele me disse que sentia uma nuvem – ou sensação – maligna muito negra baixando sobre ele.

Depois de consultar o padre de nossa paróquia, Paul e eu tomamos um avião com nossos dois filhos mais novos e fomos para outro estado consultar um padre que havia visto coisas assim antes. Ele precisava manter segredo sobre isso, pois o superior dele não apoiava seu envolvimento com tais coisas.

Meu marido disse que a água benta o queimava. Depois de três sessões, e enquanto estávamos na sala do padre, meu marido começou a tocar suas partes íntimas na frente do padre. Este perguntou: "Quem fez isto com você?" Meu marido disse que tinham sido sua irmã e o namorado dela. O padre perguntou: "O que você deve fazer?" Paul respondeu: "Matar minha família". O padre perguntou: "O que você ganharia com isso?" Paul disse: "O demônio promete que vou ter sexo para sempre no inferno". Ele disse tudo isso diante de nossos filhos mais novos (na época com 1 e 3 anos).

Depois de voltarmos para nossa cidade, no estacionamento do aeroporto nosso carro não pegava. Ele achou que poderia carregá-lo. Chegando em casa, qualquer coisa mecânica que Paul tocasse quebrava – o varredor automático, o controle remoto da garagem...

Uns dias depois, achei que ele estava melhor. Ele disse que ia lá para cima, ver um jogo. Subi mais ou menos uma hora depois e ele não estava lá. Ele havia saído pela janela do banheiro, escalado uma parede de estuque e ido a um bar topless, *retornando com filmes pornôs para mostrar a nossas filhas de 13 e 7 anos. Ele estava, ainda, com as calças do avesso. Tentei tirar os filmes dele, e ele os enfiou na parte da frente da cueca.*

Paul disse que seria bom se pudesse fazer sexo com outras pessoas. Ele não queria nenhuma proteção contra gravidez e desejava muito sexo selvagem. (Ele podia fazer sexo o tempo todo – ereção permanente.) Ele não chegava ao clímax, e podia continuar e continuar e continuar... ele arrancava minhas roupas. Na época, eu havia acabado de fazer minha quarta cesariana, e não era prudente ter outro filho.

Quando eu ia ao parquinho com as crianças, eu o levava pela mão, para mantê-lo longe de outras pessoas. Ele nunca brincava com nossos filhos no parquinho. Em geral ficava apenas sentado. Uma vez ele subiu facilmente por um poste reto (como um poste de bombeiro).

Todas as suas preferências alimentares mudaram. Ele também achou ter perdido o olfato, e ainda acha. Ainda não ouve bem. Sua visão mudou, bem como sua caligrafia.

Paul, como descrito, com certeza exibe sinais clássicos de opressão e possessão. As mudanças que demonstra, testemunhadas por outras pessoas, vão muito além do superficial. Mais do que as mudanças físicas e de comportamento, são significativas suas novas capacidades físicas e o fato de falar em um outro idioma, desconhecido.

As fotos que essa mulher enviou com a carta também confirmam as mudanças. Uma foto tirada pouco antes da viagem dele à Suíça mostra um homem magro, bem-vestido e bronzeado, cujos olhos demonstram afeto, alegria e amor pela família que está abraçando. Apenas um mês depois, outra foto mostra o mesmo homem de pé, distanciado de todos. Parece desleixado e obeso, e tem olhos frios e sem vida, em meio a uma face cinzenta.

Levei-o a outro psicólogo, que admitiu sentir que havia algo sobrenatural envolvido. Paul andou por cima dos sofás do médico e escondeu-se dentro do banheiro com as luzes apagadas. Ele ainda faz isso. Um dia, enquanto estava no banheiro escuro, eu o ouvi dizer: "E agora, mestre?"

Em meados de outubro, ele estava sempre entrando em nosso quarto e trancando a porta. Mais tarde encontrei fios conectando a tomada e a televisão às partes metálicas da cama. Duas vezes acordei e descobri que ele havia passado um cinto ao redor de meu pescoço. Meu grito, "Paul! O que está fazendo?", trazia-o de volta a si. Mais tarde, o cano de gás de nosso aquecedor de água foi partido manualmente e apresentava um vazamento sério.

Ninguém pensaria que seria necessário que eu alertasse aquela mulher de que a vida dela e dos filhos estava em perigo. Mas, por mais estranho que pareça, o comportamento dela tampouco era incomum. Ela estava tentando manter a família unida, ela amava o marido e pai de seus quatro filhos, e não podia crer que ele não era o mesmo homem. Ela estava ocupada demais tentando trazê-lo – e a vida de todos – ao normal para reconhecer que ela e a família poderiam estar em perigo real.

Ainda, a opressão demoníaca afeta mais do que o indivíduo marcado para possessão. Por exemplo, no caso de Amityville, tanto George quanto Kathy Lutz perderam o interesse em coisas que eram importantes para eles antes da mudança para a casa. George ignorou seus negócios e não tomava banho, enquanto Kathy não queria sair de casa nem terminar de fazer as compras de Natal.

Sempre que eu o confrontava com a verdade, ele ficava furioso. Ele bateu na cabeça de minha filha duas ou três vezes por ela ter dito algo. Em algumas ocasiões, eu perguntava onde estava nosso filho de 1 ano e ele respondia: "Acho que o afoguei na piscina".

Ele ficava me dizendo que "o grande evento" – Halloween – estava chegando. Ele receava o que podia acontecer.

E as coisas ficaram piores. Encontrei-o de cuecas no chão do quarto de minha filha, rosnando como um lobo. O pastor dr. D ligou naquele momento. Coloquei o telefone no ouvido de Paul enquanto o religioso invocava o Precioso Sangue de Jesus. Ergui uma estátua da Virgem Santíssima sobre Paul, orei e invoquei Jesus, Maria e São Miguel. Paul começou a puxar o tapete, arrancou as cortinas, tirou as roupas, destruiu as camas e então horríveis sons e grunhidos malignos saíram de dentro dele.

Isso não é bom. O comportamento e os sons terríveis descritos provavelmente não são humanos.

Enquanto brincava com as crianças no andar de baixo, nosso cão de repente ficou enlouquecido e mordeu meu filho de 3 anos. Enquanto eu me arrumava para levar o garoto ao hospital, meu marido dançava nu na frente de nossos quatro filhos, e então sentou-se no sofá numa posição estranha, de pernas cruzadas.

O cão provavelmente estava reagindo assustado com base no que seus instintos diziam estar presente. É improvável que o próprio cão estivesse possuído. Entidades malignas querem almas humanas... para controlar nosso livre-arbítrio. Já houve casos em que se manifestaram em animais, mas tais criaturas jamais seriam confundidas com o animal de estimação da família.

Cuidei de meu filho e internei meu marido. Passei muitas horas no hospital tentando trazer Paul de volta para a realidade. Ele estava sob sedação pesada e dormiu muito. Pedi a padres que viessem visitá-lo.

Paul pode ter dormido, mas o diabo não. Ele nunca dorme. Ele não precisa.

Depois de receber alta, Paul se tornou avesso a mim, às crianças e a qualquer tipo de trabalho ou obrigação. Diante de qualquer prece, terço ou missa, ele de imediato caía no sono.

A reação dele a qualquer coisa religiosa é previsível, como acontece com qualquer um sob a influência de uma entidade maligna. As reações ou são violentas e blasfemas, ou completamente apáticas e inertes. Essa gama de reações também ocorre durante exorcismos.

Tive de ensinar Paul a fazer as coisas. Ele parecia uma pessoa com um retardo mental grave, ou um alienígena. Não reconhecia os utensílios. Ele achava que, para cozinhar um ovo, bastava colocá-lo no fogo, sobre o fogão (sem necessidade de panela). Para tirar as folhas do gramado, ele achava que devia usar as mãos. Durante esse tempo, ele me disse que iria para o inferno, e que me levaria também. Eu lhe disse: "Não, você não conhece a Promessa do Escapulário Marrom?"[25]

No entanto, algo estranho aconteceu uma semana atrás, quando ele usou o escapulário, o crucifixo e a medalha de São Bento durante uma cirurgia de hérnia. A enfermeira disse que ele ficou muito violento depois da operação... arranhando de forma horrível o pescoço até conseguir arrancar o escapulário e as medalhas. A enfermeira disse que ele tinha uma expressão horrível enquanto fazia isso. O episódio me fez sentir que o subconsciente dele transpareceu, revelando seu ódio pelos símbolos sagrados da Igreja.

Lorraine e eu suspeitamos que algo além do "subconsciente" dele estava transparecendo.

Ele não estava mais agindo como "alucinado", mas ficou muito preguiçoso, avesso ao trabalho, quer ir à bancarrota e não faz nada para prover sua família. Quando um de nossos filhos escorregou no piso de ladrilhos, bateu a cabeça e começou a chorar, Paul simplesmente se levantou e foi embora.

As crianças não suportam ficar perto dele. Ou ele usa uma voz fingida, doce e cantarolada, ou uma voz horrível. Elas não suportam ser tocadas por ele. Gritam se ele as desperta de manhã. Os olhos dele me aterrorizam e seu rosto ficou medonho. Ele só se preocupa em comer e se empanturrar.

Como disse antes, "efeitos colaterais" comuns da opressão diabólica são a apatia e a gula... que com frequência são difíceis de distinguir da depressão. O comportamento aterrorizante de Paul, súbito, descontrolado e crônico, porém, é um pouco mais fácil de diagnosticar como anormal. As fotos enviadas com a carta dessa mulher confirmaram as mudanças físicas que ela descreveu.

Paul não diz que me ama. Agora sinto muita dor, ressentimento e não quero "odiar", pois isso é coisa do demônio. Mas tenho dificuldade em dizer "eu te amo". Eu me pergunto se Paul em algum momento volta, ao menos até certo ponto, a seu corpo, ou se algum ser maligno está sempre esperando em sua mente, por trás de uma cortina sombria.

Sumário

Já consultamos quatro psiquiatras... dois deles sentiram, depois dos exames, que estamos lidando com uma situação sobrenatural. Paul foi hospitalizado duas vezes na Europa e duas vezes nos Estados Unidos. A medicação receitada parece não ter nenhum impacto físico ou emocional a longo prazo em seu estranho comportamento.

Também procurei a ajuda da Igreja. Um padre, já falecido, leu um "exorcismo curto", que teve pouco efeito sobre o problema. Outro ouviu os grunhidos não humanos dele ao telefone. Esse foi o pastor que me passou o nome de vocês para que eu entrasse em contato. Um terceiro padre me indicou um quarto, que acha que esta não é a área dele.

Desde a última viagem de Paul à Suíça, ele de repente passou a precisar de óculos. Perdeu o olfato. Sua audição deteriorou. Sua caligrafia é diferente. Seus hábitos alimentares mudaram. (Antes, ele nunca comia fast food, *e agora ele adora.)*

Ele consegue escalar, sem esforço, postes retos, prédios e a parede de nossa casa. Ele se esqueceu de como dirigir, onde moramos e como fazer coisas simples, por exemplo, como usar a mobília e mesmo como falar e compreender inglês. Ele fala um idioma estrangeiro que nunca antes o ouvi falar.

Ele ameaça a família e a coloca em risco, ligando fios elétricos a nossa cama, desconectando ou quebrando os alarmes de incêndio, e outros comportamentos perigosos ou negligentes.

Sua reação a confrontos pode ser violenta ou apática, e ele adormece quando exposto a preces, uma missa ou um terço. Ele também tem uma reação negativa e às vezes dolorosa a medalhas e símbolos religiosos.

Seu apetite por sexo selvagem e pornografia é constante e demonstra total falta de respeito por nossos filhos, por outras pessoas e por mim. Ele não consegue manter um emprego apesar de sua formação e de seu sucesso no passado como engenheiro petrolífero.

Situação atual

É difícil falar ou escrever sobre tudo isso, mas temo que meu marido não esteja livre do mal. Acordo todo dia com meu coração apertado, recordando a experiência, desejando que tenha sido um sonho ruim. Agora necessito de medicação para a disritmia cardíaca que resultou de todo o choque. Preocupo-me com meus filhos, com uma recaída e com minha própria superação desse trauma.

Paul não mora conosco faz quase um ano. Mas eu o vi neste fim de semana. Visitamos um templo e acendemos uma vela. Acho que é um bom momento para tentar estabelecer uma conexão com Paul. Confio que Jesus vai me ajudar, pelo bem de meus filhos.

Conversei com o padre que vai rezar a missa de aniversário do padre Pio,[26] *mas ele diz que não é especialista nesses assuntos. É por isso que necessito de alguém que seja. Possam Jesus, Maria, José e São Miguel, e todos os anjos e santos, ajudá-lo em seu corajoso trabalho, e possa o Espírito Santo sempre iluminá-lo.*

Essa mulher descreveu o horror de ver alguém que ela ama – e sua própria vida – mudar completamente ante seus olhos, sentindo-se impotente para fazer qualquer coisa quanto a isso. As melhores mentes científicas, instituições e drogas ofereceram pouco ou nenhum alívio. Se isso é o que penso que é, o alívio duradouro só pode vir de um exorcismo religioso, apelando para o poder de Deus.

Aconselhei a cliente a ficar, com seus filhos, longe daquele homem. Ele já não era a mesma pessoa que a família havia conhecido. Infelizmente, havia pouco que Lorraine e eu pudéssemos fazer por ele, pois Paul não havia pedido nossa ajuda. Mesmo quando Jesus estava expulsando demônios, sempre perguntava à vitima se queria que o demônio fosse expulso, antes de ser de fato exorcizada.

O livre-arbítrio é poderoso. Não é possível exorcizar o demônio de uma pessoa sem que ela reconheça o problema e deseje solucioná-lo, da mesma forma como não é possível curar um vício nessas mesmas condições.

Temo que o mal que controla Paul não tenha simplesmente ido embora, mas que esteja lá, dormente, esperando uma oportunidade para atacar. Infelizmente, se não houver uma intervenção religiosa, o resultado provável será a morte. A saúde de Paul deve continuar a se deteriorar, ou ele pode ser levado ao suicídio. Com sorte, ninguém mais sairá ferido. Se examinarmos com atenção os assassinatos em massa, talvez encontremos mais casos de uma "doença mental" que desafia o diagnóstico e o tratamento.

Infelizmente, as próprias pessoas que podem ajudar com frequência relutam em fazê-lo. Há muito poucos exorcistas treinados, porque é um trabalho perigoso e desagradável... e já há uma escassez de padres católicos devotos para servir as necessidades espirituais mais rotineiras dos fiéis. Ademais, a Igreja abomina publicidade. Em alguns aspectos, eu compreendo. Esse é um assunto sério, não um circo. Mas o "segredo" e a "confidencialidade" podem encobrir mais do que o mal do abuso de menores.

Como essa mulher diz em sua carta para nós, "Possa o Espírito Santo sempre iluminá-lo"... e por favor fique longe de *qualquer um* – incluindo parentes e amigos – de quem você sequer *suspeite* que adora Satanás e pratica magia negra.

"Estive em muitos locais onde ocorreram homicídios, incluindo
assassinatos múltiplos que terminaram em suicídio.
Eram locais onde as coisas simplesmente não pareciam certas.
A atmosfera em alguns casos era tão zombeteiramente maligna, pesada e
assustadora que senti que deveria orar pelas vítimas."

Detetive forense, em uma carta para os Warren,
agosto de 2000

Seção IV

O inexplicável: real ou ridículo?

Uma vez mais os Warren estavam com um grupo de alunos de idade e experiência de vida variadas, ansiosos para aprender mais sobre o paranormal. Lorraine trajava uma de suas características saias xadrez, com echarpe combinando. Ed parecia sério, mas confortável, em um moletom escuro. Lorraine puxou um banco alto e começou a falar ao grupo.

"Desde o início da história humana existem relatos de encontros com elementos de 'fora deste mundo'. É fácil supor que nossas histórias ancestrais ou relatos provenientes do Terceiro Mundo tenham origem supersticiosa. No entanto, as mesmas narrativas são feitas hoje em dia por pessoas cultas e dignas de crédito em nações cientificamente avançadas, no mundo todo. O que é difícil ignorar é que o conteúdo dessas ocorrências não explicadas é consistente, não importa com quem aconteçam e em que contexto cultural.

"Uma coisa é acreditar que nossa mente está nos pregando uma peça, mas outra é acreditar que ela nos prega peças da mesma forma e com as mesmas imagens ao longo dos séculos e independentemente do meio cultural. São essas consistências que continuam a fascinar os céticos de mente aberta. Por exemplo, pessoas que parecem sinceras e sãs continuam a relatar avistamentos de seres humanoides peludos nos ambientes mais remotos do mundo. Os detalhes da descrição variam, mas as pessoas consistentemente *não* descrevem mamutes peludos ou algo que pareça um inseto gigante. A consistência no que descrevem é que exige uma pesquisa profunda."

"Não faz tanto tempo assim que se dizia que pescadores calejados estavam confundindo árvores flutuantes e suas grandes raízes com animais enormes que atacavam barcos de pesca", Ed acrescentou. "Então a ciência descobriu a lula-gigante. Não foi senão em 1847 que houve o reconhecimento oficial da existência do 'pongo', de aparência feroz e perturbadora semelhança com o ser humano... a criatura que conhecemos como gorila. Outras criaturas que a princípio foram consideradas como ilusões causadas pelo poder de sugestão ou como uma fraude descarada incluem o panda gigante e o ornitorrinco, com seu bico de pato."

"Somente em 1982 foi fundada a ciência da criptozoologia", continuou Lorraine. "Esta é a 'ciência dos animais ocultos'. Ela reconhece que populações locais com frequência têm um conhecimento preciso sobre as criaturas presentes em seu ambiente, independentemente do quanto pareçam estranhas e improváveis ao resto do mundo. O conhecimento local revela aspectos cruciais da aparência e do comportamento desses animais esquivos e fora do comum. São eles cobertos de pelos, têm escamas, são grandes ou pequenos, noturnos, caminham sobre duas ou quatro patas?"

"O que faz com que uma criatura tenha interesse para a criptozoologia é o fato de ser inesperada", explicou Ed. "Por exemplo, um pinguim no Caribe merece um estudo aprofundado, da mesma forma que um monstro de pescoço longo, avistado em um lago tranquilo na Escócia."

Lorraine concordou com um aceno de cabeça, acomodou-se em seu banco e continuou falando.

"A parapsicologia volta-se para outras 'coisas esquisitas que acontecem'. Uma vez mais, a consistência nos diversos testemunhos é grande demais para ser ignorada. Isso inclui avistamentos de fantasmas, fenômenos de telepatia, telecinese, psicometria, atividade de poltergeists e até milagres. Os mistérios nos rodeiam. Não precisamos ir até castelos antigos ou cemitérios desolados para encontrar algo sem explicação, um som, evento físico ou imagem em uma fotografia. Mal se passa um dia sem que alguém comprovadamente são, sóbrio e até cético sacuda a cabeça depois de ser confrontado com o inexplicável.

"Mas ainda assim a ciência e os acadêmicos historicamente têm falhado em reconhecer essa parte significativa da experiência humana. Uma coisa é exigir evidências convincentes e outra é ter medo de admitir os limites do conhecimento atual. Coisas estranhas acontecem... seja o encontro com uma criatura estranha enquanto caminha na floresta, seja sua avó anunciar seu falecimento *depois* de morrer a centenas de quilômetros de distância."

"A natureza humana sente-se desconfortável com um vácuo de explicações", disse Ed. "É difícil admitir que nós 'não sabemos'. Os céticos refutam os relatos paranormais como ridículos ou inacreditáveis. Os crédulos criam e aceitam explicações extravagantes, sem considerar a fonte, esforço ou ideias por trás das teorias. A real compreensão vem do estudo com paciência, modéstia e a tolerância quanto à ambiguidade.

"Compreender o incompreensível começa com a aceitação de que não sabemos o que existe por trás de todas as experiências estranhas que tanta gente parece ter. No entanto, com o acúmulo cada vez mais rápido de conhecimento em tantas áreas, uma perspectiva racional deverá aparecer. Mais cedo ou mais tarde, com certeza aprenderemos algo novo."

Ed interrompeu-se para olhar o rosto de cada pessoa na plateia antes de prosseguir.

"No entanto, essa nova informação pode levar à descoberta de anomalias de percepção... ou a vislumbres de uma realidade maior que de outra forma passa despercebida. Isso, claro, poderia abalar a comunidade científica... e abalar as fundações do consenso de realidade. Em suma, as implicações de descobertas nessas áreas são enormes."

"Sim", confirmou Lorraine. "Lembrem-se, não faz muito tempo que, para líderes da comunidade e pessoas cultas, a ideia de uma Terra redonda e girando ao redor do Sol era tão absurda quanto uma viagem espacial. No entanto, hoje em dia as grandes mentes admitem que há mais coisas invisíveis do que visíveis em nosso chamado mundo físico."

Ed acrescentou:

"Está se tornando mais e mais difícil ignorar o fato de que pessoas de todas as idades, culturas e níveis de escolaridade insistem que não estavam sonhando e que estavam plenamente conscientes ao ouvirem e verem coisas estranhas. Em algum momento, vamos ter que dar ouvidos às testemunhas.

"Lorraine e eu dedicamos a maior parte de nossas vidas a fazer exatamente isso. Por mais de cinquenta anos entrevistamos milhares de pessoas que tiveram encontros paranormais de um tipo ou de outro. No começo, era algo sobre o qual elas hesitavam em falar. Sentiam vergonha por estarem com medo e frustradas por sua incapacidade de encontrar explicações lógicas para sua experiência. Com os anos, porém, as pessoas começaram a ficar mais curiosas e abertas quanto aos eventos estranhos ocorridos em suas vidas. Por meio de uma melhor comunicação, e às vezes também por nossos esforços, elas descobriam que não estavam sozinhas.

"Infelizmente, também existem aqueles que estão tão ansiosos por seu breve momento de fama que contam histórias mirabolantes ou inventam ocorrências. Mas ainda assim há muitas coisas que são difíceis de inventar ou criar, mesmo com uma imaginação bem informada e hiperativa."

Lorraine acrescentou: É difícil acreditar "no que acontece em um ataque demoníaco legítimo ou em casos reais de poltergeists e assombrações, mesmo por quem passa pela experiência. Há muitas evidências, porém, que são difíceis de ignorar. Ainda, tais experiências com frequência são testemunhadas por mais de uma pessoa, e coincidem com milhares de outros relatos do mundo todo."

"No entanto", disse Ed, "separar o real do exagerado, imaginado ou falso às vezes é um desafio tão grande quando compreender a atividade paranormal em si. Para complicar, com frequência múltiplas 'realidades' se misturam. A atividade paranormal real pode estar exagerada. Alguém que perpetua a fraude pode também estar atraindo o mal. É nesse ponto que a 'tolerância à ambiguidade' é útil. Os dois casos a seguir ilustram a dificuldade em tentar ao mesmo tempo confirmar e compreender o inexplicável."

♦ **Estudo de Caso Nº 8: Pé Grande no Tennessee**

Motivadas pelo medo e pelo desejo de alertar outras pessoas, famílias rurais humildes relatam múltiplos avistamentos de uma grande criatura peluda, semelhante a uma pessoa, que caminha sobre duas pernas. O inesperado encontro parapsíquico de Lorraine pode lançar mais luz sobre o mistério recorrente que cerca esse e outros estranhos "animais ocultos".

- **Estudo de Caso Nº 9: Hotel Assombrado nas *Highlands***
  Os Warren são convidados para investigar ocorrências estranhas em um hotel isolado na Escócia. Um vidente relutante pode ser tanto parte da solução quanto parte do problema. Os leitores se juntam aos especialistas na luta para separar o espantoso do encenado.

Estudo de Caso Nº 8

Pé Grande no Tennessee

Todos os nomes e lugares desta história verídica foram trocados ou modificados para proteger a privacidade dos clientes. Ed Warren descreve o caso.

Histórico

Enquanto Lorraine e eu dávamos uma palestra em uma escola próxima ao Eremitério de Andrew Jackson,* no Tennessee, em abril de 1976, um professor que chamarei de Ralph trouxe a nosso conhecimento um artigo publicado no jornal da região pouco tempo antes. De acordo com a história, as pessoas estavam relatando o avistamento, nas vizinhanças, de uma criatura semelhante ao lendário Pé Grande. Ralph perguntou se gostaríamos de investigar o caso. Concordamos em sair para percorrer as florestas do Tennessee bem cedo no dia seguinte. Anos dando palestras nos ensinaram a deixarmos algum tempo livre em nossa agenda exatamente para oportunidades como essa.

Depois de uma noite bem dormida, nos encontramos com Ralph no saguão de nosso hotel, bem cedo, e partimos para a zona rural do Tennessee. No caminho, Lorraine falou sem parar enquanto eu me perguntava quando teria minha próxima refeição. Cada quilômetro nos afastava ainda mais da civilização como eu a conhecia – cafés, restaurantes e lanchonetes. Estávamos em uma parte do estado tão remota que as aves migratórias precisariam de mapas.

Uma estrada de terra nos levou até uma diminuta comunidade de casebres conectados por cabos de eletricidade a um "poste de luz" que se erguia

* Propriedade que pertenceu a Andrew Jackson, presidente dos Estados Unidos de 1829 a 1837, atualmente transformada em museu. (N. dos T.)

no centro do local, como um mastro. Ao redor dessa área dilapidada crescia uma floresta densa, que parecia estender-se até os confins do mundo. O proprietário de toda a área desmatada era também o xerife daquela pequena comunidade isolada. Os vizinhos de porta do xerife eram um outro casal com seus dois filhinhos.

O xerife era um homem alto e magro, com faces encovadas. Usava um macacão e uma camisa escura que parecia bem surrada. Estendeu uma de suas mãos enormes, manchadas mas limpas, e nos apresentamos. Era um sujeito simples, extremamente educado e respeitoso, mas não era nenhum tonto. Tinha voz suave apesar de todo o seu tamanho, e falava de forma cautelosa e ponderada.

Concordei em conduzir as entrevistas, enquanto Lorraine percorreria a área e a floresta ao redor com nosso guia turístico Ralph. Ela queria ver o que podia perceber por meio de sua clarividência sem ser influenciada pelo que outras pessoas alegavam ou pensavam ter visto. Comecei a entrevista colocando uma fita nova em meu gravador e dirigindo minhas perguntas ao xerife.

Primeira entrevista com o xerife

Comecei tentando saber mais sobre o homem e o local.

"Soube que você é segurança em uma loja de departamentos na região e que mora aqui com sua esposa. Vocês têm filhos?", perguntei a ele.

"Não, senhor, não temos filhos, infelizmente", respondeu o xerife.

"Você tem um vizinho que mora a poucos metros de sua própria casa, mas fora isso não há muitas casas por aqui, não é?"

"Não, senhor, perto mesmo não há. Não há casas por muitos quilômetros. Só existe um riacho que segue uma ravina e ressurge a aproximadamente sete quilômetros, onde passa uma estrada asfaltada", descreveu o xerife.

"Pelo que sei há algumas cavernas nos arredores que têm até um quilômetro e meio de extensão e onde a temperatura raramente desce abaixo de 15 graus centígrados. Está correto?"

"Sim, senhor, é o que me disseram", disse o xerife, assentindo com sua grande cabeça. "Nunca estive na caverna, mas conversei com um vizinho meu, que mora a uns... ah, três quilômetros de minha casa. Ele diz que há uma caverna, e que essa trilha leva até lá, de acordo com a descrição que fez da área. Essa trilha que sai aqui da casa... essa que a gente vê ali... ela leva até a área onde a caverna está localizada."

"Então, este seria o local ideal para uma criatura desconhecida sobreviver. Outra coisa, quando olho para essa floresta por trás da sua casa, posso ver que alguma coisa grande poderia permanecer escondida a menos de 30 metros de distância. Nunca perceberíamos a presença dela."

"É isso mesmo, senhor. Uma criatura enorme poderia se esconder ali, e a menos que alguém fosse direto até onde ela estivesse, nunca conseguiria vê-la. É isso mesmo."

"Lorraine e eu vimos um artigo de jornal sobre algo que aconteceu recentemente com seu vizinho. Poderia nos falar algo sobre o que aconteceu a essa família que mora na casa ao lado da sua?"

"Umas duas semanas atrás, na noite da segunda-feira passada, para ser mais exato... cerca de 9h30 da noite, esse senhor (meu vizinho) veio até minha casa e me acordou. Ele estava muito transtornado, erguendo a voz e berrando para eu abrir a porta e ajudá-lo. E então ele contou que alguma coisa quase tinha pegado um de seus filhinhos logo ali.

"Ele disse que seu filho precisou sair da casa, e sua esposa o levou até a porta. Quando ele saiu, algum tipo de coisa tentou pegar o menininho. A esposa puxou o garoto de volta para dentro, bem a tempo." (Para quem está se perguntando por que um garotinho precisaria sair no meio da noite, essas famílias ainda tinham o banheiro fora da casa.)

"Creio que o garoto tem 4 anos de idade, certo?", arrisquei.

"Sim, senhor, certo", confirmou o xerife. "Eles têm outro filho. Um menino de 5 anos."

"Essa família já havia visto a criatura por aqui antes?"

"Sim, senhor. Enquanto estavam cortando lenha..."

"Ali atrás?", perguntei, apontando para a beira da floresta.

"Sim, atrás da casa, que você pode ver deste lugar aqui. Tem um matagal fechado ali. E um deles disse que eles viram essa coisa saindo dali. Foi cerca de duas semanas antes que o incidente acontecesse."

"Em outras palavras, houve aqui dois avistamentos em um mês?"

"Sim, senhor, sim, senhor, sem sombra de dúvida."

"E você mesmo já viu esse ser misterioso sobre o qual li no jornal?"

"Sim, senhor, com certeza eu o vi", o xerife respondeu, sem hesitação. Era óbvio que estivera esperando que eu fizesse aquela questão.

"Poderia descrever o que viu e quando foi isso?", perguntei.

"Bom, eu descreveria essa coisa como tendo uns 2 metros de altura. Ela caminha ereta, como um homem, e eu diria que na altura do ombro ela... se encurva um pouco para a frente ao andar.

"A primeira vez que vi essa coisa foi a mais ou menos três anos e meio ou quatro. Desculpe por não poder dar mais informações, mas não anotei a data em que aconteceu. Já fazia várias noites que os cachorros estavam agitados, e eu não estava dando muita atenção a isso. E uma madrugada, por volta de 2h30 da manhã, pelo que me lembro, eu saí e acendi a luz para investigar, e o ser estava no quintal... bem perto da casa.

"E parecia ter medo da luz. Virou-se e fugiu correndo... saiu do quintal e voltou para o matagal... a floresta ali."

"Quanto você acha que o ser pesava?", perguntei.

"Eu estimaria o peso da coisa entre 160 e 180 quilos, pelo menos."

"Essa criatura produziu algum som?"

"Não poderia jurar que foi a coisa que produziu o som; mas ouvi sons em várias ocasiões diferentes, depois desse evento e antes que eu a visse pela primeira vez. Não soava como nada que eu já tivesse ouvido; nenhum ser humano poderia imitar esse som e não era nenhum animal que conheço nesta área."

"Como você descreveria o som?"

"Bom, eu descreveria meio que como uma mulher gritando... uma mulher muito irritada. Exceto que nunca ouvi uma mulher gritar exatamente daquele jeito. Mas eu diria que é o mais parecido, só que muito mais forte e mais áspero."

"Há algum cheiro associado com esse animal?"

"Tenho sentido alguns cheiros incomuns quando ele aparece, senhor. Sem a menor dúvida". O xerife fez uma pausa e então acrescentou, "Eu diria que é um cheiro tipo de raposa; mas não é exatamente a mesma coisa."

"Você fez algo quando viu esse ser?"

"Peguei uma tábua e um bastão e corri atrás dele até ele entrar na floresta, mas não o persegui."

"Você acha que essa criatura faria mal a uma pessoa?"

"Senhor, ela parecia bem malvada. Mas, até onde sei, ninguém nunca foi ferido por ela", o xerife admitiu.

Agradeci a ele pelo relato e perguntei se poderia usá-lo para informar outras pessoas.

"Senhor, dou permissão para que o use como quiser. E gostaria de agradecer muito por sua cooperação neste caso, e seu interesse por ele. E fico grato por finalmente encontrar alguém que me ouça. Falei com várias pessoas que não acreditam que isto esteja acontecendo, e de novo agradeço por sua preocupação, senhor."

"De nada", disse eu. "Agora eu gostaria de entrevistar seus vizinhos."

Ele me apresentou a duas mulheres e a um homem, que estavam postados a uma distância educada, escutando cada palavra. Um pequeno grupo de crianças e cães também rondava por ali. Tanto o xerife quanto seu vizinho moravam em casas dilapidadas, distantes poucos metros uma da outra e do tamanho de uma garagem para um carro. Cada casa tinha uma porta dianteira e outra traseira, e um banheiro externo em uma casinha. Atrás da casa do vizinho espalhava-se uma pilha de latas e outros metais. Uma mulher magra e empertigada, com seus trinta e tantos anos e usando um vestido florido desbotado, era a dona de casa na residência vizinha. Usava o fino cabelo castanho preso para trás e parecia ser incapaz de ficar parada quieta. Sua voz soava áspera, como se ela passasse tempo demais gritando atrás de crianças e animais. Minha série seguinte de perguntas foi dirigida a ela.

Voltei-me para a mulher, apontei-lhe meu gravador e disse:

"Por favor, conte-me com suas próprias palavras o que aconteceu naquela noite com seu filhinho e a criatura estranha."

Ela baixou os olhos para os sapatos surrados, ajeitou o vestido puído e respondeu:

"Bom, ah, meu filho e eu fomos até a porta dos fundos. Estávamos parados lá, à porta. Eu estava olhando lá para baixo. Ouvi alguma coisa caminhando por cima daquelas latas", ela acenou com o braço na direção da pilha espalhada por trás de sua casa. "Fiquei olhando para lá, porque achei que podia ser um cachorro ou algo assim. Então ouvi alguma coisa. Ela estava respirando. Soava como se alguma coisa ou alguém estivesse ali parado, com asma."

Ela transferiu o peso do corpo de um pé para o outro, olhou ao redor e continuou.

"Eu me virei para olhar para o lado da casa de onde vinha o som e, quando fiz isso, vi uma sombra alta e preta ali parada. Ela esticou o braço como se fosse agarrar meu filho. E quando fez isso, puxei meu filho de volta para dentro e fechei a porta."

Aquilo com certeza teria me assustado, pensei.

"Você conseguiu ver o que era?", perguntei.

"Não, não consegui", admitiu ela.

"Você já tinha visto essa coisa antes?", perguntei, percebendo que aquelas pessoas não adiantavam informação alguma por conta própria.

"Já, quando estávamos lá serrando lenha", ela disse, indicando a linha das árvores. "Eu não a vi naquele dia, mas eu a ouvi. Meu marido a viu."

"Como era o som dela?"

"Só ouvi alguém andando", respondeu ela. "Parecia ser bem pesado, porque dava para ouvir. Eu percebia quando os pés tocavam o chão."

"Como seu marido reagiu quando viu a coisa?"

"Ele ficou aterrorizado, sabe, do mesmo jeito que eu. Ele me disse: 'Pegue a gasolina e a serra e corra!' Fiz isso porque eu estava mesmo a ponto de sair correndo."

Não duvido, pensei.

"Você ou o seu marido viram a criatura em alguma outra ocasião?", perguntei, tentando cobrir todos os ângulos.

"Um dia estávamos trazendo lenha dali de baixo..." De novo ela apontou para a linha de árvores. "Arrastávamos a lenha aqui para cima e a colocávamos aqui neste campo. Íamos descer de novo para trazer mais, mas paramos depois de deixar a lenha no campo e ficamos conversando. Por acaso olhei para trás, lá para baixo, e vi algo."

"O que você viu?", perguntei.

"O que quer que fosse aquela coisa, não consegui ver de perto o suficiente para dizer o que era ou com o que se parecia. A única coisa que vi foi uma espécie de pelagem aparecendo por trás da árvore. Não vi bem o suficiente para dizer o que poderia ser, e não sei e nem quero saber."

"Você está assustada com esse animal ou criatura, o que quer que seja?"

"Não estou só assustada, estou apavorada! De verdade", disse ela, enfática.

"Você acha que ela vai lhe fazer algum mal?", perguntei.

"Sim", concordou ela.

Agradeci-lhe e me voltei para seu marido. Ele era um homem grande, rústico e forte, também com seus 30 anos. Sua pele queimada de sol, já ficando grossa, revelava uma vida de trabalho ao ar livre. Ele se aproximou do gravador, decidido, quando sua esposa recuou. Tinha uma voz ressonante, do tipo que é ouvida de longe, mesmo que seja um sussurro.

"Poderia descrever a criatura que viu, por favor?"

Ele não hesitou.

"Bom... ela tem uns dois metros de altura, pesa por volta de 140 quilos e tem pelo comprido por todo o corpo. Nunca vi o rosto dela, mas vi as patas e os braços, ou sei lá como se chamam. Sobre o que ela pode ser, eu não sei.

"Acho que essa criatura é perigosa", ele opinou, "porque ameaçou meu filho. Por causa disso denunciei o acontecido. Sei que muita gente mais por aqui tem filhos pequenos."

"Então foi você que escreveu este aviso", perguntei antes de lê-lo:

> "Cuidado! Moradores do condado fiquem alertas para uma coisa que parece um animal, com 1,80 metro de altura, pesando cerca

de 140 quilos, meio marrom, meio preto, tem pelo comprido, caminha de pé como uma pessoa. Considerado perigoso?"

"É, eu pensei o seguinte... se o filho de alguém fosse levado, e eu fosse e dissesse, 'A mesma coisa quase aconteceu com um dos meus filhos', então iam dizer, 'Bom, por que você não denunciou, para que não acontecesse de novo?'. Então decidi ir ao jornal e fazer a denúncia, e foi o que fiz."

"Em outras palavras, você levou este folheto ao jornal; eles ficaram interessados em sua história e então a publicaram. Foi isso mesmo?"

"Foi isso mesmo. Tem muita gente que não acredita e que riu de nós por termos contado isso, mas é verdade. O xerife aqui, minha esposa e a esposa do xerife sabem o que nós vimos. Nós sabemos o que existe aqui em cima. E as pessoas riem de nós por causa disso. Mas nós sabemos, e sabemos que é verdade.

"Sei que tem muita gente que diz que é um macaco velho, ou coisa assim. Mas se eles vissem, saberiam que é diferente do que acham. E muita gente diz que é um urso", ele acrescentou. "Mas nenhum urso corre nas patas traseiras o tempo todo. Um urso corre com as quatro patas. É algum tipo diferente de criatura. Eu só não sei o que é. Como já disse, eu diria que é metade homem e metade macaco. E é só isso que posso dizer. É difícil de acreditar."

"Que tipo de som ele fazia?", perguntei.

"Bom, minha esposa disse que a respiração dele era como a de alguém que sofre de asma. Eu também ouvi algo que parece uma mulher gritando. Não sei se estava vindo daquela coisa ou do que mais. De qualquer modo, estava vindo de algum lugar."

"Conte-me sua versão do que aconteceu com sua esposa e seu filho na outra noite."

"Eram mais ou menos 9h30 da noite. Meu filho mais novo e minha esposa estavam na porta dos fundos. Ela ouviu algum tipo de barulho nas latas que tem aqui perto. Viu uma sombra muito grande e viu ela atacando. Ela puxou o menino para dentro e bateu a porta.

"Estava muito transtornada e nervosa com o que aconteceu, e apavorada. Então eu falei que trancasse a porta da frente e eu saí de casa correndo.

Enquanto corria para lá, gritei pelo meu vizinho. Ele veio correndo e demos a volta para ir até os fundos para tentar ver a coisa. Mas não conseguimos, porque ela já tinha ido embora.

"E minha esposa disse que sentiu algo como a respiração da coisa, ou algo assim. Eu não sei. Quer dizer, nunca cheguei tão perto dela. Não dissemos nada ao menino, mas quando o cara do jornal perguntou para ele 'Como ele se parecia?', o garotinho descreveu a coisa como alta, com pelo comprido e 'unhas compridas nos dedos dos pés'... Foi assim que ele disse, mas estava falando das garras da criatura.

"Então, o que essa criatura é, achei que poderia dizer que é algo meio humano e meio macaco... é como eu descreveria.

"O que ela é... nós estivemos procurando por aqui. Tem uma trilha ali embaixo. Achamos que a criatura vive ali embaixo, atrás da casa, atrás do mato lá embaixo, ou algo assim. Se eu cheguei bem perto dela... não, não cheguei. Ela deve ter se escondido atrás de uma árvore. Existem duas cavernas lá embaixo, de acordo com os vizinhos."

"Você não tem vontade de pegar essa coisa e colocar numa jaula?", perguntei.

"Não quero chegar perto dela, porque acho que é perigosa. Por isso fui até a cidade e fiz a denúncia... quis alertar as pessoas para não capturá-la. Não quero ninguém descendo lá e fazendo algum mal a ela... deixando-a ferida ou algo assim."

"Você não quer que alguém machuque a criatura e a enfureça, é isso?", tentei esclarecer.

"É. A criatura iria subir até aqui e nos destruir. Eu não quero que faça isso. Eu diria que as pessoas que descessem ali para procurá-la devem ser ultracuidadosas nesse sentido. Na minha opinião, as pessoas devem ficar longe desse lugar aí embaixo, e deixar que um guarda florestal ou alguém que conheça mesmo o assunto cuide disso.

"Temos medo que as pessoas saiam atirando por aí, fiquem cheias de coragem, se matem umas às outras, e então nos sentiríamos culpados por isso. Por isso sou contra qualquer um descendo ali, a menos que saiba o que está procurando e como a criatura age e tudo o mais. Eu diria para não se meterem com ela e que não a perturbem de jeito nenhum."

Perguntei a ambos, o vizinho e a esposa:

"Vocês se importariam se eu usasse esta entrevista que acabo de fazer com vocês na televisão ou algo assim?"

"Não, por mim não tem problema nenhum", respondeu ele. "Eu vi o programa de televisão na noite passada, e sei que toda aquela gente acredita. Eles não vão rir de nada. E é como eu disse ao homem da televisão... Eu disse que um monte de gente não acredita nisso, que é verdade, mas se sair na televisão, quem sabe então vão acreditar. Estou feliz por ele ter feito isso, porque talvez agora as pessoas entendam e aceitem o aviso."

"O que você pensa fazer a respeito dessa coisa, agora?", perguntei.

"Isso me preocupa. Eu realmente não sei se ela quer ou não nos fazer mal; mas acredito que sim, porque atacou meu filho. E esse garotinho que foi atacado, ele já tinha entrado correndo em casa várias vezes antes, e me disse que havia visto aquela coisa."

"Sério?"

Aqui estava outra informação valiosa que ele mencionava por acaso. O garotinho era outra testemunha em mais de um avistamento! Essas pessoas humildes com certeza não pareciam ter ensaiado suas histórias ou ter qualquer ideia da grande importância de algumas dessas informações. Eles só queriam alertar os demais e ser deixados em paz por aquela criatura.

"Bom, sabe, eu não dei muita atenção a isso, mas não acredito que o garotinho estivesse mentindo", admitiu o homem. "Acho que a coisa esteve observando o garoto o tempo todo. E realmente acho que essa coisa é perigosa. Como eu disse, eu queria alertar as pessoas daqui da região porque elas têm crianças como todo mundo."

Segunda entrevista com o xerife

Retornei até o xerife e perguntei:

"Mais algum de seus vizinhos viu essa criatura estranha?"

"Bom, eu diria que eles viram, sim", respondeu ele.

"Quem são essas pessoas e o que afirmam ter visto?", perguntei, tentando fazer com que ele me dissesse mais coisas.

O xerife mudou o peso do corpo de um pé para o outro e lentamente começou sua história.

"O sr. J. S. vive a cerca de 1,5 quilômetro desta região", contou. "Daqui de onde estamos, seria para oeste. Uns três anos atrás, ele reclamou dessa mesma criatura no quintal dele. Eu ouvi os tiros. Atiraram nela com uma espingarda e espantaram a coisa. Eles me contaram a história e me perguntaram se eu acreditava."

"Aquela foi a primeira vez em que falei a alguém sobre minha experiência com essa coisa", admitiu o xerife. "Achei que devia contar a eles que estavam certos... que eu já havia visto a coisa. E que eu também tinha medo de contar às pessoas, pois não queria que rissem de mim. Eu tinha medo de que não acreditassem em mim. Então, eu disse àquelas pessoas, depois que descreveram a aparência dela, que eu havia visto a mesma coisa. Eles relataram que a coisa estava gritando... fazendo um barulho estranho em seu quintal, de noite. Eles saíram e atiraram contra ela, e a coisa fugiu para a floresta."

"Uau, isso é interessante!", exclamei. "Alguma vez sua esposa viu essa criatura?"

"Sim, senhor."

"Então eu gostaria de conversar com ela também."

"Certo", ele disse, acenando-lhe para que viesse até nós.

Entrevista com a esposa do xerife

Era uma mulher baixa e gorducha, que vestia calças justas e uma camiseta extragrande que fazia propaganda de uma loja de materiais esportivos. Ela se mantivera por trás dos demais, que haviam se juntado a minha volta. Adiantou-se relutante e concordou em me contar como haviam sido suas experiências com a criatura. Sua voz era forte e soava muito prática e direta.

"Poderia me contar o que foi que viu?", perguntei.

"Não sei o que era", ela disse, numa voz surpreendentemente forte. "Eu estava aqui na minha varanda; e a coisa estava parada ali embaixo, no canto daquela casa."

Ela apontou para a casa do vizinho, bem diante de nós.

"A que horas isso aconteceu?", perguntei.

"Mais ou menos às 9 da noite."

"E o que você viu?"

"Ah, não sei. Eu não tinha visto aquilo antes."

"E com o que ela parecia?", insisti.

"A coisa estava de pé... sobre duas pernas, e era toda coberta com uma pelagem desgrenhada. Parecia um esfregão velho!

"Que altura você diria que tinha?"

"Era mais alta que o senhor."

"Assim, em outras palavras, tinha mais de 1,80 metro", deixei bem claro.

"É", ela confirmou.

"Poderia me falar um pouco mais sobre o que lhe aconteceu naquela noite?", perguntei. "O que sentiu sobre esse incidente? O que fez quando viu aquela coisa?"

"Eu só estava aqui na varanda e olhei para ela."

"Sentiu medo?"

"Não, não me incomodou", ela deu de ombros, olhando bem em meus olhos. Parecia mais corajosa do que a maioria das pessoas.

"Essa criatura olhou de volta para você?", perguntei.

"Não cheguei a ver a cabeça dela. Essa parte não vi. Só vi do pescoço para baixo."

"Estava escondida atrás de uma árvore ou algo assim?"

"Não, estava de pé perto do canto daquela casa", disse ela, apontando de novo para a casa de seu vizinho.

Considerando quanto a criatura estivera próxima, perguntei:

"Vocês já acharam pegadas estranhas por aqui?"

"Sim, senhor", ela respondeu. "Achamos atrás da casa, quando caiu uma nevasca. E a casca de uma árvore aqui perto foi arrancada desde embaixo até quase o alto da copa."

Uma vez mais eu tinha feito a pergunta certa. Então tentei esclarecer:

"Em outras palavras, você acha que essa coisa pode ter comido a casca, é isso?"

"Não, eu não sei o que foi que comeu a casca, mas algo fez isso."

Bom, ela ao menos parecia sincera! Dirigi minha atenção para o xerife outra vez, com essa nova informação.

Entrevista final com o xerife

"Você também viu essas pegadas?", perguntei.

"Sim, senhor... sim, senhor", ele disse. "Minha esposa me chamou para a porta dos fundos numa manhã, depois que saiu para o quintal. E ela me disse para ir ver umas pegadas que tinha encontrado. Fui olhar.

"Eu nunca tinha visto nenhuma pegada parecida com aquelas. Eu as descreveria como sendo grandes; e, se eu precisasse, diria que pareciam um pouco com um pé de rã-touro. Espero que isso não pareça estranho demais. Era um pé comprido e largo. Eu estimaria que o rastro tinha, hum, de 20 a 25 centímetros de largura e quase o dobro de comprimento."

"Para onde iam esses rastros?"

"Eles estavam nesta área."

"Onde nós estamos neste momento?"

"Sim, senhor. "Eles iam para o pinheiral nos fundos da casa."

"Você os seguiu para além do pinheiral?"

"Não, senhor. "Na época, eu não queria de fato descobrir o que era aquilo. Não estava nem um pouco ansioso para descobrir."

"Certo, muito bom. Neste momento, estou um pouco preocupado com minha esposa", confessei. "Lorraine e Ralph foram explorar esse mesmo pinheiral... Espero que o 'Pé Grande' não tenha pegado os dois."

Apanhei o megafone que Ralf deixara comigo e usei-o, chamando Lorraine.

"Tenho minha arma", ofereceu o xerife. "Agora sempre levo minha arma comigo. Várias pessoas têm me perguntado por que e eu nunca expliquei de verdade o motivo, porque achei que não acreditariam em mim. Desde que vi essa coisa, sei que vive por aqui, e tenho receio dela. Sinto que devo estar armado. Eu podia ter atirado nessa coisa em várias ocasiões, mas não fiz isso, porque não queria feri-la. Se eu fizesse isso, a criatura poderia ferir pessoas aqui na região", ele disse, demonstrando a mesma preocupação que seu vizinho.

"Senhor?", perguntou-me o xerife de repente. "Tudo bem se eu perguntar uma coisa a meu vizinho, só para provar algo?"

"Claro", respondi.

O vizinho parecia tão intrigado quanto eu. O xerife voltou-se para ele e disse:

"Antes do incidente com seu filho, alguma vez lhe contei algo sobre essa criatura da qual estamos falando?"

"Não, não me contou", admitiu o vizinho. "Você não disse nada sobre isso. Fui eu que vim até sua casa e lhe perguntei se tinha visto o que aconteceu. Você disse que não. Então, descrevi a criatura para você. Você nunca falou sobre isso, até que vim aqui e falei com você."

"Apenas achei que isso era importante", disse o xerife para mim. "Isso é de verdade. Quer dizer, o que lhe contei. Estou só esperando aparecer alguém pedindo que eu vá ao médico para saber se estou bem da cabeça! Eu daria autorização a qualquer um para examinar isto aqui, para meu próprio benefício", disse ele, apontando para sua cabeça.

Eu ri e disse a todos a meu redor:

"Já entrevistei milhares de pessoas, e posso dizer uma coisa: todos vocês estão sendo muito sinceros no que dizem."

"Sim, senhor. Estamos sim, senhor". Ele assentiu com a cabeça, no rosto uma expressão séria que me lembrou o semblante preocupado de Abraham Lincoln – outro homem humilde mas honesto.

Bem na hora em que eu pensava isso, ouvi a voz de Lorraine. Ela e Ralph deram a volta à casa do vizinho. Ela parecia agitada e nem um pouco cansada.

"Por que me chamou daquele jeito?", interpelou-me. "Você o assustou e ele fugiu!"

Poucas vezes eu tinha visto Lorraine tão contrariada.

"Você o viu em pessoa ou em sua mente?", perguntei.

"Em minha mente, mas fisicamente ele estava por perto", respondeu ela, acalmando-se um pouco. Decepção e frustração ainda anuviavam seu rosto.

As impressões de Lorraine Warren

Apresentei a esposa e os vizinhos do xerife a Lorraine e Ralph, e tentei explicar o que ela tinha feito. Todos chegaram mais perto quando comecei a interrogar Lorraine.

"O que você captou por meio da sua mediunidade?"

"Ed, fui até onde havia um capinzal crescido, acho que era um milharal. Não sou fazendeira, e por isso não tenho certeza, mas aquele capim está bem alto. Para proteger a saia, estendi meu xale antes de me sentar no chão. Entrei em uma espécie de percepção alterada enquanto me concentrava na criatura. Sentei-me em diferentes lugares e finalmente senti a criatura bem perto de mim.

"Eu lhe disse telepaticamente que ele não tinha nada a temer de mim, e que eu queria conhecê-la e compreendê-la."

"Você está dizendo que esteve com a criatura lá na floresta?", perguntei, apontando o mesmo pinheiral para o qual haviam me contado que as estranhas pegadas uma vez se dirigiram.

"Ah, sim, eu estava lá e ela também. Ela precisava vir, sabe", respondeu Lorraine.

"Você desejou mentalmente que ela viesse até você?", perguntei, tentando explicar aos presente como funcionava o sexto sentido de Lorraine.

"Sim, e quando fiz isso, eu a senti; e ela pareceu nos sentir, também", ela confirmou. "Existem duas dessas criaturas, só duas. Uma delas está vagueando por aí, mas são duas."

"Ou seja, em outras palavras, só há uma dessas criaturas na região neste momento?"

"Sim", ela disse. "Há uma marca no lábio deste... hesito em chamá-lo de 'animal'. Essa criatura é tão humanizada! Ela era alta, com grandes coxas, como um homem que faz musculação. Estava coberta de pelos, mas os pelos dos braços eram mais longos que no resto do corpo. Tinha uma marca de nascença ou a cicatriz de um velho ferimento. O pé dela doía. Vi sangue. Quando se pôs de pé, senti um cheiro pungente. Então ela saiu da área gramada e entrou na floresta onde mora. Vi uma ravina profunda, e onde a ravina se estreitava, vi cavernas.

"Os olhos dela eram escuros, inteligentes e cheios de confiança. Essa criatura tem a capacidade de comunicar pensamentos. Os animais só conseguem comunicar emoções.

"O pé dela foi muito mordido, e houve tiros recentes de armas de fogo. Alguém atirou contra ela. Consegui sentir telepaticamente o cheiro da pólvora. Também vi um homem perseguindo-a até o interior da floresta com umas tábuas. Essa criatura está mantendo distância porque tem medo de entrar onde não deve."

Aquilo soava como se Lorraine estivesse descrevendo o incidente dos tiros envolvendo o vizinho mais distante, quando a criatura foi perseguida até a floresta, como o xerife descrevera. Mas Lorraine não estava conosco quando ouvi essas histórias.

"A criatura é perigosa?", perguntei.

"Não, de forma alguma", foi sua resposta imediata. "Ela não quer machucar ninguém. Está em busca de compaixão e aceitação, e não quer ferir nem prejudicar ninguém. Ela acha mais fácil tentar se aproximar de crianças. E não é carnívora. Prefere vegetais. É por isso que suas fezes se desintegram e são difíceis de encontrar. Também a vi caminhando pela floresta onde ela dorme, e onde toma sol... onde fica durante o dia."

"Ela é noturna?", perguntei.

"Sim, é um tipo noturno de criatura. Na maioria das vezes ela se movimenta à noite."

"Qual sua impressão parapsíquica dessa criatura? Ela é deste mundo?", perguntei.

"Acho que é mais física do que espiritual, mas creio que vive em um plano físico diferente, vindo dele periodicamente. Elas ficam tão surpresas conosco quanto nós ficamos com elas."

"Fascinante", disse eu, com sinceridade.

Isso era muito diferente dos fenômenos paranormais que costumamos explorar. Múltiplas dimensões físicas é um campo de estudo totalmente distinto. Eu estava apenas começando a ficar à vontade com fantasmas e duendes. Não tinha certeza de que este cachorro velho aqui poderia aprender muitos truques novos mais.

Enquanto isso, a luz da manhã havia dado lugar ao sol escaldante do meio-dia. Eu não via nenhum ar-condicionado nas janelas da fachada daquelas casas, e Ralph, o professor que nos apresentara aquele caso e aquelas pessoas adoráveis, de repente estava ansioso para partir.

Entrevista com Ralph

"Poderia nos dizer quais foram suas impressões, enquanto você estava com Lorraine?", perguntei.

"Senti que, definitivamente, havia algo ali", respondeu ele. "Mais lá embaixo, perto da água, pudemos ouvir um *shush (tump), shush (tump)*, como quando um pé bate na terra. Soava muito diferente de uma ave ou qualquer outro tipo de animal. Ouvimos algo caminhando, e achamos ter visto de relance alguma coisa; mas não podemos dizer o que era."

Ralph estava descrevendo, com suas palavras, as mesmas passadas pesadas que a esposa do vizinho descrevera.

"Você acredita que poderia ser um parente ou até mesmo uma das criaturas do tipo 'Pé Grande' ou 'Sasquatch' de que ouvimos falar?", perguntei.

"Acredito que sim", ele disse. "Agora eu acredito mesmo que seja."

Ele praticamente se contorceu, e brincou, nervoso, com as chaves do carro. Obviamente havia ouvido algo que o deixou desconfortável demais para continuar ali discutindo possibilidades. Parecia preferir que discutíssemos o caso a alguns quilômetros de distância, com uma bebida forte diante de si. Uma coisa é especular sobre o paranormal, e outra encará-lo de perto e pessoalmente.

Concluí minha entrevista gravada com mais uma questão:

"Pelo que sei, você morou a maior parte da vida nesta região... A vida toda, de fato. Já tinha ouvido falar de avistamentos semelhantes?"

"Ah, sim", ele admitiu. "Eu diria que tem havido relatos documentados de avistamentos ao menos pelos últimos quinze anos."

O tom casual dele, e o das outras pessoas que entrevistei, me fez recordar por que a ciência deve prestar mais atenção. Na realidade, a gente local costuma estar mais familiarizada com as criaturas locais, independentemente do quanto possam parecer bizarras e incomuns ao resto do mundo. Foi esse o caso com a "descoberta" do panda e da lula-gigante, e também do gorila e do ornitorrinco. Por mais estranhos e espantosos que os avistamentos tivessem sido, as pessoas locais aqui no Tennessee só os levaram à atenção da mídia quando acharam que a criatura seria uma ameaça.

No entanto, aquela criatura anormal não estava posando para fotos, nosso motorista parecia estar pronto para sair correndo e meu estômago começava a produzir sons como se pertencesse ao Pé Grande. Agradecemos a todos e nos despedimos, enquanto Ralph ligava o ar-condicionado. Assim que Lorraine e eu pulamos dentro do carro, Ralph partiu em uma nuvem de poeira. Eu estava ansioso para voltar à civilização e para um almoço.

Perspectiva histórica

A apenas oito quilômetros da divisa com Vermont, a pequenina cidade de Whitehall, no estado de Nova York, apareceu nos noticiários por conta de uma avistamento semelhante. Adolescentes foram os primeiros a relatar uma criatura enorme e peluda, vista andando ereta com passadas longas, seguindo uma estrada. Quando os policiais foram investigar, também viram a criatura a uma certa distância. Houve ao menos nove testemunhas oculares, muitas delas policiais "relutantes". De acordo com a edição de 30 de agosto do *Post Star*, de Glens Falls, Nova York:

> "Embora as descrições variem entre si, de forma geral a criatura foi descrita tanto por policiais quanto por civis como tendo entre 2 e 2,5 metros de altura, muito peluda, com olhos rosados ou vermelhos, com medo da luz e pesando entre 130 e 180 quilos. Foi relatado que produz um som que parece um porco guinchando ou um grito de mulher, ou uma combinação de ambos. A criatura caminha ereta, e não sobre quatro patas, e com isso as testemunhas descartaram a possibilidade de ser um urso."

Nesse mesmo artigo, o sargento Wilfred Gosselin, da polícia de Whitehall disse: "Pegadas muito mais largas e com três vezes o comprimento da pegada de um homem foram encontradas na área. Tais pegadas não tinham garras".[27]

Enquanto a cidade de Whitehall debatia a legitimidade do avistamento, Clifford Sparks, proprietário do Skene Valley Country Club, em Whitehall, veio a público dizendo ter visto a criatura no ano anterior. De acordo com ele, mais ou menos às 11h30 de uma noite em maio de 1975, ele estava conectando mangueiras de água no campo de golfe quando uma grande silhueta chamou sua atenção. Ele a descreveu como um gigante corpulento, com 2 metros de altura, movendo-se como uma preguiça. Nas palavras dele:

> "Eu diria que ele tinha cerca de 2 metros, e braços longos, como os de um macaco. Era peludo, mas não percebi cabelos se agitando, como os de um humano. O que mais me chamou a atenção foram os olhos vermelhos e as narinas parecidas com as de um porco. Você simplesmente não percebe o que está acontecendo no momento em que o vê. Você fica chocado!"[28]

O incidente em Whitehall não foi o primeiro na Costa Leste. Em 18 de outubro de 1879, a primeira página do *New York Times* declarava: "Um homem selvagem das montanhas, dois jovens caçadores de Vermont terrivelmente assustados". A matéria descrevia um incidente entre a dupla de caçadores e uma criatura de 1,5 metro, de pelagem ruiva e parecida com um homem. Um dos caçadores atirou no homem selvagem de "olhar alucinado", que começou a gritar. Os homens então deixaram cair as armas e fugiram do local, temendo por suas vidas.

O falecido dr. Warren L. Cook, ex-professor de história e antropologia no Castleton State College, Vermont, investigou exaustivamente os encontros com o "Pé Grande" em Nova York e Vermont. O dr. Cook achava que seria provável que tais criaturas migrassem regularmente. Ele disse: "Seria lógico que essas criaturas tivessem a tendência de seguir as mesmas trilhas ano após ano. Pode-se supor que tais trilhas tenham milhares de anos de idade".[29]

O livro *Monsters of the Northwoods* (Monstros das Florestas do Norte), escrito por Paul e Robert Bartholomew, William Brann e Bruce Hallenbeck (North

Country Books, Utica, NY, 1992) documentou 140 avistamentos de "Sasquatch" apenas em Nova York e Vermont. Os autores remontam os relatos ao "Windigo" dos índios algonquinos e aos "Gigantes de Pedra" dos iroqueses.

No mundo todo, parece haver uma cadeia de avistamentos que remonta a centenas de anos e continua até os dias de hoje. Testemunhas respeitáveis e dignas de fé observaram esses seres dóceis em praticamente todos os continentes. Pegadas e marcas de mãos têm sido documentadas e preservadas em gesso. Amostras de pelos têm sido recolhidas em localidades no mundo todo. Até mesmo gravações de áudio dos gritos que tais criaturas produzem têm sido feitas. No entanto, essas amostras possuem características consistentes que ainda desafiam classificação.

Conclusões possíveis

As pessoas que Lorraine e eu conhecemos no Tennessee não eram muito cultas, viajadas e instruídas. No entanto, descreveram, com suas próprias palavras, uma criatura que coincidia com as descrições físicas, de sons, de pegadas e de sensibilidade à luz feitas por outras pessoas para a criatura na Costa Leste, na Califórnia e em muitos locais ao redor do mundo.

A impressão parapsíquica de Lorraine, que sempre se mostrou confiável, é bem interessante. Em vez de ver o espírito de uma criatura que existiu antes do homem, ela parece ter achado que a criatura de fato existia e que cruzava entre esta e outra dimensão, indo e vindo. Enquanto a ciência continua explorando as teorias de dimensões e universos múltiplos, a verdade acerca do "Pé Grande" segue sendo um mistério intrigante e recorrente.

Talvez os avistamentos do monstro de Loch Ness tenham uma explicação similar.

Estudo de Caso Nº 9

Espíritos escoceses

Todos os nomes e lugares desta história verídica foram trocados para proteger a privacidade dos indivíduos envolvidos. Ed Warren descreve o caso.

Histórico

Lorraine e eu nos apaixonamos pela Escócia na primeira vez que a vimos. É o país civilizado menos desenvolvido que conhecemos. É como voltar no tempo, sem abrir mão das conveniências. A cada primavera tentamos levar um grupo de investigadores conosco para vivenciar a beleza rústica e fazer um *tour* pelos muitos castelos e locais assombrados do país.

Em maio, vastas extensões de colza amarelo-brilhante iluminam o horizonte com largas faixas douradas. Ovelhas e doces cordeirinhos brancos – alguns com faces e pés pretos – salpicam os vibrantes campos verdes. O robusto gado das Highlands, de pelo castanho longo, move-se lentamente ao lado de nosso carro nas estradas sinuosas. Levamos horas para percorrer distâncias curtas por pararmos o tempo todo para apreciar e fotografar vistas espetaculares. Há pouca sinalização viária e inexistem centros comerciais, shopping centers ou condomínios residenciais. Em vez disso, nossos olhos e câmeras capturam montanhas escarpadas com cascatas... penhascos de tirar o fôlego na beira do oceano... vilarejos atemporais... ruínas de castelos... e fazendas com os pôneis Shetland, suas crinas e caudas agitando-se no vento incansável.

Naquele ano em particular, 2000, Lorraine e eu fomos convidados para investigar um hotel na porção norte das Highlands escocesas, às margens do rio Spey. Soubemos mais tarde que o hotel começara suas atividades como uma estalagem para caçadores, no século XIX, tendo sido convertido em hotel depois da Primeira Guerra Mundial. Um velho *ferryboat* costumava cruzar o rio – o Boat of Garten, perto de Inverness. Uma ponte substituiu o *ferryboat* em 1899, e essa ponte foi substituída por outra em 1974.

Em 2000, o grupo era formado por pesquisadores com idade entre 20 e 50 e tantos anos; havia estudantes, cientistas e escritores. Viajávamos juntos em dois carros, e concordamos em encontrar os fotógrafos e repórteres de uma revista americana no hotel, em uma data previamente combinada.

Acrescentamos aquele desvio a nossa viagem já programada em resposta à solicitação enviada, via fax, pelo gerente do hotel. Os novos proprietários estavam preocupados com perturbações inexplicáveis, que estavam deixando desconfortáveis tanto funcionários quanto hóspedes. Segundo nos contaram, quadros e móveis moviam-se misteriosamente... imagens estranhas apareciam refletidas... e pesadas portas de incêndio abriam-se sozinhas. Um dos quartos de hóspedes apresentava tamanha atividade estranha que, segundo eles, precisaram remover a porta e usar o aposento apenas como depósito.

Havíamos feito uma longa viagem desde Edimburgo no dia em que chegamos ao hotel. O desvio provocado por uma ponte em obras nos forçou a viajar por estradas com as quais não estávamos familiarizados. Quando conseguimos chegar a nosso destino, eu estava faminto, e o resto do grupo me acusava de ser mal-humorado.

O sol se punha quando paramos em frente a um hotel de pedra, de aparência sombria. Ele parecia dissolver-se na lúgubre luz acinzentada, como se ele próprio fosse um fantasma. Suas muitas janelas negras pareciam olhos vazios. Talvez eu passasse a vê-lo de outro modo depois de comer alguma coisa. Pedi que Lorraine entrasse e se certificasse de que estavam servindo o jantar, enquanto eu supervisionava o desembarque da bagagem.

Descobri mais tarde que Lorraine quase tinha caído de cara no chão ao entrar no saguão do hotel. Havia um degrau para baixo que ela não tinha previsto. Uma vez no balcão da recepção, ela anunciou nossa chegada, perguntou sobre o jantar e pediu que chamassem o gerente ou o dono do hotel. Foi quando ficamos sabendo que os donos estavam viajando, de férias, e o gerente não estava trabalhando naquela noite. Na verdade, o gerente não estaria ali durante toda nossa estada. Apesar da enxurrada de faxes e de telefonemas que nos havia trazido através de milhares de quilômetros para estarmos ali naquela noite, não havia ninguém para nos receber.

Em todos nossos anos de investigação ao redor do mundo, nunca havíamos tido uma recepção tão estranha. Por sorte, o editor de literatura e os dois fotógrafos da revista americana estavam lá, como planejado. Eles nos saudaram entusiasticamente, e pediram que nos juntássemos a eles em sua mesa no salão de jantar. Não precisaram me convidar duas vezes, e corri para a mesa o mais rápido que meus joelhos duros e envelhecidos me permitiram. Outros em nosso grupo rumaram para o bar, para investigar o espírito mais famoso da Escócia – o uísque escocês.

Enquanto Lorraine e eu jantávamos, os jornalistas da revista nos entrevistaram. Terminei minha sobremesa e estiquei a mão para roubar um pouco da porção de Lorraine, perguntando-me em voz alta quem eu poderia entrevistar quanto aos supostos fantasmas. Chamamos o gerente do turno da noite e descobrimos que sequer os funcionários que haviam testemunhado os eventos estavam presentes. Ele concordou em telefonar para o *bartender* e para o cozinheiro que estavam de folga e moravam ali perto e pedir que viessem contar suas experiências.

Depois do jantar, reunimos nossos pesquisadores, que por sorte não haviam bebido de estômago vazio. Eles trouxeram e testaram seus equipamentos, enquanto esperávamos a chegada dos funcionários do hotel que nos contariam sobre os eventos estranhos. O jornalista e os repórteres da revista mantiveram-se por ali. Parecia não haver outros hóspedes no estranho hotel.

Finalmente, o gerente da noite nos apresentou a dois rapazes. Michael, o *bartender*, tinha altura mediana, cabelo muito preto e era magro e rijo. Parecia não ter feito a barba em seu dia de folga. Raymond, o assistente de cozinheiro, era mais alto, loiro e esguio. Eles pareciam dar-se bem um com o outro.

Reuni os investigadores e comuniquei meu plano.

"Vou entrevistar estes dois jovens cavalheiros, enquanto Lorraine explora o resto do hotel para ver o que consegue perceber por meio da sua mediunidade. Alguns de vocês podem ficar comigo e o resto pode ir com Lorraine."

Embora a refeição tivesse restaurado meu temperamento gentil e eu não tivesse comido cebola nem alho no jantar, fiquei com a companhia apenas dos dois perplexos funcionários do hotel e de uma investigadora, enquanto todos os demais foram atrás de Lorraine. Eu conseguiria mais atenção se fosse invisível, pensei com meus botões. Abandonado pelas multidões, meu pequeno grupo e eu encontramos uma salinha diminuta abaixo do salão de jantar e ali nos instalamos. A investigadora ligou o gravador e comecei minha entrevista com o *bartender* do hotel. Um breve olhar para o relógio revelou que passava pouco das 9 da noite – o início das "horas parapsíquicas".

Entrevista com Michael, o bartender

Michael, parecendo muito pouco à vontade, sentou-se no sofá diante de mim. Comecei perguntando há quanto tempo ele morava na região.

"Mais ou menos uns quinze anos", ele disse, com um agradável sotaque escocês.

"Há quanto tempo trabalha aqui?", perguntei.

"Cerca de um ano... quase um ano, talvez uma ou duas semanas menos", ele respondeu, relaxando um pouco.

"Soube que você passou por algumas experiências fora do comum aqui neste hotel. Pode me falar sobre isso, por favor?"

"Foi só uma noite... durante o inverno no ano passado. No Ano-Novo, há muita gente por aqui. Fora isso, somos só eu e um dos cozinheiros, Raymond", disse Michel, indicando com a cabeça seu amigo alto. "Passamos muitas noites sozinhos aqui, no inverno. É trabalho meu trancar todo o hotel e checar todas as saídas de incêndio e fechá-las.

"Bom, naquela noite em particular, subi ao primeiro andar e estava começando a percorrer o corredor, quando cheguei a um par de portas com mola... daquelas que você empurra para passar. Eu estava quase empurrando as portas para passar, quando olhei através do vidro delas e vi o par seguinte começar a se mover sozinho! Sabe, elas iam para a frente e para trás, como se alguém tivesse passado correndo por elas. Mas não havia ninguém lá.

"Eu só dei meia-volta e tipo voltei correndo. Desci para o bar. Havia dois caras, frequentadores locais, ainda lá. Eu não conseguia nem falar. E eles perguntaram 'Qual o problema? O que aconteceu com você?'."

Inclinei-me na direção de Michael com interesse crescente e perguntei: "Você estava aterrorizado?"

"Sim", admitiu Mike, "Todos dizem que eu estava branco, como se tivesse visto um fantasma. Eu disse, 'Algo bem estranho acabou de acontecer'. E eles disseram, 'Bom, o que você viu?' Na verdade eu não vi nada, sabe, só as portas se mexendo sozinhas.

"Disseram coisas tipo, quando empurrei as portas, devo ter causado uma corrente de ar que fez as outras se mexerem. Então subimos todos juntos. Tentamos tudo que pudemos para que as portas fizessem a mesma coisa; mas não conseguimos."

"Essas portas são difíceis de abrir", observei. Eu tivera que atravessar portas iguais quando fui até meu quarto depois do jantar, e por isso eu sabia.

"Sim, são", concordou Michael. "Você precisa empurrá-las. Era literalmente como se alguém as tivesse empurrado e passado correndo por elas, com as portas se movendo para um lado e para outro depois de terem passado."

Michael endireitou-se no sofá, debruçou-se para a frente e me olhou nos olhos.

"Sabe, eu nunca tinha acreditado em fantasmas ou em *ghouls*, ou sei lá. Eu até trouxe minha esposa comigo para confirmar que eu nunca, jamais, havia vivido e nem acreditado em nada assim antes. Aquela foi a primeira vez, e todo mundo no bar disse que eu tinha ficado branco."

Mais tarde descobri que o pessoal da revista havia entrevistado separadamente o assistente de cozinheiro Raymond, que ajudou Michael a trancar o hotel naquela noite de arrepiar. Raymond disse sobre Michael: "Ele estava branco como um lençol e tremendo. Ele não tem atração por essas coisas assustadoras. Por isso, quando ele disse o que havia acontecido, é claro que acreditei nele".[30]

Mike prosseguiu sua história.

"Eu me senti um pouco mais tranquilo estando acompanhado por mais três ou quatro pessoas, e todas me ajudaram a trancar o hotel. Tentaram de todos os modos me convencer de que havia sido uma corrente de ar ou algo assim, mas não conseguimos fazer as portas se moverem sozinhas."

"Não foi o vento ou alguma outra corrente de ar que fez com que as portas se movessem sozinhas daquele jeito?", especulei.

"Não, todas as portas e janelas já estavam fechadas", ele confirmou. "Fazia frio lá fora. Bom, depois daquilo, eu disse a meu chefe que não estava a fim de percorrer o hotel sozinho de noite. Eu só estaria disposto a trancar tudo quando houvesse gente por perto... antes de escurecer, ou algo assim... e só nessa época do ano, quando sei que tem hóspedes nos quartos."

Fui mais a fundo.

"Alguma vez você sentiu uma presença no hotel... sentiu que havia algo observando você?"

"A questão é a seguinte, o hotel estava sendo reformado na época", explicou Michael. "As paredes estavam sendo derrubadas e coisas assim. E, não sei, mas havia... uma sensação de incômodo. Um dos eletricistas que estava na obra à época, e que era daqui da região, comentou que sentia estar sendo observado por algo enquanto estava trabalhando.

"Havia um eletricista trabalhando lá em cima quando sentiu alguma coisa. Estava fazendo algo e se virou, achando que havia alguém ali parado, olhando-o. Depois, ele não veio mais, porque dizia que cada vez que estava lá em cima, havia alguém olhando.

"Depois que contei aos poucos clientes locais que estavam no bar naquela noite, todo mundo na vila meio que sabia que eu tinha passado por aquela experiência. Houve uma certa gozação, digamos. Mas, quando mencionei o episódio, esse eletricista disse, 'Bom, quando eu estava trabalhando lá em cima, senti como se tivesse alguém me olhando. Também, quando contei a Raymond o que tinha acontecido, ele disse que tinha passado por algo parecido no mesmo lugar. Pergunte a ele. Ele só me falou que teve uma experiência parecida com algo estranho."

"Essa coincidência assustou você?"

"É, sabe, obviamente ficamos com um pouco de medo. Estávamos só nós dois aqui naquelas noites... e ele na verdade está morando aqui no hotel. Então, era um pouquinho preocupante, se é que me entende. Especialmente porque aconteceu exatamente na mesma área."

"E que área é essa, exatamente?", perguntei.

"Tanto Raymond quanto eu passamos por essas situações no segundo andar, entre os dois conjuntos de portas de mola, onde sobe a escada em espiral. O eletricista estava trabalhando exatamente no alto da mesma escada, no terceiro andar."

A investigadora que estava gravando a entrevista comentou que aquele ponto em particular estava bem no caminho para meu quarto. Recordei a ela que o quarto dela e de seu marido estava logo acima e dava para o mesmo corredor onde o eletricista sentiu estar sendo observado.

"Que idade tem este hotel?", perguntei, enquanto pensava em mudar o esquema de acomodações.

"Acho que deve ter uns 150 anos", estimou Mike. "Acho que foi construído para caçadores e pescadores."

"Além do eletricista e de Raymond, alguém mais alguma vez lhe falou sobre experiências estranhas aqui?", perguntei.

"Não."

"Você mencionou uma reforma? Às vezes elas perturbam espíritos que de outra forma estariam adormecidos. Que mudanças estavam sendo feitas?"

"Estavam derrubando paredes. As reformas estavam sendo feitas, na verdade, na segunda parte do hotel. Vou lhe mostrar quando subirmos, porque é mais fácil do que dizer. Esta área principal é a parte mais antiga, e todas as outras partes foram sendo adicionadas ao hotel com o passar do tempo. É por isso que não posso dizer exatamente qual a idade do hotel. Ele deve ter começado como uma casa pequena... ou um hotel bem, bem pequeno... nada a ver com o tamanho que ele tem hoje."

"Em outras palavras, a área onde você, Raymond e o eletricista sentiram algo fora do normal acontecer era a parte mais antiga do hotel?"

"Sim", ele confirmou.

"Isso tudo é muito interessante. Você disse que sua esposa veio com você hoje. Posso falar com ela?"

"Sim, claro", disse ele. "Também trouxe minha filhinha. Se ela também puder vir, não há problema. Ela tem um ano e meio."

"Ah, sim, mas é claro", eu disse.

Entrevista com a esposa do *bartender*

Quando Michael deixou o aposento para ir buscar a esposa e a filha, a pesquisadora e eu trocamos a fita do gravador e etiquetamos a que tínhamos removido. Raymond continuou rígido e silencioso na cadeira do canto, esperando sua vez diante do microfone. Daí a um minuto ou dois, Michael voltou com uma jovem bonita e miúda, de cabelos escuros. A filha deles era uma miniatura da mãe. Ambas estavam abraçadas a ele.

Apresentei-me, brinquei um pouco com a garotinha e fiz com que se acomodassem no sofá. Depois de explicar o que estava fazendo, acenei com a cabeça para minha assistente, que ligou o gravador.

"Quando seu marido voltou para casa e lhe contou o que havia acontecido aqui no hotel com as portas, o que você pensou?", perguntei.

O sotaque escocês da mulher era ainda mais forte do que o do marido.

"No começo eu ri, porque achei que ele não acreditava de forma alguma em fantasmas. Na verdade, ele evitou o assunto durante anos. Mas Michael chegou em casa muito assustado com aquilo."

"Você acreditou no que ele contou?"

"Sim", ela disse. "Ele estava num estado que... sim."

"O que ele disse que viu?", perguntei, buscando consistência.

"Bom, ele só me contou sobre as portas se mexendo... e que não havia ninguém lá. Ele não conseguia entender por que as portas fizeram aquilo. Disse que só viu as portas se mexendo e saiu correndo."

A criança começou a chorar, então liberei a família para que eles fossem para o saguão, onde esperariam por Lorraine. Pedi a Raymond que se sentasse no sofá, para que eu o pudesse entrevistar com relação a seu estranho encontro no hotel. Ele assentiu, ergueu-se e se acomodou no sofá. Cruzou os longos braços e balançou o corpo com nervosismo. Quando lhe perguntei a idade, disse ter 20 anos.

Entrevista com o assistente de cozinheiro

"Há quanto tempo você trabalha no hotel?", perguntei, tentando fazê-lo relaxar.

"Sou da África do Sul", ele informou com um sotaque que soava britânico. "Faz dois anos que estou aqui no hotel."

"Perguntei ao outro rapaz se sabia a idade do hotel. Ele não tinha muita certeza. Você sabe?"

"Hã, assim de cabeça, não", Raymond gaguejou. "Na verdade, há uma foto antiga no bar. Acho que tem uma data, tipo 1800. Acho que é um hotel bem velho."

Mais tarde, tive a oportunidade de examinar a foto a que ele se referiu. Era uma foto grande, e estava datada de 1899. Era de quando a primeira ponte tinha sido instalada para substituir o *ferryboat*. Como o hotel aparecia na foto, ele obviamente havia sido construído em algum momento anterior no século XIX.

Enquanto isso, continuei com a entrevista.

"Que experiência sobrenatural você teve aqui no hotel?", perguntei ao jovem bem-apessoado diante de mim.

Ele baixou os olhos para as mãos que não paravam quietas e começou:

"Bom, foi só que eu tinha terminado meu turno uma noite... eu tinha ficado no térreo, na lavanderia que fica ao lado da cozinha. Quando estava subindo as escadas..." Ele pareceu engasgar. Era como se ainda estivesse assustado.

"Há quanto tempo foi isso?", perguntei, na esperança de fazê-lo relaxar um pouco.

Raymond ergueu a vista e vi seus olhos verdes, enquanto ele dizia. "Já faz um bom tempo... quase um ano. Foi na época em que o hotel estava sendo reformado."

"E quando foi que você passou por essa experiência?", incentivei.

"Acho que foi por volta do Natal", respondeu ele.

"Não, quero dizer, a que horas foi?", esclareci.

"Ah", ele exclamou, finalmente sorrindo um pouquinho. "A hora do dia... foi de noite... umas 10 ou 11 da noite, eu diria."

Considera-se que as horas parapsíquicas – quando ocorre maior atividade paranormal – vão das 9 da noite às 6 da manhã. Parece ser mais fácil para os espíritos manifestar-se na escuridão e, para nós, notá-los. Entidades demoníacas também preferem evitar a luz de Deus.

"E o que você estava fazendo naquela hora? Aonde você estava indo e o que estava a ponto de fazer?", perguntei.

"Bom, eu só estava subindo do primeiro andar, passando pelo segundo para chegar ao terceiro, onde ficam os quartos dos funcionários. Eu estava indo para meu quarto. Fiquei no Quarto 3 durante a reforma", ele explicou. Raymond sentou-se mais empertigado, inclinou-se para a frente e começou a falar mais rápido.

"Eu estava indo na direção das portas duplas. Há dois conjuntos delas. Um está no alto das escadas que sobem da cozinha. O outro está mais adiante, seguindo pelo corredor, no mesmo andar.

"Da direção da qual eu estava vindo, é necessário puxar as portas. Cheguei ao alto do primeiro lance de degraus, e estava a ponto de puxar as portas e abri-las. O que me aterrorizou foi o fato de que acabava de ver um reflexo na janela de vidro da porta. O que me pegou foi que havia luz do outro lado da porta, e estava escuro onde eu estava. Eu não teria pensado que pudesse ver um reflexo."

Concordei e encorajei-o a descrever o que havia visto.

"Parecia só uma sombra cinza. Eu não estava a fim de investigar, para dizer o mínimo. Simplesmente não gostei daquilo. Foi bem perturbador", ele admitiu.

"Você conseguiu ver alguma feição nessa imagem?", perguntei.

"Parecia... parecia ser como um rosto, mas não quero dizer isso, porque não tenho muita certeza do que era, sabe. Parecia um rosto longo e acabado. Como se fosse uma imagem... uma imagem cinzenta... e parecia mesmo muito acabada."

"Mas era uma face humana ou... algo que você não sabia o que era?", insisti.

"Podia ter sido humano. Eu sinceramente... não, não tenho certeza."

"Certo. Então, depois de ver essa coisa, o que você fez?"

"O que fiz? Eu só... fui direto para meu quarto. É, não fiquei ali no corredor, nem nada assim", Raymond gaguejou.

"Depois de ter ido para seu quarto, você pensou que havia visto algo sobrenatural?"

"Sim, sim, com certeza!"

"Está me parecendo que o que você viu realmente o assustou. É isso mesmo?", perguntei.

"Tive uma criação bastante religiosa", revelou Raymond. "Vi e ouvi um monte de coisas, sabe. Mas o que aconteceu foi diferente, pois você não espera que um reflexo apareça de repente quando não tem mais ninguém. E parecia humano! Foi um choque, de verdade."

"Posso compreender", disse eu, tentando reconfortá-lo como se ele fosse meu próprio filho. "O que você talvez tenha visto é chamado de 'cristalomancia'. Um espírito pode refletir sua imagem em uma superfície luzidia, ou em um espelho, um vidro. Você vê a imagem refletida em vez do espírito em si. O fato de você estar no escuro e de o corredor estar iluminado do outro lado me diz que você não estava vendo seu próprio reflexo. O que você viu era provavelmente sobrenatural. Em outras palavras, o que você viu aconteceu de fato, mesmo não sendo o que em geral se considera normal."

Não sei se isso fez com que ele se sentisse melhor ou pior. Antes que pudéssemos continuar a discussão, vozes agitadas foram ouvidas no saguão. Minha esposa e seu séquito de investigadores, repórteres e fotógrafos haviam se juntado ao *bartender* e a sua família. Entreabri a porta e todos invadiram a sala, falando ao mesmo tempo. Coloquei ordem naquele caos e perguntei a Lorraine o que havia acontecido.

As impressões parapsíquicas iniciais de Lorraine

A agitação parecia se concentrar no quarto de hóspedes vazio no segundo andar. Era o mesmo quarto cuja porta havia sido removida porque ninguém conseguia ficar dentro dele. Por mais de um ano o cômodo vinha sendo usado apenas como depósito.

"Certo, Ed, o que senti foi que um homem foi morto naquele quarto. Houve bastante agressividade entre os envolvidos no crime, antes daquela noite", revelou Lorraine.

"Há quanto tempo você diria que isso aconteceu?", perguntei.

"Houve dois períodos distintos em que alguma coisa aconteceu aqui. Aconteceu algo nos anos 1920 e depois houve algo mais recente. Acredito que a aparição fantasmagórica resultou da morte de alguém nos anos 1920."

Lorraine explicou que ela sentia que a "outra" aparição era resultado de uma morte acidental ocorrida havia menos tempo. Essa segunda aparição era aparentemente menos ativa e menos assustadora, e portanto Lorraine se concentrou no fenômeno ligado ao evento mais antigo, o suposto assassinato.

"Você quer que eu me comunique com esse espírito? Não vou fazer isso sem você", disse Lorraine. Ela se sentia vulnerável enquanto estava em transe leve, e sempre queria ter a certeza de que eu estaria presente, para protegê-la da melhor forma possível. Ambos sabíamos que as coisas podem ficar complicadas quando não se está alerta ou cauteloso... sem falar que é necessário ser experiente.

Olhei as faces ansiosas a minha volta e soube que se eu dissesse, "Não, vamos dormir", corria o risco de ser o próximo fantasma assombrando aquele lugar. Em vez disso, falei:

"Sim, claro."

"Mas quero perguntar...", Lorraine disse, detendo a todos antes que saíssem correndo pela porta. "O que você descobriu nas entrevistas?"

Resumi o que o *bartender* e o cozinheiro afirmavam ter testemunhado e informei onde isso ocorrera. Minha pesquisadora recordou-me do possível caso do eletricista, mais ou menos na mesma área.

Lorraine exclamou:

"Eu não sabia nada disso até este momento, mas, quando você contou sobre o reflexo pensei, ah, meu Deus, foi onde aconteceu comigo!"

A seguir, Lorraine explicou que, ao subir pela escada dos fundos, indo da cozinha no andar térreo, ela se aproximou do alto da escada e um pesquisador abriu as portas duplas para ela; então ela viu uma sombra escura no par seguinte de portas. Os repórteres da revista e os investigadores vinham logo atrás dela naquele instante, mas quando conseguiram chegar àquele ponto, a imagem havia desaparecido.

Ela também teve uma impressão parapsíquica de um homem correndo através das portas e descendo por uma via que não existia mais ali no hotel. Era essa a entidade que ela queria tentar atingir.

Naquele corredor assombrado existe, entre os dois pares de portas com molas, uma escada em espiral que sobe até o terceiro andar. O eletricista disse que trabalhava no alto dessas escadas quando se sentiu observado. O *bartender* aproximou-se dessa área, vindo da parte da frente do hotel, quando viu as portas moverem-se por conta própria – o mesmo par de portas do qual tanto o cozinheiro quanto Lorraine se aproximaram pelo outro lado, vindos dos fundos do hotel. O cozinheiro viu um vulto cinzento nesse par de portas que se moveu misteriosamente. Lorraine viu uma sombra negra nas portas através das quais o *bartender* olhara.

A poucos metros dali, entre os dois pares de portas de incêndio, estava o quarto de hóspedes que não podia ser usado. Foi ali que decidimos tentar a comunicação com nosso espírito maroto.

O quarto de hóspedes mal-assombrado

Todos nos esprememos no pequeno cômodo, que tinha tamanho suficiente apenas para uma cama de casal e um par de armários. Colchões e espelhos empilhados estavam apoiados na parede que dava para fora, junto com cabeceiras de madeira danificadas. Luminárias extras, com os fios enrolados nas bases, repousavam sobre cômodas descartadas, encaixadas nos cantos. Uma mesa de café e um punhado de cadeiras variadas estavam espalhados pelo aposento. Havia duas janelas altas – uma se abria para os fundos do hotel e a outra para a lateral. Embora as janelas estivessem entreabertas, deixando entrar o ar frio da noite, o quarto tinha cheiro de coisa velha e o ambiente parecia abafado e pesado. Lá fora, a noite era tão negra que nada parecia existir além das vidraças.

Logo depois do jantar, dois de nossos investigadores haviam filmado em videoteipe os corredores, as salas de uso comum e especificamente aquele quarto, antes de irem atrás de Lorraine através do hotel. Tinha sido naquele quarto que a câmera digital deles captou lampejos de luz branca, movendo-se como "vaga-lumes cafeinados" de um canto a outro. Pudemos ver isso no monitor do aparelho.

Lorraine e eu temos visto esses "glóbulos" de energia, de todos os tamanhos e formas, em cemitérios, casas e outros edifícios assombrados, por todo o mundo. Em geral são um indicativo da presença de energia parapsíquica. Às vezes são visíveis a olho nu, mas com frequência aparecem apenas nos registros feitos por câmeras fotográficas e filmadoras. Nossos pesquisadores haviam estado no quarto sozinhos e sem qualquer equipamento de *flash* quando examinaram o cômodo. Com base no que sua filmadora digital nos dizia, havia ali conosco mais do que camadas de poeira.

Lorraine postou-se no centro do quarto.

"Mais cedo, senti que havia ocorrido um confronto violento entre dois homens neste local. Foi bem ali que alguém foi assassinado", disse-me ela, apontando para onde deveria ter havido uma cama, diante da janela lateral.

Naquele momento, o fotógrafo da revista, que estava parado à porta, disse: "Lorraine, não contei a você... Mas acabei de contar a Ed... Quando vim para cima e estava procurando lugares para tirar fotos, percorri todo este andar, entrei aqui, preparei a câmera e tirei minha primeira foto daquele ponto exato. Senti uma espécie de energia bem ao lado daquela janela. Foi dali que tirei a minha foto."

"Você sentiu?!", respondeu Lorraine. "Bom, definitivamente, foi nessa área que tudo aconteceu... foi ali, com certeza", ela confirmou. A seguir explicou, "Houve bastante agressividade entre os homens. Depois do crime, o assassino correu para as escadas. Segui o mesmo caminho, mas não consegui encontrar as escadas que ele usou".

Ela nos conduziu para fora do quarto, até o corredor entre os dois conjuntos de portas duplas, e prosseguiu.

"Esta é apenas uma extensão do corredor."

"Esta é a seção nova do hotel", observou Michael, o *bartender*. "Era onde estavam sendo feitas as reformas. Esta costumava ser a parede externa do velho hotel", explicou, indicando onde agora existiam novos quartos de hóspedes. "Se você consegue imaginar, era como um pequeno bloco."

"Então, é por isso que fiquei confusa quanto às escadas, Ed. O que eu via com a clarividência através dos olhos do assassino era diferente do que existe hoje", Lorraine explicou, empolgada.

Isso também explicaria por que tinha havido tantas perturbações desde a reforma do hotel. Havíamos descoberto que a execução de reformas no local de ocorrência de algum evento trágico muitas vezes pode desencadear fenômenos paranormais. Às vezes a entidade parece perturbada ou confusa com as mudanças.

De repente, Michael parou, retesou-se e empalideceu.

"Tipo, eu não acredito... Bom, eu tento não acreditar nisso, mas aqui em cima e seguindo pelo patamar, eu consigo sentir algo, sabe?"

Voltando outra vez para o quarto usado como depósito, Michael relaxou e continuou o *tour* pelo hotel.

"O edifício original devia ter só quatro ou cinco quartos", disse. "No início era uma estalagem."

"Ah!", disse Lorraine. "Acho que é daí que vem a fonte deste fenômeno. Talvez seja por isso que tive a impressão de que esses homens se conheciam... que eles tinham se visto muitas vezes... Isto era um clube masculino ou uma estalagem. Foi essa a impressão que tive. Aqueles dois homens não eram estranhos um ao outro. E a animosidade entre eles era algo que alimentavam já havia algum tempo."

Michael apontou para as portas de incêndio próximas e disse:

"Quando vi algo, era como... se alguém tivesse acabado de... como se alguém tivesse corrido através das portas."

"Foi exatamente o que ele fez. Ele correu através das portas", confirmou Lorraine. Ela baseava isso na impressão parapsíquica que tivera antes de ouvir a história do *bartender*. "Quando eu estava lá embaixo, alguém abriu aquelas portas e, quando olhei para cima pelas escadas, vi algo escuro perto destas outras portas", ela disse, indicando o par de portas seguinte, mais além no corredor. "Assim, algo esteve bem aqui, poucos instantes atrás! Fiquei confusa com a escada. Eu vi telepaticamente pelo ângulo em que ele corria, e as paredes estavam então mudadas e diferentes."

Michael repetiu, para Lorraine, "Minha esposa pode lhe dizer que nunca acreditei nesse tipo de coisa. Quando fui para casa e lhe contei, ela acreditou em mim, porque sabe que eu não inventaria nada desse tipo."

"Certo, porque você não estava aberto ou inclinado a isso. Faz sentido. Aconteceu de forma espontânea. Vamos voltar àquele quarto e tentar a comunicação com quem ou o que quer que seja", sugeriu Lorraine.

Enquanto voltava na direção do quarto, Michael disse, "A impressão foi como um lampejo. Para mim, não era amigável."

"Não, não é", confirmou Lorraine. "É qualquer coisa pouco amigável... qualquer coisa. Seja qual for sua intenção, é muito negativa... parece ser bem malévola."

Já estava passando de minha hora de dormir. Para digerir o jantar farto e tardio que eu consumira estava usando toda a minha energia. Acenei chamando todo mundo para dentro do quarto sem portas e pedi, "Vamos nos acomodar e tentar a comunicação aqui dentro. Fiquem prontos para diminuir a iluminação."

Nossos pesquisadores se amontoaram com seus equipamentos de vídeo, câmeras e gravadores. Acomodei Lorraine na cadeira mais confortável que consegui achar, junto a uma mesa de centro descartada, e certifiquei-me de que os gravadores estivessem o mais perto dela possível. Então postei-me à entrada, não longe demais de Lorraine.

Um fotógrafo da revista ficou no quarto; o outro ficou ali, do lado de fora da porta, com o repórter. Conseguimos que Michael entrasse no quarto conosco, mas sua família e Raymond, o cozinheiro, insistiram em ficar do lado de fora. Raymond na verdade começou a tremer ante a ideia de entrar no quarto.

Uma experiência paranormal

"Michel vai fazer isto junto comigo, Ed", comunicou Lorraine.

"Sim, muito bom", concordei. Com frequência, se um fenômeno paranormal se fez notar por alguém, essa pessoa pode ser o catalisador para atraí-lo de novo.

Enquanto posicionávamos outra cadeira junto à mesa de centro, Lorraine disse, "Acabo de sentir algo muito, muito negativo neste momento. Ed, há muita coisa acontecendo aqui."

Michael empalideceu.

"Também senti. Parecia um formigamento", disse ele.

"Sim, e é como uma pressão – uma pressão forte. Esta coisa não nos quer aqui", acrescentou Lorraine.

Michael sentou-se relutante ao lado de Lorraine, enquanto todos os demais encontravam algum lugar e se instalavam pelo quarto. O cinegrafista da revista perguntou se a luz de sua câmera de vídeo seria brilhante demais.

"Sim, querido, não podemos ter luz", explicou Lorraine. "Sinto muito, eu gostaria de permitir, mas não posso."

Não estávamos tentando criar uma atmosfera sinistra ou disfarçar algum truque de prestidigitação. A escuridão evitava que nos distraíssemos e tornava mais fácil que os espíritos se manifestassem e se comunicassem com clareza. Convencemos até os membros mais tímidos do grupo, que estavam no corredor, a apagar as luzes.

Lorraine começou tranquilizando o *bartender*, que agora estava sentado ao lado dela, parecendo pouco à vontade.

"Está tudo bem, Michael. Não vou deixar que nada lhe aconteça, querido. Acredite em mim, não vou deixar que nada lhe aconteça. Você acredita em Deus?"

"Eu costumava ir à igreja quando era criança, mas..."

"Você ia à Igreja da Escócia?", perguntou Lorraine.

"... e à Igreja Católica Romana", Michael respondeu.

"Você foi batizado?"

"Não, nunca."

Lorraine estava tentando descobrir se ele tinha um sistema de crença ou outra proteção contra possíveis entidades do mal. Nunca sabíamos de fato quem ou o que viria quando convidado. É por isso que sempre alertamos enfaticamente as pessoas inexperientes a não fazerem isso por conta própria, nem brincarem com tabuleiros Ouija ou coisas assim.

Lorraine continuou interrogando Michael:

"Depois da experiência que teve neste hotel, você consegue crer na possibilidade de um mundo espiritual?"

"Precisa haver uma evidência concreta. Preciso que alguém diga que há provas. Todos têm uma crença em algo; mas quando as pessoas dizem, 'Você acredita em Deus?'... eu não acredito em Jesus nem na Bíblia, e em nada disso, é o que estou dizendo...", explicou Michael.

"Certo, mas você acredita que existe um Ser Supremo?", Lorraine perguntou.

"Sim. De certa forma, sim. Mas nunca tive um motivo para acreditar em Deus, na verdade", admitiu Michael. "Minha esposa acredita firmemente em Deus e eu me casei na igreja. E eu faria qualquer coisa por minha esposa, mas ela provavelmente é contra eu estar aqui neste momento, porque ela sabe que, no fundo... eu não tenho fé, se é que me entende. Então, ela na verdade não quer que eu esteja aqui. Por isso, eu lhe digo... se me der sua palavra..."

"Vou proteger você. Nada vai lhe acontecer, querido", assegurou-lhe Lorraine. Então ela se virou para mim e repetiu o que acabara de ouvir, para ter certeza de que eu sabia que ele poderia precisar de alguma proteção extra. "Ed, Michael não acredita em Deus. Ele acha difícil crer, e está preocupado e muito nervoso. Então, ele quer que eu cuide dele. Quando eu rezar pedindo por proteção, vou pedir para ele também, querido."

Ela estava me pedindo para fazer o mesmo. Ainda, como o demonologista do grupo, eu estava ali como o "policial", de guarda contra intrusos demoníacos. Era útil saber quem poderiam ser os mais vulneráveis. Minha principal preocupação era sempre Lorraine, mas nós dois sabíamos que quem carecia de fé corria o risco de ser mais visado. Mas ele não corria nenhum perigo real desde que soubéssemos disso.

Silenciamos os murmúrios no corredor lá fora e Lorraine deu início à sessão, fazendo o sinal da cruz e recitando a oração católica de São Miguel...

> "Em nome do Pai, do Filho e do Espírito Santo, amém. São Miguel Arcanjo defenda-nos na batalha. Seja nossa proteção contra o mal e as armadilhas do demônio. Que Deus afaste o mal, pedimos com humildade. Príncipe das hostes celestiais, pelo poder de Cristo, lance ao inferno Satanás e todos os espíritos malignos que vagueiam pelo mundo buscando a perdição das almas. Amém."

Ela acrescentou, "Olhe por nós, sobretudo por Michael, porque para ele é difícil crer, e está com muito, muito medo. Que ele esteja protegido – e sua esposa e filha – quando tentarmos ajudar o espírito que está aqui. Queremos entender por que ele está aqui e o que podemos fazer para que aceite sua morte e siga em frente".

Depois de pedir proteção e explicar nosso motivo, Lorraine começou a chamar para si o espírito perturbado.

"Quem quer que você seja, e qualquer que seja sua intenção... tão negativa, tão maligna que você persistiu nela até encontrar aquele homem. Você correu por estes corredores. Você abriu portas. Você ficou completamente alucinado para encontrar aquele homem a quem tanto odiou. E quando finalmente o encontrou, você o matou de forma violenta, e como um covarde você o matou e o deixou aqui. Mas todos sabiam quem era você.

"Por que está aqui? Por que continua presente aqui? Está sendo difícil aceitar sua morte por causa do que fez? O espírito do homem que você matou já não está aqui. Ele encontrou a paz por meio de sua fé. E espero conseguir ajudar você também, e rezo por isso, para que você não mais incomode as pessoas que vivem e trabalham aqui.

"Sei que as pessoas que trabalham aqui dizem que você ainda tenta, de certa forma, incomodá-las. E parece que você persegue principalmente os homens. Não sei qual é o seu problema... além de ser uma pessoa muito violenta e má. Mas tenho esperança, e rezo a Deus por isso, de que você não carregue em si a marca do demoníaco e do demônio ao realizar seus feitos."

De repente ocorreu-me que, dada sua experiência anterior, talvez Michael tivesse mais êxito em convidar o espírito para vir até nós. Interrompi e disse, "Michael, diga ao espírito que queremos que ele volte agora... para que possamos nos comunicar com ele. Ele veio até você uma vez e o assustou. Agora queremos que ele volte para que possamos compreender por que fez isso". Um simples pensamento nesse sentido seria suficiente.

"Veja os olhos dele... Olhe para ele!", disse Lorraine, de repente.

"Estou com uma sensação...", Michael murmurou.

"O que você está sentindo?", perguntou Lorraine.

"Eu não sei. Eu... tive um vislumbre de algumas coisas. Não sei. Você consegue ver coisas em sua mente?", Michael perguntou, surpreso.

"Sim, é por isso que estamos aqui", disse Lorraine em uma voz reconfortante.

"Você está vendo um cozinheiro?", Michael perguntou em uma voz completamente isenta de seu sotaque escocês.

“Um cozinheiro... você quer dizer o homem que está usando roupas como as de quem trabalha numa cozinha?”, rebateu Lorraine. Parecia que ambos estavam vendo telepaticamente a mesma coisa.

“Roupas brancas de cozinha”, confirmou Michael.

“Sim...”, disse Lorraine, de forma sonhadora. “É essa a conexão. Ele está vindo através de você”, ela observou.

Michael prosseguiu em sua nova voz:

“Vejo um cozinheiro e uma... tem tipo... e é como uma jovem criada ou como uma filha... de alguém que é dono do hotel ou algo assim? Não sei. Só vi a imagem. Não sei. É como o vulto de uma jovenzinha... uma estudante.”

“Sim, uma garota em idade escolar”, concordou Lorraine.

“Eu não... algo acaba de relampejar em meus olhos.”

Alguém que deveria saber se comportar acabava de tirar uma foto com *flash*.

“Sem *flash*, por favor”, rosnei. Quando o transe de um clarividente é rompido, pode ser difícil restaurá-lo.

“Não me agrada que ele esteja falando através de mim, Lorraine. Eu não sei. Posso tomar um uísque antes de continuar?”, disse Michael, saindo de seu transe. Seu suave sotaque escocês havia voltado.

“Você o vê, Lorraine?”, perguntei, tentando manter as coisas no rumo.

Até Lorraine estava perdendo o foco.

“Quando me sentei na escada, mais cedo, pude ver esse ajudante de cozinha, Ed. Foi isso o que pude ver. Fiquei pensando, na hora, se isso não teria algo a ver com o evento trágico que aconteceu.”

“Parecia um cozinheiro, ou algo assim”, informou Michael. “Imaginei que ele trabalhou como cozinheiro aqui no hotel.”

Lorraine acrescentou:

“Pergunto-me se... quem sabe foi algum utensílio da cozinha o que a pessoa usou. Ele pode ter usado algo da cozinha, Ed, para matar aquele homem. E a garota... Não creio que ela tenha visto algo, mas acho que um dos homens sabia que o outro havia feito algo à criança.”

“Consegue ver o homem, Lorraine?”, perguntei, em outra tentativa de fazer com que ela e Michael retornassem às imagens telepáticas dentro de suas mentes.

"O homem parece ter cabelo escuro", respondeu Lorraine, voltando a olhar para dentro.

"Sim", Michel disse baixinho, abandonando de novo seu sotaque.

"Você também está vendo?", ela perguntou.

"Sim...", Michael disse, com olhar perdido.

"E não é...", Lorraine começou.

Michael completou:

"O cabelo não é comprido, só chega à altura do ombro." O *bartender* parecia estar lendo a mente de Lorraine além de estar compartilhando a mesma visão telepática.

"Isso mesmo", confirmou Lorraine. Ele parece vestido de forma adequada, ao menos isso. Eu diria que tem altura mediana, e as roupas que usa são brancas. Mas ele é, tem..."

"Tem a barba por fazer", Michael completou para ela.

"É, ele não está bem barbeado, mas como você diz, querido, tem uma intenção bem maldosa no rosto. O rosto dele não... o rosto dele tem expressão enlouquecida, querido", disse Lorraine para Michael.

"Quantos anos ele tem?", perguntei a ambos.

"Trinta", respondeu Michael.

"Eu diria que ele tem por volta de 30", disse Lorraine ao mesmo tempo. "Oh, falamos juntos! Assim, estamos os dois olhando para a mesma pessoa, Ed", acrescentou ela, quase com alegria.

"Lorraine, como ele está vestido?", perguntei, tentando fazer com que ela focalizasse de novo.

"Está vestido todo de branco. E seus sapatos parecem sujos. Parecem bem sujos. Não sei, ele pisou na terra, não sei. E está usando..."

"Roupas escuras por baixo", informou Michael.

"Não, eu não vejo isso; mas vejo um daqueles grandes aventais longos que passam por cima da cabeça e cobrem também o peito. Ele está usando esse avental... e tem uma arma na mão", acrescentou Lorraine.

"Que tipo de arma?", perguntei.

"É...", Lorraine começou.

"... uma faca", disse Michael, "e ela é comprida assim e tem uns dentes afiados". Ele traçou uma silhueta no ar com a mão e o braço, e então deixou-os cair de novo a seu lado.

"É, é isso mesmo, Ed, sim", disse Lorraine sem olhar para Michael.

"Foi com isso que ele matou aquele homem?", perguntei.

"Sim, bem ali", Lorraine disse, virando o corpo na cadeira e indicando um ponto diante da janela alta que se abria para a rua lateral. "Bem naquele lugar."

"Você pode chamar esse homem até você?", perguntei a ela.

"Creio... creio que o nome dele é Gus, Ed", disse-me. Ela então começou a tentar se comunicar com o indivíduo. "Gus, se pudermos, queremos apenas ajudá-lo a sair deste lugar. Você está assustando muita gente. Você está escolhendo algumas pessoas que se parecem com alguém que conhece ou que de algum modo lhe são familiares. Você está tentando se comunicar ou está tentando reviver aquela noite? Você está entrando neste quarto e fazendo as coisas que faz no corredor porque está procurando por ele? Ele não está mais aqui."

"Ele não quer falar com você", Michael interrompeu. "Ele não fala com mulheres."

"Não, ele não fala", ela admitiu. "Então fale com ele", Lorraine disse a Michael. E ao espírito desgarrado, "Então fale com ele, Gus."

"Ele não quer falar", disse Michael.

"Ele tem que falar, ou vai ficar aqui", explicou Lorraine. "Por que ele não gosta de falar com mulheres?"

"Ele estava preocupado com a filha do dono do hotel", respondeu Michael.

"Sim, certo, o que tem essa filha?", perguntou Lorraine.

"Esse outro homem feriu a filha."

"A raiva que eu senti que ele tem é por causa disso", confirmou Lorraine.

"E agora ele está se afastando", disse-nos Michael.

"Diga a Gus, Michael, que queremos ajudá-lo... que tudo... que muito tempo já se passou", insistiu Lorraine.

"Ele está bem... ele está seguindo em frente... está tudo certo com ele", Michael tranquilizou-a.

Lorraine insistiu.

"Ele tem que sair daqui. Tem que ir para a luz... tem que ir na direção de entes queridos que tenha conhecido em vida, e que seguiram em frente. Ele tem que ir com eles em espírito e sair daqui. O tempo seguiu em frente. Tudo que ele sente..."

"Mas ele está se sentindo pressionado com todo mundo aqui", explicou Michael.

"Pressionado por todas essas pessoas?", indagou Lorraine.

"Só pelo barulho que faz *clic*, ele não se sente relaxado."

"Tudo bem, não tirem fotos. Não façam ruídos", Lorraine advertiu a todo mundo no quarto.

"Não são as pessoas, é só qualquer som incomum...", repetiu Michael.

"Isso o deixa nervoso", ela afirmou, tranquila. "Porque ainda sente que estão atrás dele."

"O dono do hotel está atrás dele... era a filha do dono do hotel", revelou Michael.

"Isso, certo", concordou Lorraine.

"Ele está indo embora", disse Michael.

"Está nos deixando?", Lorraine perguntou.

"Acho que sim. É. Ele está flutuando para longe", Michael confirmou.

O espírito não estava apenas deixando Michael e Lorraine, ele estava deixando este mundo. Já presenciei sessões suficientes para ser capaz de reconhecer a diferença.

"Você pode sentir", murmurou Lorraine, relaxando em sua cadeira.

"É, ele se foi", disse Michael.

"Também posso sentir a energia se dissipando. Alguém mais sente? Ele se foi, querido", disse Lorraine, de olhos muito abertos.

"Ele se foi para sempre ou apenas se foi?", perguntei para confirmar minhas próprias impressões.

"Espero que tenha ido embora para sempre, mas não sei", admitiu Lorraine.

"É como se ele estivesse se afastando mais e mais", explicou Michael.

"É, e aquela sensação de aperto na garganta desapareceu. Meu braço estava junto ao braço de Michael e também não sinto mais nenhuma tensão nele", acrescentou Lorraine.

"Talvez você o tenha ajudado a passar para o outro lado", sugeri, referindo-me a Gus.

"Pode ser", disse Michael. E isso vindo de um cara que momentos antes afirmava não acreditar no outro lado.

Michael de repente comentou em seu sotaque escocês original, "Foi a coisa mais bizarra... imagens estranhas aparecendo em minha cabeça."

"É isso que é enxergar parapsiquicamente", explicou Lorraine.

"Era como um desenho animado."

"Sim, é como um desenho animado", Lorraine concordou.

"Mas, diferente de um desenho, era como se estivesse lá, de verdade."

"Como se estivessem lá", confirmou Lorraine. "Sim, eles estão lá."

"Mas estava tudo saindo de minha cabeça", disse Michael, sacudindo a cabeça. "Logo depois que entrei aqui, eu não vi a imagem dele. Tudo que vi foi a imagem da jovenzinha. Mas ela não usava roupas de criada, nem nada assim. Ela era a filha do dono do hotel, ou coisa parecida; porque todo mundo... tipo todo mundo devia respeitá-la. Não sei. Só tive a sensação de que era a filha do dono do hotel."

"Talvez vocês devessem tentar falar com Raymond, para ele fazer o mesmo", sugeriu Michael. "Quero dizer, ele é um cara mais religioso. Talvez isso ajude. É o que digo, nunca precisei acreditar em nada, mas tem algo muito esquisito acontecendo."

"Ah, sim, para dizer o mínimo", riu Lorraine, e disse, mais baixinho, "Raymond está com medo". Ela então se debruçou e gritou para o corredor. "Raymond, já acabou tudo, querido. Terminamos."

As luzes se acenderam, e agradeci a Michael por sua cooperação. Os fotógrafos da revista queria tirar fotos de mim e de Lorraine no quarto. Depois de ser fotografado, Michael reuniu-se a sua família e a seu amigo no corredor.

Aquele hotel não me parecia o tipo de lugar onde eu encontraria um chocolatinho sobre meu travesseiro, mas eu estava ansioso para voltar para meu quarto e minha cama. No entanto, quando tentamos deixar para trás aquele aposento desarrumado e o fotógrafo satisfeito, Michael nos abordou no corredor.

"Eu gostaria de saber, de fato... eu gostaria de saber o que você fez comigo lá dentro", disse ele, enfrentando-nos e parecendo agitado.

"Oh, eu não fiz nada a você, querido", Lorraine garantiu.

"Mas Raymond e sua namorada Dee estavam olhando pela porta e disseram que eu parecia estranho... Que não estava em meu eu normal. Era por isso que Raymond estava com medo de entrar e ficar comigo."

"Ed, você tem que explicar a Michael que eu não fiz nada com ele", pediu Lorraine.

"Você apenas visualizou uma luz de Cristo", tranquilizei a ambos, envolvendo Lorraine com um braço.

"Sim, foi só isso que fiz", disse Lorraine, olhando para Michael. "Rezei por você. Apenas visualizei você em uma luz de Cristo. Rezei por você e dei proteção a sua família. Mas não fiz mais nada a você."

"Desde que minha esposa e minha filha estejam bem e não sejam afetadas por isto de modo algum", disse Michael, acalmando-se.

"Não, elas não serão tocadas por isso de modo algum", Lorraine confirmou.

Tentando deixar mais leve a situação, eu disse:

"Pessoalmente, gosto de me visualizar em um aposento cheio de *donuts* de geleia."

Lorraine e Michael riram. Então, mudando de assunto e referindo-se ao fantasma, Gus, Michael disse:

"Bom, ele não queria falar com mulheres de forma alguma, desculpa."

"Você não me ofendeu!", interrompeu Lorraine, depressa.

Acrescentei, à guisa de explicação:

"Esse tal Gus aparentemente tinha medo de mulheres, e não sabia como se comunicar com elas. É por isso que ele estava vindo através de você, Michael."

"Talvez ele se sentisse intimidado por elas", Lorraine sugeriu.

"Ele não disse... ele não disse nada", comentou Michael.

"Você recebeu impressões em vez de palavras", sugeri.

"É, era... era como um desenho animado, ou algo assim", ele repetiu.

"É o que chamamos de 'clarivisão'", expliquei. "A 'clariaudição é quando você escuta coisas telepaticamente. Há pessoas que podem até sentir cheiros ou o toque de coisas. Você estava enxergando por meio do que é conhecido como os olhos da mente."

"Ele nunca passou por nada parecido antes", observou Lorraine.

Depois de tantas décadas, ela provavelmente estava recordando como havia sido estranho e assustador quando descobriu suas habilidades clarividentes.

Enquanto mantínhamos essa conversa, o pessoal da revista tomava notas e ficava por ali como morcegos, nos cantos escuros do corredor acarpetado.

"O *flash* incomodou você lá dentro?", um dos fotógrafos perguntou a Michael.

"Não, na verdade foi o barulho", explicou ele. "*Clic*, e ele fugiu correndo para as montanhas. Foi a impressão que deu... que ele estava descendo por um vale; e ele apenas se distanciou mais. Agora não há mais nada aqui. Não há mais nada."

"Não, eu não sinto nada. Não sinto mais", confirmou Lorraine.

"Mas eu podia sentir lá embaixo, na cozinha, enquanto subia", recordou Michael.

"Bom, eu também senti", concordou Lorraine. "Mas foi para lá que Gus correu depois de cometer o assassinato."

O rosto de Michael se iluminou.

"É isso mesmo, é para onde ele estaria correndo quando vi as portas se movendo naquela noite", disse.

"Sim, ele estava revivendo aquele momento, provavelmente o momento mais terrível de sua vida", explicou Lorraine. "Você sabe quanto tempo faz que a reforma aconteceu?"

"Tudo que sei é que este hotel mudou de dono faz oito meses, mais ou menos em agosto do ano passado. Desde então ele vem sendo reformado", respondeu Michael.

"E foi isso que desencadeou esses eventos paranormais", Lorraine explicou.

"É verdade... nesses pontos, dá para sentir algo, mas na parte nova, não. Não há nada. Não se sente nenhum enjoo, frio na barriga, nem nada assim. Mas quando a gente fica parado naquele andar de cima... e você fica parado aqui, e na área da cozinha...", Michael disse, sacudindo a cabeça, assombrado.

Lorraine concordou.

"Todos esses lugares estão em sintonia. Estão na parte velha do edifício, onde a tragédia aconteceu... e você consegue perceber isso!"

"Era o mais estranho", recordou Michael. "Eu fechava o pub às 11 horas da noite. Servia a última bebida aos fregueses, baixava as persianas e dizia, 'Tudo bem, volto em cinco minutos', e subia para trancar o hotel."

"Então, eu subia e examinava as saídas de incêndio e tudo o mais. Naquela noite eu subi e voltei para baixo logo em seguida. Não disse nada às pessoas no bar. E eles começaram, 'Que foi? Que houve? Aconteceu alguma briga, alguém foi esfaqueado ou algo assim? Que foi que aconteceu?'

"Eu disse: 'Acabei de ver algo esquisito de verdade. Vocês poderiam subir comigo? Três ou quatro pessoas subiram. Posso dar os nomes. Se eu estivesse aqui mais cedo, vocês poderiam ter conversado com elas. Eu também podia ter pedido que ficassem aqui à espera de vocês. Elas subiram, mas não sentiram nada.

"Acho que, se tem mais de uma pessoa, nunca acontece nada, entendem? Também levei minha esposa e outras pessoas lá em cima. Pensei: vamos levar o cachorro lá, porque os cachorros podem sentir essas coisas. Eles podem perceber."

"Isso é verdade, eles podem, sim", concordou Lorraine.

"Mas nunca fizemos isso porque, sabe, o cachorro é tipo um cachorrinho de colo, entendem? Mas, quando Raymond soube da história, ele me procurou e disse: 'Ah, não, Michael, eu vi algo no vidro da porta, no mesmo lugar'. Ele estava meio perturbado."

Todos concordamos com a cabeça, e Lorraine e eu tentamos ir embora, cruzando as mesmas portas, rumo ao nosso quarto. Mas Michael ainda tinha algo a dizer.

"Juro a vocês... não estou mentindo."

"Acreditamos em você", disse Lorraine. Na verdade, ela acreditava em sua própria percepção extrassensorial, e sua impressão não conflitava com a de Michael.

"Bom, a maioria das pessoas não tem tanta certeza", refletiu Michael, parecendo cansado. "Vocês entendem o que digo... não estou inventando essas histórias nem nada. Vocês sabem disso. Juro por Deus, eu não faria isso."

"Sim, e obrigada por voltar ao hotel para falar conosco em sua noite de folga", disse Lorraine.

"Sem problemas. Quando o gerente do hotel ligou para minha esposa e disse que vocês estavam aqui e queriam falar comigo, vim na hora; mas sinto... embora eu tenha tomado um ou dois drinques... Não me entendam mal. Não estou bêbado nem nada. Hoje é o primeiro dia de férias. Tirei uma semana de férias."

"Está tudo bem. Não foi um problema", tranquilizei-o, enquanto continuava a empurrar Lorraine para nosso quarto.

"Sabe, quando eu estava naquele cômodo com vocês", ele continuou, "na maior parte do tempo fiquei olhando para o corredor. Eu preferia olhar para onde eu pudesse sair... por onde eu pudesse escapar."

"Michael, você nunca vai poder ser um de nossos investigadores", brinquei.

Ele também riu, e admitiu:

"Vou lhes dizer uma coisa. Bebo muito mais agora do que quando comecei a trabalhar aqui!" Então acrescentou: "Meus pais deixaram a meu critério decidir se acreditava ou não em... Deus e tudo o mais. Eles não me batizaram nem nada. Disseram que eu é que deveria decidir. Minha esposa acredita... não fervorosamente, mas acredita. E ela acredita no que digo. Não queria que vocês achassem que sou algum idiota, me entendem?"

"Acreditamos em você, querido", tranquilizou-o Lorraine, olhando por cima do ombro.

Demos boa-noite a todo mundo e finalmente conseguimos chegar a nosso quarto e a nossa cama. No entanto, todos nossos investigadores planejavam ficar acordados e fotografar, filmar e fazer gravações de áudio do hotel, durante as "horas parapsíquicas". Combinamos nos reunir no saguão em algum momento antes do meio-dia, no dia seguinte, para revisar nossas experiências ou descobertas.

Mais tarde naquela noite e a manhã seguinte

Dois investigadores desceram com um gravador de fita para o saguão, a cozinha, a escada dos fundos, o corredor entre os dois pares de portas com mola, e o quarto de hóspedes – agora depósito –, onde Lorraine havia feito a sessão junto com Michael. Eles ficaram fazendo perguntas... dando tempo para possíveis respostas que não podiam ouvir com seus ouvidos. Em alguns casos, quando a fita é tocada de novo, uma voz pode ser ouvida respondendo às perguntas. No entanto, isso não aconteceu nesta investigação.

Outro par de investigadores gravou em videoteipe o hotel, na esperança de capturar mais "glóbulos fantasmas". Fora o que haviam filmado mais cedo no quarto abandonado, nada foi observado. Outros pesquisadores usaram luxímetros, para mensurar a iluminação, e galvanômetros, registrando fluxos de energia inexplicáveis, para monitorar quaisquer anomalias. Nada incomum apareceu.

Depois que Michael, Raymond e sua namorada, e um ou dois outros moradores locais ficaram sabendo que nosso grupo estava na Escócia para investigar diversos locais assombrados, levaram um outro grupo dos investigadores em uma busca que não teve qualquer êxito. Primeiro exploraram um cemitério onde teria sido praticada feitiçaria. Então foram a um local afastado que parecia ter sido um abatedouro. Ambos os locais deixaram nossos pesquisadores pouco à vontade, e eles insistiram em voltar ao hotel.

Uma vez de volta ao silêncio sepulcral do hotel, então escuro e soturno, eles se despediram de seus novos amigos e foram dormir. Como parecia não estar acontecendo nada no hotel, os demais investigadores também se recolheram, depois do longo e exaustivo dia de viagem. Às 4 da manhã, as únicas criaturas que se moviam fora de nossos quartos eram sombras passageiras. Ou assim acreditávamos.

O próximo dia estava luminoso e ensolarado e cheio de surpresas perturbadoras. Um pneu de nossa van tinha sido cortado. Quando o bar foi aberto para a limpeza, todas as fotos haviam sido remanejadas. Mesas e cadeiras do salão de jantar, bem como colchões de alguns quartos desocupados, estavam empilhadas no meio do aposento. Também havia, espalhadas pelo local, montes de terra que parecia ter sido despejada através de um funil.

Quando a governanta abriu a área de serviço, encontrou uma camada de sabão em pó cobrindo tudo de forma uniforme, como uma nevasca bizarra. Maldições estavam escritas no pó que cobria ume mesinha no cômodo.

Ninguém além da governanta tinha a chave do local e não havia sinais de que tivessem mexido na fechadura.

Os funcionários estavam visivelmente perturbados. Muitos estavam irritados. Alguns culpavam Michael e Raymond. Outros não sabiam o que pensar. Mesmo Lorraine e eu não tínhamos certeza.

Os móveis empilhados e a terra afunilada eram muito familiares para nós. Ainda era difícil crer que ninguém tivesse ouvido tanta mobília sendo levada de um andar a outro. A maioria de nossos investigadores não foi dormir até as primeiras horas da madrugada, e eles ainda ficaram acordados para escrever suas observações, checar o que tinham capturado com seu equipamento e discutir o caso. Por outro lado, Lorraine e eu costumamos acordar cedo... do mesmo modo que os funcionários do hotel. Ainda, se aquilo tudo fosse uma encenação, de que forma os responsáveis sabiam o que fazer e de que modo?

Lorraine e eu, bem como outras pessoas fidedignas do mundo todo, já testemunhamos o movimento silencioso de móveis. A explicação que temos é de teletransportação. Não é sem motivo que os poltergeists associados com esse fenômeno são chamados de "fantasmas travessos". Em alguns de nossos casos mais horrendos, Lorraine e eu vimos objetos grandes desmaterializando-se e voltando a se materializar em outro local, diante de nossos olhos... móveis movendo-se, dançando e voando por si mesmos. Tudo isso ocorre em silêncio. Num minuto a coisa está ali, no minuto seguinte você tropeça nela em algum outro local. Infelizmente, tal atividade geralmente ocorre onde existe uma infestação maligna.

Antes que pudéssemos contar o ocorrido a uma das investigadoras que acordou tarde, ela relatou que sua caneta favorita havia desaparecido de seu quarto de manhã, depois de ter sido usada para tomar notas de noite. Ela exigiu que fosse devolvida, em nome de Jesus Cristo, e encontrou-a do lado de fora de seu quarto. Estava caída no chão, no ponto exato em que o eletricista disse ter sentido que estava sendo observado.

Lorraine e eu sentimos que precisaríamos de muito mais tempo para determinar se aquele fenômeno era espectral, demoníaco ou obra de algum funcionário mal-intencionado. Também podia ser um pouco de tudo isso. Afinal de contas, o mau comportamento atrai maus espíritos, e os maus espíritos inspiram o mau comportamento. Também é comum que o demoníaco isole suas vítimas e as faça parecerem culpadas ou loucas. Ainda, no passado já havíamos denunciado fraudes em que alguém, desesperado por atenção ou ávido pelo dinheiro que pensava poder atrair, queria enganar ou atemorizar as pessoas.

No entanto, sem o apoio da presença dos proprietários do hotel ou do gerente principal, Lorraine e eu decidimos não investigar mais as coisas naquele momento. Já tínhamos uma agenda toda planejada para nosso tempo limitado na Escócia. Antes de fazermos alterações em nosso itinerário, sentimos que aqueles que haviam pedido nossa ajuda podiam ao menos ter tido a cortesia de estar ali para nos receber.

Epílogo

Quando retornamos aos Estados Unidos, os proprietários e o gerente já tinham voltado ao hotel. Quando retomamos contato, eles afirmaram que todas as perturbações haviam parado. Talvez nunca saibamos se pararam como resultado de os funcionários terem sido disciplinados, por nosso sucesso em fazer um espírito desgarrado ir embora para casa, ou por não estarmos nós mesmos presentes para desencadear uma resposta parapsíquica.

O mal é inteligente e pode se comunicar de continente a continente. Em vez de permanecer dormente, como tende a fazer quando abordado por investigadores hesitantes e clérigos, já houve casos em que ele nos desafiou, por estar familiarizado com nosso trabalho.

O mal também é atraído por almas atormentadas. Ao liberar aquele espírito, podemos ter perturbado alguma coisa. Ainda, Michael havia estado vulnerável, mas nós o protegemos. Esse poderia ser um outro motivo para a animosidade sobrenatural. O dano que encontramos na manhã seguinte pode ter sido desencadeado por nossa intervenção em ambos os casos. Se foi isso, entretanto, não é de surpreender que tais fenômenos retomassem a dormência, sem novas fontes de encorajamento ou convites.

Existe também a possibilidade de que os novos donos do hotel quisessem atrair a atenção e clientes para seu hotel. O convite para que nós e a equipe de televisão fôssemos ao seu estabelecimento pode ter satisfeito essa necessidade.

São tais ambiguidades o que torna tão difícil esse tipo de investigação. Estamos tratando com a psicologia das vítimas, e não só com as entidades paranormais. E estão todos entrelaçados. Motivos egoístas ou destrutivos atraem e alimentam a energia negativa. Energia negativa alimenta os motivos e ações egoístas e destrutivos.

No entanto, Raymond e Michael pareceram genuinamente assustados com suas experiências. Ainda, Lorraine viu telepaticamente as mesmas coisas que Michael descreveu naquela estranha noite. Além disso, os dois jovens e Lorraine sentiram e viram coisas semelhantes na mesma parte do hotel. E os glóbulos espectrais capturados em vídeo, gravados por investigadores independentes, confirmam a presença de energia espiritual.

Nunca fomos capazes de encontrar qualquer relato de assassinato no hotel, mas os registros históricos são escassos nesse vilarejo remoto. Lorraine também faz notar que um crime não reportado ou impune pode ele próprio ser o motivo para uma aparição fantasmagórica... e a reforma pode ser o gatilho.

Esse caso também ilustra como as energias e entidades paranormais parecem estar sempre a nossa volta, em todos os lugares. Nosso comportamento, nossas atitudes, razões e crenças – e os das pessoas ao nosso redor – desempenham um importante papel no tipo de coisa que atraímos e no que podemos liberar sem querer.

Seção V

Pesquisa paranormal: charlatanismo ou ciência?

"Existem dois modos de ser enganado.
Um é acreditar no que não é verdade,
o outro é recusar-se a acreditar no que é verdade."
Soren Kierkegaard

Ed e Lorraine Warren deram as boas-vindas ao grupo eclético de alunos de investigação psíquica. Eles já haviam estudado fantasmas, infestações malignas e possessão, e como os Warren procediam ao investigar eventos paranormais a pedido de clientes do mundo todo. No entanto, toda essa informação mal arranhava a superfície das experiências pelas quais os Warren haviam passado e tudo que haviam aprendido durante mais de cinquenta anos atuando nesse campo de trabalho.

Agora era o momento de encorajar os alunos a realizarem suas próprias investigações, na biblioteca e em campo. A melhor forma que os Warren encontraram para fazer isso era atiçar o interesse deles sobre o que a ciência descobriu e continua descobrindo com a ajuda da moderna tecnologia.

Lorraine abriu a palestra da noite.

"Por meio de minhas habilidades de clarividência e de décadas de investigação de campo, Ed e eu encontramos muito pouca discrepância, se é que há alguma, com o que vemos na Bíblia ou com o que muitas religiões nos ensinam. Historicamente, a ciência sempre teve uma relação de amor e ódio com os mistérios e com quaisquer descobertas que confrontam uma compreensão preconcebida. A ciência com frequência tem entrado em atrito com as religiões do mundo. As religiões com frequência têm entrado em atrito com a ciência. Contudo, ambas contêm verdades e podem aprender uma com a outra."

Resumo histórico

Lorraine acomodou-se em seu banco alto e começou:

"Em 1848, as irmãs Fox, de Hydesville, Nova York, afirmaram estarem em comunicação com os mortos, por meio de uma série de batidas. Logo, médiuns e místicos proliferaram, e as sessões mediúnicas tornaram-se um furor, tanto na Europa quanto nos Estados Unidos. A chamada comunicação com os espíritos ia desde batidas e murmúrios espectrais a eventos mais interessantes, como movimentos de objetos e materialização de aparições. Em resposta, as listas de clientes particulares e audições públicas expandiram-se. Em 1855, o espiritualismo tinha 2 milhões de seguidores nos Estados Unidos e na Europa.[31]

"O espiritualismo sempre desempenhou um papel significativo na história da humanidade. Ele diz respeito à relação e interação do homem com o mundo não físico – o bizarro, assustador e miraculoso. Através dos tempos, a religião apresentou sua interpretação, e todo mundo, dos videntes aos curandeiros, apresentou as suas.

"A investigação parapsíquica organizada teve início no fim do século XIX, como um esforço em provar ou refutar a atividade paranormal associada ao espiritualismo. Em 1882, foi fundada em Londres a Society of Psychical Research, seguida pela American Society for Psychical Research, em 1885, e o Institut Métapsychique International francês, em 1919.[32] O Committee for the Scientific Investigation of Claims of the Paranormal (CSICOP) foi fundado mais recentemente, em 1976."[33]

"Primeiro, a ciência abordou as alegações paranormais supondo que eram delírios", acrescentou Ed. "A parapsicologia começou como uma subdivisão obscura da psicologia. Aqueles que primeiro se dedicaram a esse campo de estudo com frequência foram considerados eles mesmos como necessitados de terapia. Apesar da reputação duvidosa desse campo, Sigmund Freud escreveu, aos 65 anos, ao pesquisador norte-americano Herewood Carrington: 'Se eu tivesse que começar minha vida de novo, preferiria antes ser parapsicólogo do que psicanalista'. Mais tarde, Freud declarou a seu biógrafo, E. Jones, que não teria hesitado em provocar a hostilidade do mundo profissional para estudar esse 'ponto de vista impopular'. A curiosidade e o interesse de Freud por esse campo parecem ter surgido a partir de seus encontros com fenômenos parapsíquicos e PES (percepção extrassensorial), incluindo um caso muito convincente de telepatia."[34]

"A parapsicologia é, hoje, um membro respeitado da American Association for the Advancement of Science, com seus milhares de cientistas notáveis e respeitados", prosseguiu Lorraine. "Desde 1969, a ciência norte-americana tem tratado de forma séria os temas de casas assombradas, clarividência, telepatia e telecinese. Atualmente, mais e mais universidades e faculdades estão devotando departamentos e projetos especiais nessa área. Ela também está começando a atrair a atenção de mentes brilhantes da física e da engenharia.

"Desde os primeiros dias da pesquisa de fenômenos paranormais, a maioria das manifestações estudadas foi desmascarada como engenhosos truques de mágica. Batidas, mesas que se inclinavam, objetos movendo-se, materializações, música espectral, luzes de espíritos e odores estranhos ocorriam de forma conveniente em ambientes controlados pelo médium durante suas sessões ou leituras da sorte. Aqueles que afirmavam materializar espíritos foram pegos eles próprios se fazendo passar por espíritos. A maioria dos médiuns parece melhor em ler as pessoas do que em ler cartas ou comunicar-se com os mortos. No entanto, há problemas com esses estudos, e têm havido exceções.

"Eu e outros clarividentes fidedignos lhe diremos que os fantasmas não se apresentam atendendo a pedidos. Arthur Ford, médium que *nunca* se provou ser uma fraude, explicou que nenhum médium consegue atuar 100% do tempo. Para ele, a maioria dos médiuns preferiria trapacear a ter de admitir estar tendo um dia ruim. Um eminente físico e químico britânico, *sir* William Crookes, descobriu que alguns médiuns recorriam a truques caso tivessem a chance disso ou fossem pressionados. No entanto, sob controle estrito eram capazes de produzir fenômenos aparentemente genuínos. Ele sentia que, embora a fraude fosse bem evidente, não poderia explicar toda a atividade."[35]

Ed começou a caminhar pela sala enquanto falava.

"O que torna a pesquisa de fenômenos paranormais um empreendimento frustrante, tanto para céticos quanto para seguidores, é o fato de não ser controlada com facilidade. Entidades paranormais parecem reagir a certas situações e pessoas, em condições que não são fáceis de duplicar. Os sensitivos com maior chance de vivenciar o sobrenatural, isto é, os clarividentes e as crianças, são justamente aqueles em que as pessoas menos tendem a crer. O fenômeno não costuma manifestar-se de acordo com a vontade das pessoas. De fato, quando isso acontece, é muito provável que seja total ou parcialmente encenado.

"Mas também foi demonstrado que, com experiência e prática, os clarividentes podem ter melhor acesso à informação metafísica que parece estar presente ou que é comunicada de forma proposital, sendo capazes de compreendê-la melhor. Um dos médiuns mentais mais famosos foi Leonora Evelina Simonds Piper. A sra. Piper foi objeto de estudo de investigadores parapsíquicos dos dois lados do Atlântico. Costuma creditar-se a ela o fornecimento das primeiras evidências sólidas da vida após a morte."

Lorraine tomou a palavra.

"A sra. Piper nasceu em 1859, em Nashua, New Hampshire. Quando tinha 8 anos de idade, sentiu um golpe forte súbito na orelha direita, acompanhado por um som sibilante. A isso seguiram-se as palavras, 'Tia Sara não está morta, mas com você ainda está'. Sua mãe anotou o dia e a hora em que esse evento ocorreu. Mais tarde, souberam que de fato tia Sara havia morrido naquele instante.[36]

"A mediunidade da sta. Piper começou a expressar-se de forma plena em 1884, depois que o sogro de Leonora a levou até um clarividente cego, famoso por seus diagnósticos e curas parapsíquicos. Ela perdeu a consciência e pareceu entrar em transe. Pouco depois, ela tomou conhecimento das suas próprias habilidades e começou a dar consultas particulares em casa.[37]

"William James, envolvido na criação da American Society for Psychical Research (ASPR), procurou a sra. Piper em 1885, para tentar provar que ela era uma fraude. O conhecimento detalhado que ela revelou deixou-o perplexo. Depois de dois anos de estudos e sessões controladas, o sr. James foi incapaz de detectar qualquer fraude.[38]

"Quando Richard Hodgson veio da Europa para assumir a ASPR, ele também assumiu as investigações acerca da sra. Piper. Na Europa, ele havia se tornado o flagelo dos médiuns físicos ingleses, e havia aprendido muita coisa sobre conjuração. Também ele abordou o caso supondo que a mulher era uma fraude. Hodgson manteve um registro detalhado de todas as sessões com a sra. Piper, contratou detetives particulares para segui-la e monitorou sua correspondência. Ela nunca se comportou de forma suspeita, mas continuou fazendo afirmações notavelmente precisas sobre pessoas que nunca conhecera ou sobre as quais nunca ouvira falar.[39]

"O talento da sra. Piper foi considerado tão extraordinário que, entre 1889 e 1890, ela foi mandada para a Inglaterra a fim de realizar sessões sob a supervisão rigorosa dos pesquisadores parapsíquicos ingleses. Na Inglaterra, como nos Estados Unidos, consulentes anônimos a procuravam, ou substitutos iam no lugar da pessoa que deveria consultar-se. Houve também uma série de 'experimentos de encadeamento', em que uma série de pessoas eram interpostas entre a parte interessada e a médium. Nenhuma das pessoas intermediárias sabia o nome do indivíduo que era o sujeito.[40]

"No entanto, a sra. Piper continuou a atuar com um sucesso assombroso. Hodgson publicou um relato cauteloso de seu trabalho com a sra. Piper em 1892. Em 1898, porém, ele admitiu sua conversão à 'hipótese da sobrevivência', como resultado de seu estudo sobre a médium. Depois de doar boa parte de sua vida a serviço da ciência, a sra. Piper morreu com 91 anos, em 1950. Graças a ela e ao trabalho de Hodgson, muitos pesquisadores que antes duvidavam da possibilidade de vida após a morte convenceram-se de sua realidade."[41]

"Clarividentes como Lorraine podem ver o que com frequência outros não conseguem enxergar com clareza", prosseguiu Ed. Pode acontecer que ela descreva para um artista o que está vendo, e o esboço que este faz corresponda a uma pessoa há muito falecida, uma completa estranha para Lorraine. Durante uma investigação parapsíquica em um mosteiro assombrado, Lorraine descreveu freiras ajoelhadas em bancos de igreja e um monge de pé, folheando um grande livro. Embora nada fosse visível, os pesquisadores tiraram fotos do ponto onde Lorraine indicou estar a atividade. Quando as fotos foram reveladas, mostraram imagens etéreas do monge e das feiras, exatamente como ela descreveu, exatamente onde ela disse que estavam.

"Milhares de pessoas já tiraram fotos com orbes e fiapos espectrais onde não havia luz de *flash*, fumaça ou partículas no ar. Em uma série de fotografias mantida nos arquivos dos Warren, o orbe alonga-se, toma uma forma humana e então desenvolve as feições nítidas de uma mulher do século XVIII. Sombras negras movendo-se por si sós têm sido capturadas em filme e em vídeo. Fotos infravermelhas captam olhos que brilham e silhuetas em situações em que nada aparece ao olho físico. Câmeras digitais registram feixes de luz e orbes no mesmo instante em que pesquisadores olham para a mesma cena e não veem nada com os olhos. Imagens misteriosas de pessoas que não estão fisicamente presentes aparecem em fotografias domésticas rotineiras ou em superfícies refletidas."

"A tecnologia moderna melhorou nossa capacidade em obter provas, e também tornou mais fácil melhorar ou tratar imagens", Lorraine acrescentou. "Ainda assim, um arquivo enorme de fotos não alteradas permanece sem explicação. Os céticos acreditam que essas imagens podem na verdade ser criadas pela mente. Em outras palavras, se você se concentra o suficiente, algo pode de fato aparecer no filme fotográfico... ou objetos podem se mover. Há também alguma evidência indicando que distúrbios mentais ou emocionais, temporários ou não, podem levar a manifestações paranormais."

"No entanto", comentou Ed, "psiquiatras e psicólogos que estudam médiuns concordam que há uma diferença nítida entre mediunidade e esquizofrenia. Os esquizofrênicos não têm controle sobre suas vozes, visões e personalidades misteriosas. Tais manifestações ocorrem de forma espontânea, com frequência sem aviso, e são difíceis de deter. As vítimas ficam desorientadas com a experiência e não conseguem viver normalmente. Médiuns, porém, podem controlar seus dons parapsíquicos, podem usá-los de forma produtiva e podem ter vidas normais.[42]

"A mesma distinção tem sido feita entre a mediunidade de transe e casos de múltipla personalidade. No segundo caso, há pouco controle sobre o momento em que a pessoa muda de uma personalidade para outra. Os médiuns, entretanto, entram em transe quando querem. Além do mais, distúrbios de personalidades múltiplas tipicamente têm como base uma infância traumática, enquanto a mediunidade com frequência desenvolve-se na idade adulta."[43]

Lorraine colocou-se de pé e esticou as pernas antes de prosseguir.

"O funcionamento da mente é misterioso o bastante sem que se acrescente o sobrenatural. É por isso que a ciência se sente melhor com a exploração controlada. O professor Joseph B. Rhine, da Duke University, foi um dos primeiros a fazer medições do que ele chamou de fator 'psi' no homem. Mais ou menos na mesma época, o psiquiatra dr. George Sjolund estabeleceu laboratórios especiais em Baltimore, Maryland, para testar essa percepção extrassensorial (PES). Em 1970, o dr. Sjolund concluiu: 'Todas as evidências indicam que a PES existe'.[44]

"O livro *Psychic Discoveries behind the Iron Curtain,** escrito por Sheila Ostrander e Lynn Schroeder, foi resenhado pela dra. Thelma S. Moss, professora-assistente de psicologia médica na Escola de Medicina da UCLA. Ela comentou, 'em 1970, a ciência materialista soviética realizou um feito no campo dos fenômenos ocultos que se equiparou ao envio do Sputnik ao espaço em 1957'.[45]

"Depois de resenhar o mesmo livro para o *Los Angeles Times*, o escritor Nat Freedland observou, 'Há anos os cientistas do Leste europeu têm obtido êxito em experimentos parapsicológicos de alcance assombroso. Em vez de perderem um tempo interminável com maços de cartões e com dados, como faz o dr. J. B. Rhine, da Duke University, os cientistas soviéticos colocam um experimentador com talentos telepáticos em Moscou e outro na Sibéria, a quase 2 mil quilômetros de distância'."[46]

"Para não ficar atrás dos russos, os norte-americanos desde então têm feito mais do que 'perder tempo' com cartões de laboratório", Ed acrescentou. "O *Los Angeles Times* noticiou, em 11 de fevereiro de 1971, que o astronauta Edgar D. Mitchell, da *Apollo 14*, levou a bordo cartões de PES. Fazendo um experimento, ele teve êxito em enviar mensagens mentais desde o espaço para o engenheiro Olaf Olsen, em Chicago. Isso prova, para além de qualquer dúvida, que a telepatia funciona mesmo a partir do espaço exterior.[47] O estudo inicialmente foi feito para explorar a possibilidade de comunicação de emergência, mas os benefícios potenciais são mais abrangentes.

"O Remote Viewing Institute, encabeçado pelo major reformado do exército Ed Dames, enfoca o desenvolvimento de habilidades extrassensoriais para a coleta de informações. Com pouco mais do que o nome de alguém, pessoas com dons treinadas são capazes de descrever de forma precisa os arredores do indivíduo. O instituto tem sido bem-sucedido em localizar dessa forma vítimas de sequestros. O uso de visão remota pelas forças militares também é destacado no livro *Future War*, do dr. Russell Targ. Embora não

* *Experiências Psíquicas além da Cortina de Ferro,* publicado no Brasil pela Editora Cultrix, SP, 1988 [fora de catálogo]. (N. dos T.)

seja provável que se torne parte do Discurso do Estado da União* desse país em um futuro próximo, a PES parece constituir uma parte importante de nossas pesquisas militares."

"Entretanto, o metafísico e o paranormal continuam sendo uma fronteira praticamente inexplorada", Lorraine retomou. "Os benefícios potenciais para a segurança nacional, para a manutenção da lei, para a saúde física e mental e até para os negócios é enorme. Há não muito tempo, a clarividência era diagnosticada como bruxaria ou doença mental. Agora está sendo comprovada e amplificada em laboratórios.

"Atualmente, médicos e escolas de medicina reconhecem o efeito terapêutico de preces, do riso e de atitudes positivas. Em cada teste de medicamentos, os placebos sempre funcionam para uma dada porcentagem de pessoas. Talvez haja algo mais do que apenas 'a mente dominando a matéria' atuando aqui.

"A revista *Nation's Business* publicou um artigo, em 1971, intitulado 'Dólares Podem Jorrar do Sexto Sentido. Haverá uma Ligação entre Sucesso nos Negócios e Percepção Extrassensorial?'. A matéria concluía que 'a evidência que obtivemos indica que tal pesquisa será de grande valia'. John Mihalasky, professor associado de engenharia administrativa no Newark College of Engineering, encontrou uma correlação entre uma capacidade administrativa superior e a PES. Mihalasky afirmou que as decisões corporativas mais consistentes não eram feitas com base na lógica, mas em habilidades intuitivas."[48]

Ed dirigiu-se ao grupo.

"Algum dia, evidências metafísicas e o testemunho de clarividentes comprovados poderão ser tão confiáveis e fidedignos quanto impressões digitais e DNA. Agentes da lei do mundo todo têm, relutantes, buscado ajuda – ou são forçados a fazê-lo – de médiuns para solucionar crimes ou localizar pessoas desaparecidas. O dr. Maximilian Langsner solucionou casos difíceis fixando o olhar no suspeito por 30 a 60 minutos. Depois de fazer isso, o doutor era capaz de direcionar as autoridades até evidências que levavam a condenações.[49]

---

* Relatório apresentado anualmente pelo presidente dos Estados Unidos ao congresso norte-americano. (N. dos T.)

"O dr. Langsner nasceu em Viena, estudou com Freud e viajou para a Índia para pesquisar o 'inexplicável controle intuitivo da mente'. Obteve um doutorado em filosofia na Índia, em 1926. Ele afirmava conseguir ler ondas cerebrais. A ciência moderna também pode ver as ondas cerebrais do 'estado alfa', mas ainda não consegue 'lê-las', a não ser por gráficos e imagens."

Lorraine acomodou-se de novo em seu banco alto e disse:

"Compreender o paranormal também traria paz de espírito a muitas pessoas. A noção de que a 'vida' ou a consciência continua sob alguma forma é reconfortante para aqueles que temem a própria morte ou que choram pela perda dos entes queridos. Ainda, talvez tenhamos menos propensão a matar outras pessoas, a sofrer com frustrações e decepções de curto prazo e a impor aos demais nossas opiniões e julgamentos se entendermos que de fato há infinitas formas de ser... e uma eternidade de oportunidades. Muitas religiões já apresentam esse conceito, de uma forma ou de outra.

"Já em 1957, em um artigo intitulado 'Uma Crise na Ciência', a revista *Life* profetizava: 'A única "realidade" é aquela que ocupa espaço e tem massa – é irrelevante em uma era que provou que a matéria é intercambiável com a energia. Liberta do materialismo, a metafísica pode muito bem tornar-se a principal preocupação do homem no próximo século, e pode até mesmo gerar um consenso mundial quanto à natureza da vida no universo'."[50]

"Cientistas modernos reconhecem que existem muito mais do que três dimensões", Ed acrescentou. "Einstein afirmava que a energia nunca desaparece, apenas se transforma. Em 2001, físicos nucleares revelaram a descoberta de partículas menores que o próton e o elétron, presentes em todos os átomos, que continuamente alternam entre energia e matéria. Poderia ser essa a prova de nossa essência espiritual?"

"Gerald L. Schroeder, Ph.D. pelo Massachusetts Institute of Technology, escreveu três livros relacionando descobertas científicas a crenças religiosas", continuou Lorraine. "Seu trabalho foi citado na *Time*, na *Newsweek*, na *Scientific American* e em jornais importantes no mundo todo. Em seu livro, *The Hidden Face of God*, publicado em 2001, o dr. Schroeder observa que em nosso mundo físico existe muito mais não matéria do que matéria. Em outras palavras, há muito mais substância metafísica do que física. Ele também sugere que, em vez de ser a criadora dos fenômenos paranormais, nossa mente é a antena para a realidade metafísica que conecta todos nós.

"Antes disso, Albert Einstein escreveu, 'Um ser humano é parte do todo, a que chamamos *universo* – uma porção limitada no tempo e no espaço. Ele vivencia a si mesmo, seus pensamentos e sentimentos como algo separado do resto – uma espécie de ilusão óptica de sua consciência'.[51] (Apesar da rapidez com que nossa capacidade de nos comunicar com coisas sem substância ou meios físicos ou de percebê-las move-se do improvável para o possível.)"

Observações relacionadas à pesquisa parapsíquica

Ed entregou a Lorraine um copo de água e tomou a palavra.

"A chave para desvendar mistérios místicos não está nos laboratórios e nos equipamentos técnicos, mas no bom e velho recurso usado tanto por detetives quanto por cientistas – observação e interpretação. Ainda que o estudo continue em andamento e seja passível de interpretação individual, Lorraine e eu e a maioria dos investigadores de campo em paranormalidade concordamos quanto a diversas consistências e padrões. A primeira delas é...

"Impressões parapsíquicas – Hans Holzer, Ph.D., professor de parapsicologia no New York Institute of Technology e autor de diversos livros, é da opinião de que a maioria dos avistamentos espectrais (85-90%) são apenas uma reprise de um evento emocional do passado. Concordamos que o 'fenômeno' relatado com mais frequência é a repetição de uma imagem e de uma sequência de eventos em que ocorreu uma tragédia ou sofrimento. Muitas vezes, campos de batalha, hospitais ou locais onde aconteceu um assassinato ou acidente fatal revelam a mesma imagem a pessoas diferentes. Ainda, em lugares onde um esforço repetitivo ocorreu em vida, uma impressão parapsíquica pode ter sido deixada após a morte. Por exemplo, pode haver uma imagem recorrente de um homem pendurando seu chapéu ao voltar do trabalho, ou de uma mulher em seu jardim. Às vezes esses eventos recorrentes podem ser odores ou sons... crianças correndo para cima e para baixo pelas escadas, cheiro de charuto ou de perfume.

"Existe a teoria de que tais fenômenos parapsíquicos sejam como uma fotografia que fixa uma imagem com um lampejo de energia ou que deixa uma impressão com eventos repetidos. Esses fenômenos requerem certas condições para se desenvolver; mas, quando as condições corretas existem, muitas pessoas diferentes relatam ver e vivenciar o mesmo evento em momentos distintos. Não há perigo algum em uma impressão parapsíquica.

"O próximo é... Espíritos presos à Terra. Muitos investigadores esclarecem que um 'fantasma' é a imagem de alguém desconhecido, enquanto uma 'aparição' é a imagem de alguém que você conhece. Tais imagens só podem ser vistas por sensitivos (clarividentes, médiuns, crianças e animais) e pessoas com as quais o fantasma sente afinidade. Por exemplo, o atual proprietário de um imóvel ou uma visita podem se parecer com um ente querido do fantasma – filho, filha ou cônjuge – ou ser tomado por um antigo inimigo. Em outros casos, eles podem ter o mesmo tipo de trabalho, o mesmo hobby ou estar nas mesmas circunstâncias.

"Na maior parte do tempo, os fantasmas revelam-se por meio de perturbações, que são elas próprias uma pista para se saber quem são e por que estão ali. Reformas na propriedade podem perturbar os fantasmas e torná-los ativos. Clarividentes e médiuns genuínos podem descrever tais entidades e comunicar-se com elas para ajudar em sua identificação e encorajá-las e seguir seu caminho, beneficiando a todos os envolvidos. Entidades presas à Terra conseguem mover quadros, lâmpadas e brincar com aparelhos eletrônicos, mas não são fisicamente perigosos. Testemunhas desses fenômenos podem ficar assustadas ou perturbadas, mas raramente ficam aterrorizadas. Muitas coexistem com seus fantasmas."

Lorraine interrompeu, "A principal razão pela qual algumas entidades permanecem 'presas à Terra' é não terem aceitado a morte, provavelmente por ela ter chegado de forma inesperada ou por algum problema mental que a pessoa teria em vida. Alguns espíritos ficam para tentar resolver assuntos inacabados. Embora possam desejar concluir algo, nós e outros investigadores sérios não temos conhecimento de qualquer fantasma que de fato estivesse buscando vingança ou justiça. Ao contrário, um fantasma pode estar sofrendo por seu próprio sentimento de culpa ou pela necessidade de reconfortar outras pessoas, inclusive aquela que lhe causou mal. Outros fantasmas podem, por teimosia, recusar-se a sair de suas casas, local de trabalho ou lugar onde morreram. Os motivos emocionais que prendem as pessoas durante a vida parecem aplicar-se também à morte. Espíritos presos à Terra, porém, parecem ter menos mobilidade na morte do que tinham em vida, e não seguem as pessoas de um lugar a outro."

Ed retomou:

"Espíritos de transição e de crise – Tais aparições são o segundo tipo mais relatado de aparições espectrais. Geralmente são imagens de alguém que você conhece. Além do avistamento de pessoas, são reportados também avistamentos de animais queridos.

"O mais comum é uma imagem, voz, cheiro ou outra manifestação de alguém que você conhece e que morreu a alguma distância de você. Se aparecem como imagens visuais, tendem a ter a mesma aparência de quando morreram. É perturbador se a morte deveu-se a um acidente violento, a assassinato ou na guerra. É dessa forma que muitos 'fantasmas' ganham a reputação de serem assustadores.

"Um espírito em transição tende a aparecer nas primeiras 48 horas após a morte do indivíduo, pode aparecer a mais de uma pessoa no mesmo momento e lugar e raramente é visto de novo nessa mesma forma. Acredita-se que tais espíritos estão no processo de passar para o outro lado. Eles desejam informar alguém de seu passamento e confirmar que a vida continua. Testemunhas desse fenômeno com frequência têm uma sensação de paz a despeito dos eventos infelizes que levaram ao avistamento.

"Os 'espíritos de crise' são aqueles que aparecem a alguém em uma crise emocional ou física. Por exemplo, o marido falecido que aparece para encorajar a esposa que dirige em uma nevasca perigosa. Às vezes uma imagem ou outras pistas de um ente querido que se foi podem aparecer em momentos felizes ou quando os membros da família estão reunidos. Ainda, outras visitações são relatadas quando alguém está muito triste ou deprimido. Pessoas que vivenciam esse fenômeno a princípio se assustam, mas também relatam terem se sentido reconfortadas."

"Em ambos os casos, os sonhos são um veículo comum para a 'comunicação'", Lorraine explicou. "A entidade seguiu seu caminho, ou está no processo de fazê-lo. É livre para voltar conforme necessário ou desejado, em qualquer tempo e lugar; entretanto, em geral ela faz apenas uma aparição. Com frequência é o suficiente para que ambos os lados 'libertem'."

Ed continuou:

"Anjos – Essas entidades nunca foram humanas e, de acordo com a maioria das doutrinas cristãs, atuam como mensageiros de Deus. Outras religiões identificaram entidades similares. Tais espíritos costumam materializar-se fisicamente em situações de crise e em seguida desaparecem de forma misteriosa. De novo e de novo, tais aparições são relatadas em hospitais, locais de acidentes e por funcionários de casas para doentes terminais, e em todas as culturas e nações. Uma pessoa sente-se protegida, aliviada ou em paz quando confrontada com tal experiência.

"A seguir temos o poltergeist – este é o termo alemão para o fantasma travesso ou barulhento. A implicação é que esta é uma perturbação criada por um espírito preso à Terra ou por um espírito visitante. Sabe-se que a reforma de propriedades é algo que desencadeia esse tipo de fenômeno. Traços da personalidade parecem permanecer em fantasmas presos à Terra que podem ter sido controladores, teimosos, amargos ou ressentidos quando vivos. Outros tentam ser prestativos ou brincalhões e nesse processo se mostram barulhentos ou maliciosos.

"Os espíritos que anteriormente foram humanos e que retornam do outro lado têm mais poder de mover objetos e fazê-los se manifestar a partir do nada. Tais entidades podem seguir uma pessoa. Fantasmas presos à Terra – espíritos que não conseguiram fazer a passagem – têm poderes sobrenaturais mais fracos e estão ligados a um ponto físico.

"O movimento físico de objetos e móveis domésticos ou de escritórios sem um meio aparente de propulsão tem sido documentado em filmes. Tal atividade tem sido relacionada a capacidades parapsíquicas inconscientes de adolescentes emocionalmente perturbados. Em alguns casos, terapia e maturidade resolvem o problema. Não sendo esse o caso, um clarividente genuíno e experiente em investigação de fenômenos paranormais pode ser capaz de identificar o espírito, determinar o que está fazendo e qual sua motivação e comunicar-se com ele para que a paz possa ser restabelecida.

"A atividade de um poltergeist pode ser assustadora e perigosa. Golpes físicos, objetos que voam ou mesmo vergastadas podem ferir pessoas.

Dependendo da progressão e do nível de violência, investigadores como nós temem o possível envolvimento do mal.

"E finalmente temos as Entidades Malignas – Satanás, diabos, demônios e todo tipo de seres inerentemente maus têm sido identificados por quase todas as religiões praticadas pela humanidade. No entanto, os espíritos malignos são os mais passíveis de ser tratados de forma sensacionalista ou negados. Nós – assim como muitas outras pessoas – observamos diversos estágios e manifestações do que a princípio parece ser uma atividade paranormal benigna, mas que pode se transformar em algo muito pior e perigoso."

"O mal precisa ser convidado a entrar na vida de uma pessoa", reiterou Lorraine. "Isso pode acontecer de forma direta, por meio de bruxaria e de culto ao demônio, ou inadvertidamente, por meio de tabuleiros Ouija, cartas de tarô, videntes inexperientes ou mal informados, ou comportamentos destrutivos incluindo drogas, álcool, violência ou associação com adoradores do demônio. As entidades malignas nunca foram humanas, e têm poderes inumanos. Por natureza, são mentirosas e manipuladoras. Elas fingem ser algo que não são, para encorajar as pessoas a aceitarem ou desejarem um envolvimento maior."

"Uma vez que isso aconteça, as manifestações físicas podem ocorrer", prosseguiu Ed. "Esses eventos são assustadores e opressivos. Eles fazem com que membros da família se voltem uns contra os outros. Perturbações constantes, vozes, pesadelos e barulhos desgastam as pessoas física e emocionalmente. Uma vez que isso aconteça, pode ocorrer a possessão. Infelizmente, a possessão pode levar à morte do indivíduo e possivelmente de outras pessoas.

"Entidades malignas têm o poder de mover objetos grandes e de transportar itens volumosos – até mesmo pessoas – de um lugar a outro. Também podem seguir as vítimas de um lugar a outro ou permanecer em dormência, indefinidamente, em uma casa infestada ou em outro objeto inanimado, esperando por alguém que seja vulnerável.

"O mal também é esperto o suficiente para fingir-se de morto nas condições adequadas. No entanto, ele é vulnerável a uma intervenção religiosa, e é forçado a revelar-se e ser expulso (exorcismo) pelas mãos certas. Muitos casos são, na verdade, imaginários ou fraudulentos, mas há aqueles que até o momento desafiam qualquer outra explicação."

Resumo geral

Uma vez mais, Lorraine pôs-se de pé.

"Os Estados Unidos devem ser a nação cientificamente mais avançada do mundo e têm uma das populações com melhor nível educacional. No entanto, uma pesquisa Gallup feita em maio de 2001 com norte-americanos a partir de 18 anos revelou que mais de 56% acreditavam em, ou consideravam plausíveis, fantasmas, casas assombradas, possessão maligna e comunicação com os mortos. A porcentagem aumentou em 12% desde que a mesma pesquisa foi feita em 1990. Com base no censo norte-americano de 2000, 56% representam mais de 117 milhões de pessoas... com uma estimativa de 52% com ao menos alguma educação de nível superior. A matéria de capa da edição de julho de 2001 da revista *Fortune* tinha como título 'Surpreendente busca por renovação espiritual no ambiente de trabalho norte-americano'. Esse artigo e a pesquisa foram realizados antes de 11 de setembro de 2001 – antes que a recém-descoberta vulnerabilidade dos Estados Unidos pudesse levar o crédito pela retomada do espiritualismo."

Ed comentou, "Os céticos nos dizem que estamos apenas buscando refúgio e orientação em um mundo espiritual, pois nosso mundo moderno parece impessoal e hostil. Ademais, ainda estamos frustrados pelas limitações da medicina, da ciência e da tecnologia.

"Talvez nosso maior medo com relação aos fantasmas seja que eles não existam. O que pode ser mais assustador do que a ideia de que nossa vida e a vida daqueles a quem amamos sejam tão temporárias e descartáveis quanto um lenço de papel? Se nossa existência continua em formas diferentes, é mais fácil crer que nossa vida tem um propósito que vai além de suprir e exceder as necessidades físicas. Há evidências cada vez mais robustas indicando que essa ideia pode ser mais do que uma simples ilusão ou uma doutrina religiosa."

Lorraine explicou, "Ed, um demonologista reconhecido, e eu, uma clarividente comprovada, temos investigado e observado o sobrenatural há mais de cinquenta anos. A humanidade, porém, vem observando-o desde a aurora do ser humano. Poderiam milhares de anos de observação humana dos fenômenos paranormais estar completamente equivocados?".

Ed respondeu, “Muitos céticos dizem ‘Sim’. No passado, porém, muitos céticos sérios também insistiram que a Terra era plana, que o Sol girava ao redor dela e que o ornitorrinco era uma fraude. Antes do século XIX, a PES era considerada uma heresia religiosa. No início do século XIX, os meteoritos eram tidos como produtos da imaginação. E muito antes de ser descoberta por *sir* Isaac Newton, a gravidade existia e era observada.

“Os céticos também têm medos. Há não tanto tempo assim, eles temiam o abismo que estava além das bordas chatas deste mundo. Eles temiam que a Terra não fosse o centro do universo. A pesquisa persistente levou à descoberta que mudou nossa perspectiva do mundo e de seu universo, e nosso lugar nele. Hoje, muita gente ainda teme o abismo da morte. A pesquisa poderá finalmente provar que, no lugar de uma borda abrupta e um final para a vida, ela continua. Isso mudaria nossa perspectiva da vida e nosso lugar nela.

“A ciência ainda não conhece todos os segredos de nosso universo, de nosso mundo físico na Terra ou mesmo de nossos próprios corpos. Tampouco Lorraine, eu e outros pesquisadores parapsíquicos supomos saber tudo sobre o mundo inferior. Eles oferecem apenas teorias baseadas em suas observações e nas observações de outros.”

Lorraine observa, “As organizações de pesquisa de fenômenos paranormais descobriram muitas fraudes, mas também descobriram mistérios como Leonora Piper, que levou céticos dedicados e persistentes, de dois continentes, a aceitar a ‘hipótese de sobrevivência’ – a existência após a morte. Enquanto isso, prosseguem os estudos sérios da PES e de todas suas manifestações e aplicações potenciais.

“O falecido cardiologista e prêmio Nobel dr. Alexis Carrel, comentou sobre os fenômenos parapsíquicos: ‘O trabalho de um cientista é observar fatos. O que observei são fatos problemáticos para a ciência, mas eles são fatos.’[52]

“Outro cientista, dr. Gardner, observou: ‘Se houvesse, em qualquer outro campo da ciência, um décimo das provas que existe na parapsicologia, ela seria aceita sem sombra de dúvida’.[53]

“Joe Nickell, aclamado desmistificador e respeitado investigador do Comitê para a Investigação Científica de Alegações do Paranormal, admite, ‘O que precisamos é de um ceticismo mais generoso, mais gentil’. Ele explica, 'Não estou dizendo que há 50% de chance de que exista um fantasma naquela casa assombrada. Creio que as chances são mais ou menos de 99,9% de que não exista. Mas vamos lá dar uma olhada. Quem sabe a gente aprende algo superinteressante'.[54]

"Ed e eu agradecemos a vocês pelo interesse. Esperamos que tenham aprendido algo interessante e que todos os seus encontros paranormais sejam agradáveis."

"A coisa mais bela que podemos vivenciar é o mistério. Ele é a fonte de toda a arte verdadeira e de toda a ciência. Aquele que não consegue sentir essa emoção, que não mais consegue parar para pensar e ser tomado pelo assombro, poderia muito bem estar morto: seus olhos estão fechados."
Albert Einstein

FIM

Glossário

As palavras e definições são apresentadas apenas na forma como se relacionam com o assunto deste livro.

666 – suposto símbolo/número do diabo... e um insulto à Santíssima Trindade.

Anjo – entidade não humana que pode assumir forma espiritual ou humana.

Aparição – espírito ou fantasma de alguém reconhecido. Pode-se referir também à manifestação física de impressões e memórias psíquicas que impregnam edifícios ou outros lugares específicos.

Aparição de crise – fantasma de alguém conhecido que aparece para reconfortar ou orientar em um momento de crise (também pode aparecer em momentos de celebração).

Aparição de transição – fantasma de alguém conhecido que aparece pouco depois da morte.

Apaziguamento – uma confrontação em grupo, para acalmar a ira de alguém.

Atração – aquilo que convida uma assombração ou algo maligno a entrar na vida de alguém.

Clarividência – capacidade de ver, ouvir, cheirar ou sentir coisas que não são do mundo físico.

Criptozoologia – a ciência de animais ocultos; investiga relatos de criaturas incomuns, lendárias, mitológicas, hipotéticas ou avistadas por poucas pessoas.

Cristalomancia – o reflexo de um fantasma ou espírito em uma superfície luzidia.

Demônio – anjo caído que busca a destruição das criações de Deus, a ruína das almas e o controle do livre-arbítrio.

Demonologista – alguém que estuda o mal e as práticas maléficas, para fins de prevenção e assistência.

Demonologista religioso – alguém que escolheu a vida religiosa e que estuda o mal e as práticas maléficas, para fins de prevenção e remediação.

Diabos – demônios menores, anjos caídos que buscam a destruição das criações de Deus, a ruína das almas e o controle do livre-arbítrio.

Divinas – entidades não humanas que podem assumir forma espiritual ou humana.

Escapulário marrom – duas peças de tecido unidas por cordões, usadas no peito e nas costas por baixo das roupas, originalmente utilizadas como parte do hábito monástico. Quem o usa tem "a garantia da paz de uma boa morte".

Espírito – alma ou imagem espectral, mas o termo é usado por muitos investigadores parapsíquicos para diferenciar os "fantasmas" presos à Terra dos "espíritos" que já fizeram a passagem e estão de visita.

Exorcismo – ritual religioso para expulsar o mal.

Fantasma – representação não física de um espírito humano ou animal. Em muitos casos esse termo também é usado para designar uma marca emocional ou impressão psíquica deixada por uma entidade que já esteve viva, tanto humana quanto animal.

Glóbulos espectrais – orbes de energia frequentemente capturados em vídeo, mas em geral invisíveis ao olho humano.

Impressão parapsíquica – uma imagem espectral recorrente de uma pessoa e evento.

Infestação – o mal residindo em objetos materiais ou lugares.

Intercessão – uma confrontação em grupo, encorajando alguém a encarar um problema, como o vício.

Kirlian – uma câmera de criação russa capaz de fotografar a aura e a energia vital.

Levitação – fenômeno em que ocorre suspensão no ar sem qualquer meio visível ou físico.

Médium – alguém que faz a ponte entre o mundo físico e o mundo não físico.

Médium de transe leve – médium que consegue ver, falar com entidades não físicas e ouvi-las.

Médium de transe profundo – médium que permite a entidades não físicas falarem por meio dele.

Opressão – a supressão do livre-arbítrio e do desejo humanos pelo mal.

Padre Pio – sacerdote católico italiano, virtuoso, curador renomado e exorcista, que morreu em 1968, foi beatificado pela Igreja em 2 de maio de 1999 e canonizado em 16 de junho de 2002.

Paralisia parapsíquica – sono profundo, imobilidade ou incapacidade de falar, induzidos pelo mal.

Parapsicologia – o estudo do paranormal.

Poltergeist – um fantasma travesso ou barulhento (ou algo que pode ser demoníaco).

Possessão – o mal residindo dentro de alguém.

Psicose – um distúrbio sério de personalidade, em que o contato com a realidade fica prejudicado.

Psicoterapia – tratamento de uma perturbação mental por meio de aconselhamento profissional.

Teletransportação – a desmaterialização e materialização de material animado e inanimado, movendo-o de um lugar a outro.

Vidente – clarividente com a conotação inapropriada, mas frequente, de alguém que lê a sorte.

Notas

[1] Gerald L. Schroeder, *Hidden Face of God* (Nova York: The Free Press, 2001), 184.

[2] Charles Dickens, *A Christmas Carol* (Grã-Bretanha: The John C. Winston Company, 1938), 24.

[3] Os avistamentos da "Mulher de Branco" em Monroe, Connecticut, têm sido relatados e documentados há décadas. Fotografias parapsíquicas e um vídeo desse espectro misterioso fazem parte dos arquivos dos Warren. O evento com o caminhão de bombeiros aconteceu em novembro de 1992. Os Warren gravaram em vídeo uma entrevista com os motoristas do caminhão.

[4] Gerald L. Schroeder, *Hidden Face of God* (Nova York: The Free Press, 2001), 294.

[5] Ibid.

[6] Ibid.

[7] Ibid.

[8] Rosemary Ellen Guiley, *The Encyclopedia of Ghosts and Spirits*, 2ª ed. (Nova York: Checkmark Books, Inc., 2000), 150.

[9] Ibid.

[10] Gerald L. Schroeder, *Hidden Face of God* (Nova York: The Free Press, 2001), 153.

[11] Raymond Buckland, *The Witch Book* (Canton, Visible Ink Press, 2002), 416.

[12] Esses artigos resultaram em um livro, *Demon Possession*, John Warwick Montgomery (org.), Minneapolis: Bethany Fellowship, 1976.

Gerald Brittle, *The Devil in Connecticut* (Nova York: Bantam Books, 1983), 117-118.

[13] Rosemary Ellen Guiley, *The Encyclopedia of Ghosts and Spirits*, 2ª ed. (Nova York: Checkmark Books, Inc., 2000), 126.

[14] Ibid., 125.

[15] A boneca de pano "Annabelle" está agora no Museu do Ocultismo dos Warren, atrás de um vidro de proteção. Um sacerdote que questionou o poder da boneca sofreu um acidente de carro quase fatal logo após o incidente. O jovem que igualmente o questionou não teve tanta sorte. Ele morreu em um acidente de moto imediatamente depois do incidente. Uma imagem mental da boneca apareceu pouco antes dos acidentes, de acordo com o sacerdote e com a namorada do jovem, que sobreviveu ao acidente.

[16] Ford Fessenden, "Rampage Killers", *New York Times,* 9 de abril de 2000 (Seção Nacional, Vol. CXLIX, No: 51,353): 1 & 28.

[17] Rob Waters, "The School that Stopped Bullies", *Reader's Digest* (janeiro de 2003): 141-146.

[18] Alexander I. Soljenítsin, *The Cancer Ward* (Nova York: Dell Publishing Co., Inc., 1968), 512-513.

[19] J. K. Rowling, *Harry Potter and the Chamber of Secrets* (Nova York: Scholastic Inc., 1999), 329.

[20] Rosemary Ellen Guiley, *The Encyclopedia of Ghosts and Spirits,* 2ª ed. (Nova York: Checkmark Books, Inc., 2000), 10.

[21] Ibid.

[22] Ela se refere ao padre "Pio", sacerdote católico italiano e renomado exorcista, que foi beatificado pela Igreja em 2 de maio de 1999.

[23] Feito a partir dos desenhos da carta original. Ela alega ter feito tais desenhos enquanto sua mão era controlada por outra força. Nota: o assassino, neste caso real, revelou-se ser um homem magro, de aparência asseada, que usava óculos e tinha as iniciais "R. P.". Ela não poderia ter conhecimento disso à época, mas o mal teria como saber. O mal teria adorado cada minuto do crime, e estaria ávido para revivê-lo. Pode ter tido envolvimento, influenciando ou possuindo o assassino.

[24] Um escapulário consiste em dois pequenos pedaços de tecido unidos por cordões, usados no peito e nas costas, sob as roupas. Originalmente era utilizado como parte do hábito monástico. Atualmente, ele também pode ser uma medalha religiosa católica romana benta, que pode substituir os pedaços de tecido.

[25] A "Promessa" a quem o usa é "a garantia da paz de uma boa morte".

[26] O padre Pio foi um sacerdote italiano e renomado exorcista, que foi beatificado em maio de 1999... o primeiro passo para a santificação, na Igreja Católica Romana.

[27] Extraído de um artigo escrito por Paul B. Bartholomew, Whitehall, Nova York, "Bigfoot on the East Coast" para o *New England Journal for Psychic Research,* julho/agosto de 2000.

[28] De uma entrevista com Clifford Sparks, conduzida por Paul Bartholomew no Skene Valley Country Club, em 11 de maio de 1989.

[29] De uma entrevista com o dr. Warren L. Cook, conduzida por Paul Bartholomew na residência de Cook em Castleton, Vermont, em 9 de maio de 1989.

30 "How to Clean a Haunted Hotel", de Matthew Stadler, *NEST* Magazine, Nova York, NY, primavera de 2001, 139-149.

31 Rosemary Ellen Guiley, *The Encyclopedia of Ghosts and Spirits*, 2ª ed. (Nova York: Checkmark Books, Inc., 2000), 362-363.

32 Ibid., 304

33 Burkhard Bilger, "Waiting for Ghosts", *The New Yorker* (23 de dezembro de 2002), 88.

34 Hans Holzer, *Ghosts: True Encounters with the World Beyond* (Nova York: Black Dog & Leventhal Publishers, Inc., 1997), 34.

35 Rosemary Ellen Guiley, *The Encyclopedia of Ghosts and Spirits*, 2ª ed. (Nova York: Checkmark Books, Inc., 2000), 248.

36 Ibid., 290.

37 Ibid.

38 Ibid.

39 Ibid., 290-291.

40 Ibid., 248-249, 291.

41 Ibid., 291.

42 Ibid., 248.

43 Ibid.

44 Hans Holzer, *Ghosts: True Encounters with the World Beyond* (Nova York: Black Dog & Leventhal Publishers, Inc., 1997), 32.

45 Ibid., 36.

Nota: A dra. Moss é a profissional que testou, comprovou e quantificou a clarividência de Lorraine Warren.

46 Hans Holzer, *Ghosts: True Encounters with the World Beyond* (Nova York: Black Dog & Leventhal Publishers, Inc., 1997), 36.

47 Ibid., 33.

48 Ibid., 32-33.

49 Kurt Singer como narrado por Michael Gier, "A Murder Case", *Beyond Space and Time: An ESP Casebook*, organizado por Martin Ebon (Nova York: The New American Library, Inc., 1967), 159-175.

50 Hans Holzer, *Ghosts: True Encounters with the World Beyond* (Nova York: Black Dog & Leventhal Publishers, Inc., 1997), 33.

51 "Gleanings", *Newtown Bee* (14/9/2001): Sec. 1, p. 2.

52 Hans Holzer, *Ghosts: True Encounters with the World Beyond* (Nova York: Black Dog & Leventhal Publishers, Inc., 1997), 40.

53 Ibid., 36.

54 "Waiting for Ghosts", Burkhard Bilger, *The New Yorker* (23 de dezembro de 2002), 98-99.